中国近现代针灸文献研究集成
教材卷

王富春　杨克卫／主编

针灸基础分卷
江浙闽篇（上）

北京科学技术出版社

图书在版编目（CIP）数据

中国近现代针灸文献研究集成. 教材卷. 针灸基础分卷. 江浙闽篇 / 王富春, 杨克卫主编. —北京：北京科学技术出版社, 2021.11

ISBN 978-7-5714-1900-4

Ⅰ. ①中… Ⅱ. ①王… ②杨… Ⅲ. ①针灸疗法—文献—汇编—中国—近现代 Ⅳ. ①R245

中国版本图书馆CIP数据核字(2021)第204651号

策划编辑： 侍　伟
责任编辑： 吴　丹
文字编辑： 吕　艳　董桂红　杨朝晖　严　丹　陶　清
责任校对： 贾　荣
图文制作： 北京艺海正印广告有限公司
责任印制： 李　茗
出 版 人： 曾庆宇
出版发行： 北京科学技术出版社
社　　址： 北京西直门南大街16号
邮政编码： 100035
电　　话： 0086-10-66135495（总编室）　0086-10-66113227（发行部）
网　　址： www.bkydw.cn
印　　刷： 北京捷迅佳彩印刷有限公司
开　　本： 787 mm × 1092 mm　1/16
字　　数： 751千字
印　　张： 81
版　　次： 2021年11月第1版
印　　次： 2021年11月第1次印刷
ISBN 978-7-5714-1900-4

定　　价：980.00元（全二册）

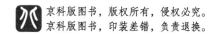

“中国近现代针灸文献研究集成”丛书

编　委　会

张　琪	张　楚	张子扬	张丹枫	张珊珊	张晓旭
张晓梅	张瀚文	陆孟静	陈丽丽	陈春海	陈维伟
陈新华	邵　阳	范芷君	范嘉毅	岳永月	周　丹
冶丁铭	赵晋莹	赵雪玮	胡英华	柳正植	哈丽娟
钟　祯	洪嘉靖	姚　琳	贺怀林	柴佳鹏	党梓铭
徐　铭	徐万婷	徐立光	徐晓红	高　姗	郭丽君
郭晓乐	曹　洋	曹家桢	康前前	董国娟	蒋海琳
韩香莲	路方平	詹旭晖	谭蕊蕊		

《中国近现代针灸文献研究集成·教材卷》

编 委 会

主 编 王富春 杨克卫

副主编（按姓氏笔画排序）

王朝辉 刘成禹 刘晓娜 李 铁 张 敏 陈新华
周 丹 赵晋莹 胡英华 徐晓红 董国娟 蒋海琳

编 委（按姓氏笔画排序）

马天姝 王义安 王艳雯 王笑莹 王朝辉 王富春
白 伟 朱 斌 刘成禹 刘春禹 刘晓娜 孙佳琪
李 铁 李乃奇 李芃柳 杨 鑫 杨克卫 杨春辉
张 敏 张 楚 陈春海 陈新华 周 丹 治丁铭
赵晋莹 胡英华 柳正植 哈丽娟 洪嘉靖 徐立光
徐晓红 郭晓乐 曹 洋 董国娟 蒋海琳 韩香莲
路方平

总 前 言

1840年，鸦片战争爆发，西方列强入侵中国，自此中国由独立的封建社会逐步沦为半殖民地半封建社会。20世纪初，受“五四运动”时期各种新思潮的影响，许多有识之士开始积极地向西方学习，由此，大量的自然科学和社会科学知识传入中国，这对中国的政治和社会经济等都产生了重大影响。近代西医学的影响力逐渐增大，解剖学、生理学等知识开始被当时的人们所了解和接纳，西医医院、西医学校等机构也在中国相继出现。随着西医医护队伍的不断壮大，许多人以转译日本人所著的西医学书籍的方式来学习西医学，并成立了相应的学术团体和职业团体。这一时期的针灸界亦是如此，宁波东方针灸学社、中国针灸学研究社等学术团体相继成立，针灸医家访问日本，带回大量日本的针灸著作并将之翻译出版。这些翻译著作较传统针灸医籍更容易学习，颇受民众喜爱。中国近代中医学家、教育家对针灸学术的研究极大地推动了针灸学的现代发展。中华人民共和国成立后，中医针灸学研究越来越受到重视，著书者众、办学者多，由此，针灸成为中医学研究与发展不可或缺的一环，并逐渐在世界范围大放异彩。2010年，中医针灸被列入《人类非物质文化遗产代表作名录》。中国近现代是中西方思想碰撞的时期，是中医学术多流派发展、百家争鸣的时代，其中又以民国时期最具代表性。研究民国时期这一特殊历史时期的针灸文献，可以为今后的针灸学术发展提供良好的借鉴。“中国近现代针灸文献研究集成”丛书对中国近现代针灸文献进行收集、整理和研究，其中以民国时期的针灸文献为主。

一、民国时期针灸的发展概况

民国时期的针灸学术研究一直未被学界所重视，但作为传统针灸与现代针灸的衔接，这一时期的针灸学术研究影响深远。民国时期是中医针灸学院化教育的萌芽时期，是现代针灸教育模式的源头时期，是针灸学术发展的历史转折期。近年来，对于民国时期针灸文献的研究逐渐被学界重视，大量民国时期的针灸医籍得以整理出版，如承淡安编撰的《中国针灸治疗学》《中国针灸学讲义》，杨医亚在民国时期办学的讲义等。然而，随着对民国时期针灸学术、针灸医籍的研究日渐增多与深入，研究者们面临着一个共同的难题——民国时期针灸文献的收集十分困难。这一难题产生的主要原因是民国时期的针灸文献存量不多，有些甚至已经失传。

经历了明清时期的积淀，民国时期的针灸学术得到进一步发展，针灸学术团体、学术体系逐渐形成，这一时期是传统针灸向现代针灸过渡的时期。以承淡安为代表的澄江针灸学派的先辈们创办中国针灸学研究社，开办针灸讲习所，招收学员，传播针灸技术，实践“针灸科学化”，对民国时期的针灸学术发展具有举足轻重的作用。民国时期针灸名医曾天治提倡的“科学针灸”的理念在这一时期备受关注，这对现代的针灸教育及针灸体系产生了巨大影响。中华人民共和国成立初期，全国各地兴办针灸学校，以承淡安为代表的针灸医家在继承古法、融汇新知的基础上，总结民国时期针灸学术研究成果及针灸教育的经验，开办针灸学习班，创办针灸高等教育学校，为现代针灸教育的发展打下了坚实的基础。

二、民国时期针灸文献的保存现状

有学者据《中国中医古籍总目》考查，发现民国时期的针灸医籍共有193种，较之明代的24种、清代的86种多出数倍。另有学者认为，民国时期的针灸医籍共有254种，其中中国本土针灸医籍有229种。民国时期是针灸医籍大量出现的时期。随着印刷技术的发展，出版书籍的成本逐渐降低，许多书籍得以大量出版。另外，民国时期各种中医学校、学术团体大量涌现，由于教学及学术交流的需要，针灸医籍的出版数量激增。

然而，对这些文献的保护并未得到足够的重视。首先，受当时的历史条件所限，大量图书并未经过正规出版，只是简单印刷，数量较少，且战乱频仍，导致不少文献难以留存全本。其次，由于不是正规出版物，相当一批文献没有进入馆藏系统，而是散落于民间，这使得这些文献留存状况不明，有些文献已经成为孤本，甚至已经散佚。同时，由于当时书籍纸张的质量普遍较差，且装订十分粗糙，部分文献在辗转流传过程中被损坏，已成残本，这种情况尤以油印材料及手抄本为突出。民国时期是我国出版业由手工造纸、印刷向机械造纸、印刷的过渡时期，相关技艺还不够成熟，用于印刷的纸张酸性强、保存期限短，加上长期以来各馆藏机构对民国时期文献的保护观念滞后、认识不足、保管不善，以致部分医籍呈现出不同程度的老化或损毁现象，情况岌岌可危。当前，亟须对这批文献进行重新整理及抢救性保护，使之进入国家各级馆藏体系，为我国针灸学术的传承及中医药事业的发展提供宝贵的文献资料。

三、本丛书所收录的针灸文献情况分析

（一）本丛书所收录的针灸文献书目

作者团队通过查阅《中国中医古籍总目》《中国针灸文献提要》《中国针灸荟萃·现存针灸医籍》《民国时期总书目·医药卫生》等工具书，参考各省（自治区、直辖市）及院校图书馆、档案馆和民间个人收藏书籍，共收集针灸文献1000余种，以来源可靠、记录严谨、实用性强、学术价值及文献价值高为原则筛选出210余种针灸书籍作为本丛书的书目。本丛书所收录的针灸文献以私人藏书为主，除了涵盖约90%的《中国中医古籍总目》所收录的民国时期的针灸文献，还增补了《中国中医古籍总目》所未收录的民国时期的针灸书籍近50种，其中不乏珍稀文献，如讲述“广西派针法”的《针灸菁华》、四川程兴阳的《针灸灵法》（石印本）等。对于抄本针灸文献，部分图书馆公藏的难以查阅，故本丛书未予收录，而民间发现的则择而收之。

本丛书按收录文献的内容题材进行分类分卷，并参考编者或学术团体所在地域进行分册，使体例清晰，便于使用。本丛书所收录文献按内容题材具体分为：①教材类；②专著类；③医案类；④杂志类；⑤图谱类；⑥其他（主要包括清末民国时期的佚名抄本等）。本丛书所收录针灸文献的情况如表1、表2所示。

表1　本丛书所收录针灸文献情况（按内容题材分类）

	教材类	专著类	医案类	杂志类	图谱类	其他
数量	54种	127种	5种	13种	6种	10种

表2　本丛书所收录《中国中医古籍总目》中针灸文献书目数量与《中国中医古籍总目》书目数量对比

	针灸通论类	经络孔穴类	针灸方法类	针灸临床类
“中国近现代针灸文献研究集成”收录书目数量	50种	23种	18种	16种
“中国近现代针灸文献研究集成”未录书目数量	15种	15种	8种	6种
《中国中医古籍总目》收录书目数量	65种	38种	26种	22种

注：《中国中医古籍总目》书目包括本丛书所收录书目与本丛书未录书目。其中抄本书目不在统计范围内，且《中国中医古籍总目》中的重复书目算作1种。①针灸通论类：收录50种，未录15种；另存抄本44种。②经络孔穴类：收录23种，未录15种（其中民国时期11种）；另存抄本64种，其中挂图7种，经查未见3种。③针灸方法类：收录18种，未录8种（多为太乙神针别本）；另存抄本15种（收录1种）。④针灸临床类：收录16种，未录6种（含针灸医案别本）；另存抄本17种。

（二）本丛书未收录的针灸文献书目

在对《中国中医古籍总目》进行查阅及对馆藏图书进行实地考察的基础上，现列举部分本丛书未收录的书目，以便后续收集。

针灸通论类：《针灸便览》、《中医刺灸术讲义》、《针灸秘法》、《简明针科学·论针篇》、《针灸纂要》、《针灸说明书》、《实用针灸医学》、《针灸学薪传》、《针灸学》（富锦文新书局）、《针灸学讲义》、《针灸精华》，以及《针灸学》（《中国中医古籍总目》载四川铅印本，经实地考察，实为《针灸医案》油印本）、《针灸学讲义》（重庆石印本，经查未见）、《针灸讲义》（石印本，经查与《针灸医案》同一函，蓝印）。

经络孔穴类：《脉度运行考》、《经络图说》、《俞穴指髓》、《铜人经穴骨度图》（张山雷）、《明堂孔穴针灸治要》（孙鼎宜）、《经络要穴歌诀》（经实地考察，该书与《经穴摘要歌诀·百症赋笺注》系同一馆藏代码，系重复编目）、《经穴辑要》（勘桥散人）、《十四经穴分布图》（姚若琴，经查未见，经考证为中华人民共和国成立后出版的，《中国中医古籍总目》有误）、《铜人新图》（范更生）、《正统铜人插针照片》、《实用铜人经穴图》（董德懋）、《针灸经穴挂图》（杨医亚）、《人体十四经穴图像》（赵尔康）、《人体经穴图》（承淡安）。以上多系人形挂图，未收录。

针灸方法类：《砭经》、《神灸经论》、《传悟灵济录》、《灸法秘传》、《灸法心传》、《延寿针治症穴道》等部分晚清针灸古籍。以上近年多有出版，未予收录。

针灸临床类：《济世神针》、《针灸治验百零八种》、《针灸医案》（系收录《针灸医案》别本）。

如上所述，本丛书基本涵盖了《中国中医古籍总目》所列大部分馆藏图书，亦收录了馆藏未见的民国时期的针灸书目近50种（其中新发现的民间私立学校所用针灸材料有数十种），缓解了目前民国时期针灸文献研究材料难得一见的窘迫局面，既能及时抢救该时期的中医针灸文献，又可使之化身千百，服务于学界，促进文化的传承。

四、民国时期针灸文献的价值及其对近现代针灸学术的意义

（一）民国时期针灸文献的价值

1. 文献保存

民国时期是一个战乱不断的特殊历史时期，战乱对书籍的保存流传的影响是灾难性的，如《针灸杂志》有35期，其中一部分印有千余册，时隔近百年，存世者已非常稀少，可见民国时期的针灸文献散佚了不少。部分老中医所藏医籍在1966—1976年亦有损毁，如著有《实用科学针灸》的谈镇尧（《中国中医古籍总目》为淡镇垚，系误）多年来整理的资料在这一时期几乎被销毁殆尽。《实用科学针灸》一书在河南中医药大学有藏，惜其只藏有中、下两册。在收集文献的过程中，作者团队收集到了谈镇尧的《实用科学针灸》《实用针灸讲义》。其中《实用针灸讲义》为1955年内部铅印本，其内容包含了谈镇尧已散佚的著述与资料，因此，该书的发现将谈镇尧的主要针灸医籍很好地保存了下来。民国时期的针灸文献凝结了一代中医针灸工作者的宝贵经验，是一代人无私奉献的结果，是我国中医针灸工作者宝贵经验和学术成果的集中体现。收集整理民国时期的针灸文献，可有力推动中医针灸学的发展。

2. 历史研究

1929年震惊中医界的“废止中医案”事件，使民国时期的中医学发展遭遇了前所未有的政策压制。民国时期的针灸史研究是整个近现代医学史研究的重要组成部分。目前我国对针灸史的研究多集中在民国时期以前的文献，对民国时期针灸文献

的研究基本处于空白状态。

民国时期是以澄江针灸学派为主导的多流派共发展、百家争鸣的时期。澄江针灸学派兴起于20世纪30年代。该学派以近代针灸名家承淡安先生为代表，以中国针灸学研究社核心成员及其传人为主体，是中国针灸学术发展史上具有科学学派特质的学术流派。民国时期该学派的代表人物还有罗兆琚、曾天治、赵尔康、杨甲三、程莘农等。该学派创办了民国时期影响最大、发行时间最长的针灸专业期刊《针灸杂志》，开创了具有现代化教育模式的中国针灸讲习所，推进了针灸学院化教育方式的发展。该学派的代表人物撰写了高质量的著作，如承淡安的《中国针灸治疗学》《中国针灸学讲义》，曾天治的《科学针灸治疗学》《针灸医学大纲》，罗兆琚的《中国针灸经穴学讲义》《实用针灸指要》，赵尔康的《针灸秘笈纲要》。这些书籍对民国时期及后世针灸医生影响甚深。除此之外，《（香港）广东中医药学校针灸学》（周仲房）、湖南国医专科学校《针灸学讲义》、《莆田国医专科学校针灸讲义》、《广西省立医药研究所针灸学讲义》、《广西省立南宁区医药研究所针灸学讲义》、《华北国医学院针灸讲义》、江苏省立医政学院《经络俞穴歌诀》等馆藏未见讲义陆续被发现，这为研究民国时期全国各地的院校教育提供了宝贵的一手材料。

作者团队在关注学院教育的同时，也收集到数目可观的民间私立学校的教学讲义，如《天津私立益三针灸传习所讲义》、《私立叔平针灸学社讲义》、《温灸术函授讲义》（广东温灸术研究社讲义）、《针灸菁华》（胡耀贞传习广西派针法使用的讲义）等。这些讲义使得民国时期的一些针法及治疗经验得以保存下来。

3. 临床应用

（1）“穴性”对初学针灸者的指导价值。“穴性”一词起源于民国时期。中华人民共和国成立后，“穴性”一词经李文宪、孙振寰等针灸医家的推广而广为流传。陈景文《实用针灸学》记载：“穴之有性质，亦犹药之有性质，知其性质，而后方明其功用。”该书将86穴分为气、血、虚、实、寒、热、风、湿8门。罗兆琚《实用针灸指要》记载：“夫所谓穴义者，即各穴具有之主要特性也，知其性之所在，而后明其功用之特长。故研究针灸术者，不知穴之性质，亦犹讲求方剂，而不识其药性。”该书记载了122穴，依旧将其分为8门。曾天治《针灸医学大纲》第五编“证治”中有“分门取穴”一节，此节除了介绍气、血、虚、实、寒、热、风、湿8门，又介绍了汗、肿、积、痛4门，然而后增的4门实为治疗处方，并非“穴性”。李文宪的《针灸精粹》亦记载了8门“穴性”的相关内容。20世纪80年代，孙振寰的《针灸心悟》记载了

“经穴性赋”的内容，使“穴性”广为流传。

“穴性”分气、血、虚、实、寒、热、风、湿8门。将药性与“穴性”进行对比，对腧穴进行分类，可使腧穴的临床应用更加系统化。“穴性”理论对于初学针灸者有较大帮助，初学针灸者可以依据症状选取穴位进行治疗，这种按“穴性”进行针灸治疗的方式在当时得到了众多医家的认可，并影响至今。

（2）“针灸科学化”为临床建立了相对容易理解的针灸理论体系。民国时期，在“五四运动”时期各种新思潮的影响下，西方科学技术和西医学在中国迅速传播，对针灸学术的发展产生了巨大而深远的影响。中医存废之争及中医科学化思潮使中医针灸面临着巨大的生存危机，以致民国时期的针灸医家被迫对当时的针灸进行反思和变革，试图用“西学”阐释和研究针灸，力求用“科学”改善针灸的生存环境；同时，日本针灸著作和研究成果的引进和翻译，将日本明治维新时期通过引进西方科学技术、西医学方法来阐释和研究针灸机制的方式带入中国。这使民国时期的针灸医家看到了曙光和希望，他们力图效仿日本而革新针灸，试图将中医针灸科学化，这也成为民国时期针灸学术的一大特色。

民国时期的针灸医家将解剖学引入对经络实质的研究中，进而阐释针灸治病的机制。如张山雷在《经脉俞穴新考正》中言：“中医之所谓经脉，质而言之，即是血管。”但在民国时期，以血管阐释经络的理论并未占据主流。这一时期以承淡安为代表的针灸医家，将用“西学”阐释针灸原理的方式从日本带回中国并广泛传播。如承淡安在《中国针灸治疗学》中用神经、血管、淋巴来解释经络系统；在《增订中国针灸治疗学》中明确指出经脉由血管、淋巴、神经等构成，用刺激神经的理论阐释针灸治病的机制，通过“强刺激、中刺激、弱刺激”来阐释传统针法的泻法、平补平泻、补法，并将手法量化为具体的操作范式，以便于临床应用。

（3）“广西派针法”的传承与实践。“广西派针法”肇兴于清代末期，起源于广西，创始人为光绪年间著名针灸医家左盛德先生。民国时期，“广西派针法”传播于安徽、天津以及江南等地，成为国内闻名、成绩斐然、颇具影响的针灸流派。

罗哲初（1878—1944），字树仁，号克诚子，“广西派针法”的代表性针灸学家、针灸教育家。罗哲初弟子张治平受该学派思想影响，编著《针灸菁华》。该书现仍存世，是目前研究“广西派针法”的重要资料。以《针灸菁华》为主线展开研究，作者团队发现了以罗哲初、张治平为主传承的2支“广西派针法”传承脉络，一是张治平→吕应韶→胡耀贞的传承脉络，二是张治平→王文锦→于冈樵→白荫昇的传承脉络。通过对《针灸菁华》所载内容的初步梳理发现，该书应为“广西派针法”传习过程中的针灸讲义，经张治平、胡耀贞等弟子整理得以保存下来。参考“广西派针法”相关研究文章，可以窥见“广西派针法”的针灸特色，其特点为遵循子午流注学说，以奇经八法、井荥输经合、主客原络为取穴原则，运用生成数施行补泻手法，独擅针下辨气，将针下气感分为紧、绵、虚、顶、吸、滑、涩、软、微、无力、纯紧、纯虚12种，并在辨气的基础上，采用针刺手法以治疗疾病。《针灸菁华》记载了《六十六穴歌》，将六十六穴每穴编为七言歌诀以便记诵，并记载了《治验效穴歌》《行针秘要歌》等针灸治验歌诀，以便读者学习或研究。

罗哲初及其弟子张治平对“广西派针法”的传承做出了突出贡献。近代分布在天津、安徽、山西及浙江宁波等地的数名针灸医家（如天津的郑静侯、曹一鸣、张治平、华佩文，安徽的刘泽涛和田理全，山西的胡耀贞，以及浙江宁波的裘如耕等）与“广西派针法”皆有渊源。这些针灸医家对“广西派针法”进行了传承与发扬，如郑静侯对“奇经八脉推算开穴法”进行了研究，曹一鸣对“养子时刻注穴法”进行了研究，华佩文对“不留针法”的催气、调气、行气进行了研究，胡耀贞对“无极针法”进行了研究等。这些针灸医家在继承“广西派针法”精髓的基础上，崇尚古法，融汇古今，形成了独具一格的针刺方法及手法，对“广西派针法”的传播做出了卓越的贡献。

（二）民国时期的针灸文献对近现代针灸学术的意义

1.是对近现代中医针灸学术成果的系统总结和突出展示

民国时期的针灸文献记载了当时的针灸医家传承针灸学术的宝贵经验。民国时期是中医针灸学院化教育的萌芽时期，是针灸学术发展的历史转折期，是现代针灸区别于古代传统针灸的开端，是现代针灸教育模式的源头时期。对该时期的针灸文献进行系统、全面的挖掘和总结，是我国中医针灸发展史上具有里程碑式意义的大事。保护好、传承好这些中医针灸文献，并对其进行深入、系统的研究，发掘针灸医家的宝贵经验，不但可以为当今的中医针灸学术研究提供资料和良好的借鉴，还对我国中医药事业的发展具有重要的现实意义和历史意义。

2. 使针灸学术经验得到完整的传承

民国时期的针灸文献凝结了一代中医针灸工作者的宝贵经验，是一代人无私奉献的结果，是该时期我国中医针灸宝贵经验和学术成果的集中体现。我们应珍惜该时期的文献资料，珍惜一代人的无私奉献。通过收集整理、出版该时期的文献，可以有力地推动我国针灸学术的传承发展。

3. 有助于我国中医针灸产业的发展

作者团队对民国时期中医针灸文献进行细致的筛选，并对本丛书所收录的每一种文献进行了深入的研究，撰写了内容提要，对每一种文献的主要学术价值、临床实用性等做出了客观的评价。这使得本丛书整体的学术质量得到了明显提高，也为中医针灸文献后续的学术研究、临床实践、学术流派研究、新疗法创新等工作，奠定了良好的学术基础。长期沉寂在近现代针灸文献中的技术、疗法的不断涌现，必然会对我国针灸相关产业的发展起到积极的推动作用。

4. 填补学界空白，有助于促进我国优秀传统文化的发展

对民国时期针灸文献的研究填补了这一时期针灸文献学术研究的空白。此次整理是中华人民共和国成立以来对这一时期针灸文献最集中、最全面的收集整理。此次整理以《中国中医古籍总目》为主要线索，对该时期的材料进行地毯式搜集。此次整理、出版使近现代针灸文献（本丛书目前所收录的文献以民国时期针灸文献为主）得到了抢救性保护，缓解了当前部分文献传承断裂的严峻局面，使民国时期针灸文献整体进入国家各级馆藏体系，有力填补了民国时期针灸文献学术研究的空白，为我国中医针灸的传承和中医药事业的发展提供了宝贵的文献资料，从而大大促进了我国优秀传统文化的发展。

前　言

《中国近现代针灸文献研究集成·教材卷》所收录的近现代针灸教材文献多出版于民国时期，少数出版于中华人民共和国成立后。

民国时期针灸教育的发展可谓曲折，1914年北洋政府主张废止中医，1929年国民政府通过了“废止中医”的提案，这些举动大大地影响了我国针灸学术的继承和发展。此时期的针灸学家们也清楚地意识到了中医针灸濒于湮灭的危机，他们团结一心，通过开班办学、创办杂志、翻译国外针灸著作等实际行动振兴中医针灸学，为我国针灸学的继承及发展做出了重大贡献。中华人民共和国成立初期，在民国时期中医院校、针灸学术团体的基础上，全国各地大力兴办中医学校，开办针灸学习班，中医针灸学术和教育得以进一步发展。

民国时期是传统针灸与现代针灸的衔接时期，是中医针灸学院化教育的萌芽时期，是针灸学术发展的历史转折期，是现代针灸治疗及理论区别于古代传统针灸的肇始。总结民国时期针灸学术的研究成果及针灸教育的经验，对现代的针灸教育影响深远。

民国时期的针灸教育主要有以下几方面的特点：一是针灸教育团体、学术体系逐渐形成，针灸学校主要由社会团体或个人创办；二是形成了具有地域特征的针灸学术流派，传承有序、传播广泛；三是教学内容以传统中医针灸理论为基础，注重吸纳西学，提倡“针灸科学化”，如以《西法针灸》、《高等针灸学讲义》等为代表的国外针灸著作被译成中文广为流传。

如1931年承淡安等学派先辈们创办了中国医学教育史上最早的针灸函授教育机构——中国针灸学研究社，开办针灸讲习所，开创了我国近代针灸教育的先河。该研究社传授并实践“西式”针灸学术，所用教材《中国针灸治疗学》与传统的针灸学著作不同，采用解剖学来讲解腧穴的定位。为了深入研究新法针灸，1934年10月，承淡安东渡日本学习和考察日本的针灸学，并带回针灸教学图具和在中国已经失传的

《十四经发挥》等医学专著。中国针灸学研究社培养出了邱茂良、罗兆琚、曾天治、赵尔康、杨甲三、程莘农等众多针灸名家，他们遍布全国各地，传道授业，对澄江针灸学派的传承与发展、对中医针灸学的传承与发展做出了重要贡献。

又如广西派针法的代表罗哲初游学办学，继承古法，以师传身授的教学方式在上海、南京、宁波、安庆等地先后举办了8期“针灸讲习班”，培养了一大批造诣颇深的针灸医家。这些人遍布大江南北，为传承和发扬广西派针法发挥了重要作用。罗氏弟子中如郑静侯、张治平、曹一鸣等积极研究学习针灸学术，对民国时期民间针灸学术的发展起到了重要的推动作用。

为适应时代变化和针灸学术的发展，民国时期的针灸教材在重视传统针灸理论的基础上，大都积极借鉴西方医学理论知识体系，重新诠释传统针灸理论。当时以西医学解剖部位及神经、肌肉等知识讲述腧穴的定位，以西医学神经、生理等知识阐释针灸现象已被广泛认可。针灸教材的内容渐趋规范化、科学化、实用化。

从民国时期针灸教材的内容中可以看到这一时期针灸学术研究的状况以及现代针灸教材的雏形。

但是需要注意的是，民国时期的针灸教材文献存量不多，大多已经失传。作者团队以《中国中医古籍总目》为主要线索，对以该时期为主的针灸文献进行地毯式搜集，经过10余年的努力，收集了1000余种针灸文献。此次，作者团队遴选了民国时期的针灸教材文献54种作为研究对象，以期保存和传承这些文献，为中医针灸的发展尽一份绵薄之力。以馆藏未见讲义为例，作者团队搜集到数种难得一见的针灸教材，如《（香港）广东中医药学校针灸学》（周仲房）、《针灸学讲义》（湖南国医专科学校）、《广西省立医药研究所针灸学讲义》、《广西省立南宁区医药研究所针灸学讲义》、《莆田国医专科学校针灸讲义》等，为民国时期全国各地的院校教育的研究提供了珍贵的一手材料。

另外，作者团队在关注学院教育的同时，也收集到数目可观的民间个人创办的私立学校的教学讲义，如《天津私立益三针灸传习所讲义》、《私立叔平针灸学社讲义》、《针灸菁华》（胡耀贞传习广西派针法使用的讲义）等。这些讲义在继承明清时期文献的基础上，以传承古法居多，使得一些家传针法及治疗经验得以较好地保存下来。私立办学在民国时期对针灸学术的发展也产生了举足轻重的影响。

此次对54种针灸教材文献的整理，以文献的内容题材进行分类，并参考编者或学术团体所在地域进行分册，体例清晰，便于使用。《中国近现代针灸文献研究集成·教材卷》按内容题材分为：①针灸基础分卷；②针灸技法分卷；③针灸临床分卷；④针灸综合分卷。其中，针灸基础分卷又按地域分为江浙闽篇、北方篇、两广篇；针灸综合分卷按地域分为江浙闽篇、北方篇、广东篇、广西篇、湖南篇。通过上述的分卷、分篇，可以方便读者学习与研究该地区的针灸学术特色。

以民国时期为主的近现代针灸教材文献承载了该时期针灸医家传承针灸学术及教学的宝贵经验，对整个近现代的针灸发展具有深远影响。本次对这一时期的针灸教材文献进行系统整理、深度挖掘和总结，对我国中医针灸的发展具有重要的历史意义和现实意义：不仅可以保护珍贵的文献资料、呈现针灸教育发展史，还将填补民国时期针灸教材文献研究的空白，为现代针灸教育的改革与发展提供参考和借鉴。

目　录

经穴学讲义（承淡安）

提　要

一、作者小传

承淡安（1899—1957），字启桐，初名澹盦，一名澹庵、淡庵，江苏江阴（古称澄江）人。我国近现代著名的针灸学家、针灸教育家，澄江针灸学派创始人、中国近现代针灸学科奠基人、近现代中国针灸事业的宗师。承淡安出身于中医世家，其祖父承凤岗精于中医儿科，父亲承乃盈擅长针灸、儿科、外科。他自幼受父辈熏陶，立志学医，以解患者病痛，他曾说："既抱定鞠躬尽瘁于中医学术，死亦无恨矣。"承淡安青少年时期即随父学医，尽得真传；又师从同邑名医瞿简庄学习内科。

1925年，承淡安开始独立行医。1929年，"废止中医案"使中医的发展面临困境。承淡安不受环境影响，毅然坚持带徒授业，以实际行动继承和发扬中医针灸学。1931年，承淡安创办了我国近代中医教育史上第一个针灸研究、函授教育机构——中国针灸学研究社，并担任社长。

为了更好地推动针灸的函授教育，承淡安于1933年10月10日创办了中国医学史上最早的针灸专业刊物——《针灸杂志》。1934—1935年，承淡安游学日本，收获颇丰。归国后，他创立了中国针灸学讲习所（1937年2月扩建为中国针灸医学专门学校）以传授针灸技术，同时又创设中国针灸医学图书馆。1937年7月，承淡安因战乱被迫离开自己创办的学校，前往四川地区。1938年，他在成都创建中国针灸讲习所、成都国医学校和针灸函授学校，在德阳创办德阳国医讲习所。1941年，他编著了《伤寒针方浅解》一书；1942年，承淡安任四川医学院针灸科教授，并在四川广安县开办国医内科训练班；1948年，他于苏州创办怀安诊疗院；1951年初，他在苏州司前街复建了中国针灸学研究社，并复刊《针灸杂志》。1954年，他出版《中国针灸学讲义（新编本）》，并于同年10月30日被江苏省人民政府任命为江苏省中医进修学校（今南京中医药大学）的首任校长。

承淡安长期从事针灸理论和临床研究，著作甚丰。著有《中国针灸治疗学》《中国针灸学讲义》《子午流注针法》《伤寒论新注（附针灸治疗法）》等15部著作，编修针灸经络图多册。承淡安一生致力于针灸医术的复兴与普及，为促进针灸学发展和培养针灸人才付出了艰辛努力，在他的努力之下，承门弟子程莘农（中国工程院院士）、邓铁涛（国医大师）、邱茂良、杨甲三、陈应龙等人在海内外孜孜以求，引领针灸学科发展前沿，逐步形成了以融通中西医学为特色的现代针灸学术研究群体——澄江针灸学派。

二、版本说明

《经穴学讲义》，承淡安编述，中国针灸学研究社白纸铅印本。

三、内容与特色

该书卷首题“经穴学”，共两册，其主要内容以《中国针灸治疗学》为蓝本。该书无序文，由第一章“总论”、第二章“经穴篇”和第三章“附录篇”三部分组成，阐述经穴的定义、骨度、十四经经穴及20个经外奇穴的定位及主治等。

现将该书特色介绍如下。

（一）结构清晰，便于学习

“总论”主要载述何谓经穴、经穴之分类、正经及奇经之定义、周身名位解、骨度、十二经气血多少、经脉之长度、十二经流注之时刻、经穴学之术语、十二经循行经文等，重点讲述经穴的定义、骨度、经脉循行及十四经脉经穴总歌、分寸歌等，并附经脉循行图，以方便读者学习。

（二）经穴详细，图文结合

“经穴篇”讲述十四经经穴，按经脉循行顺序逐一介绍各经穴，每穴分别介绍其解剖、部位、主治、摘要、取法、针灸等内容，并附经穴图以供读者参考。“经穴篇”将油印本《中国针灸经穴学讲义》经穴部分按身体部位（头盖部、上肢部、下肢部等）讲述的内容重新编纂为按十四经循行进行分类的形式，使经穴与经脉循行联系得更为紧密，而且相对容易识记。

（三）奇经奇穴，收录全面

“附录篇”讲述奇经八脉（除任督二脉外）的穴名及归经，“经外奇穴摘穴”讲述患门、四花、骑竹马、腰眼、太阳、海泉、百劳等20个经外奇穴的定位及主治，并于文末附经穴异名表以方便读者查阅。

經穴學

海仙置

經穴學講義刊誤表

頁	行	字	誤	正
一	一	七	盦濇	濇盦
二	十一	三二	央字下少「總負諸陰之經而任之・督者理也・其經行於背側之中央」二十二字	
三	六	六	稜	稜
四	十	十三	後	前
五	二三	十九	稜	稜
六	十	二二	曰字下少一「臚」字	
七	三十	九	寺	寸
八	二六	二	間	間
九	八	二五	任字下少一「脈」字	
十	三	十五	本	木
	十八	二二	給	絡
十二	十一	六	肋字下少一間字	
	十八	五二	缺字下少一「盆」字	
十三	七	十四	穴	窌
	九	十四	開	前
十四	六	四三	育	肓
	九	十六	脾	髀
十五	九	十一	脾	髀
	二三	三	大	太
一	二二	二三	小	少
四	十	十一	喉	咽
五	十三	一	瓜	爪
五	三一	三	許字下多「兩旁四孔」四字	
七	二	三三	茲字下少一「舉」字	
八	二二	七	使	便
九	五	十九	二	三
九	十九	七	太	大
十	十	六	所	爲
十一	四	五八	數	故
十二	十六	二四	谿	谿
	二三	十六	原字下少一「在」字	
十三	八	九	寸字下少一「謂」字	
十四	三	四四	領	頷
	七	九	脾	髀
十五	一	四	胃	胃
	十三	四	領	頷
十六	九	十九	大	太

十六	十	十	二	三
十八	二	三六	谿	谿
十九	二	二十	多一「升」字	
	十四	三七	料	斜
二十	二	四	脊字下少一「抵」字	
	四	九	脾	髀
	六	二三	睛	晴
	十四	八	晴	睛
	十八	三十	雄	椎
	二三	二十	顖會	上星
二一	六	七	內	肉
二二	二	十九	絡	谿
	九	二十	盲	肓
二四	一	二一	頓	頫
	十二	十六	顖	顱
二六	九	二五	下字下少一「至」字	
二七	三	七	大	太
二七	六	十五	日	目
二九	七	十二	申	中
三十	七	六	叉	又
[illegible]	十八	二十	椎字下少一「骶」字	

十八	二	十七	衝	衝
十九	二	十三	多一「從」字	
	十一	三	推	椎
二十	一	五四	桂	柱
	二	四二	兩	而
	四	五三	能	
	七	十九	東	東
	十七	十五	穴	空
	二三	十三	晴	睛
二一	一	三二	盲	肓
	十一	十四	盲	肓
二二	二	二七	谿	谷
	十五	十三	盲	肓
二四	四	二八	都	渚
二五	六	十五	於字下少一「目」字	
二六	十六	一	揚	陽
二七	四	五九	腎	腦
二七	八	二六	木	本
二九	二九	四	申	中
三一	六	十一	盲	肓

第一章　總論

經穴學講義

目錄

十二經循行經文

第二章　經穴篇

經穴學講義

目錄

經穴學講義

目錄

經穴異名表

经穴學講義　目錄　四

經穴學

江陰　承盦澹編述

第一章　總論

一　何謂經穴

研究鍼灸療病。必須熟諳經穴。經穴云者。凡研究中醫學家。無不知爲人身之十二經絡與三百六十五穴也。其發明經穴學之源。出於內經。直行者謂之經。支出者謂之絡。穴爲孔穴。則隸於經絡之中。內經言之甚詳。似有跡象可循可信而依據者。故歷四五千年。其學識不稍變。亦未有敢爲之更動者。自歐風東漸。科學昌明。以生理解剖學之眼光觀察。實無如內經所謂之十二經絡與孔穴也。有謂經即神經。絡即血絡。穴爲神經之支節處。其說頗近似。淡安初亦作如是觀。但以內經所云之循行路徑考之。絕少得相符也。則此說亦似是而實非矣。然則經穴究爲何物。必須得一澈底之解釋。方足以盡吾儕研究者之責。顧此事匪易。非一人一時可得而解決者。必經數十百人。經若干年月。相互推測。實驗考證。方得一定論也。茲就管見釋之。穴者。爲調整或預防臟腑百骸各種組織。發生變態時之刺激點耳。經者。刺激點之反射線耳。以刺激點與反射線。暫爲經穴之解釋。讀者苟另有特見。吾儕以研究立場。悉可得而詳論之。

二　經穴之分類

經穴學講義

何謂經穴一節。內經所定經穴之名稱。既不能如現代以科學方法。用解剖手術。實地徵尋可得。則其所定之名稱循行。似可不必採用矣。然又未也。反射線如聲如光。一過即滅。原無實質可求。既認穴爲調整或預防臟腑筋骨各種組織之刺激點。經爲刺激點之反射線。其無實質可尋也可知矣。祗求其驗之確而效之符。其名稱之如何。固可不必更張也。因是數千來。教學立說。仍本內經所定名稱。茲錄其定名如下列。

經分十二。一曰手太陰肺經。穴凡十一。二曰手陽明大腸經。穴凡二十。三曰足陽明胃經。穴凡四十五。四曰足太陰脾經。穴凡二十一。五曰手少陰心經。穴凡九。六曰手太陽小腸經。穴凡十九。七曰足太陽膀胱經。穴凡六十七。八曰足少陰腎經。穴凡二十七。九曰手厥陰心包絡經。穴凡九。十曰手少陽三焦經。穴凡二十三。十一曰足少陽胆經。穴凡四十四。十二曰足厥陰肝經。穴凡十四。共計十二經。穴爲數三百〇九。左右統計六百十八。分佈於頭身左右四肢。

上述之十二經。名曰正經。此外又有曰奇經者。其數八。一曰任脈。穴凡二十四。二曰督脈。穴凡二十八。三曰衝脈。穴凡二十二。四曰帶脈。穴凡六。五曰陽蹻。穴凡二十。六曰陰蹻。穴凡四。七曰陽維。穴凡三十二。八曰陰維。穴凡十四。八脈中除任督二脈所有穴獨立之外。其他六脈之穴。俱附於正經之中。

三 正經奇經之定義

正經十二其名稱乃如上述。如爲之歸類而言之。不外曰太陰。少陰。厥陰。太陽。少陽。陽明。太者初也。大也。如日月之初升。其形倍大。人身以背側屬陽。腹側屬陰。循行之經線。或穴位爲最廣。或最多。即以太稱之。在背側者。稱之曰太陽經。在腹側者。稱之曰太陰經。行於手者曰手太陽。行於足者曰足太陽。少者衰也。微也。如日月之將西。其光漸衰而微也。四肢背腹兩側循行之經。其範圍不及其他各經之廣泛。（指正經）乃以少陰少陽名之。其以手足稱者。亦依在手在足而言也。陽明爲陽之盛。厥陰爲陰之極。適當夜半日中。亦即介乎日夜之中。四肢腹背兩側循行之經。其範圍之廣狹。亦即介乎其中者。即以陽明厥陰稱之。冠以手足者。正如上條所述。以其行於手部或足也。

所謂奇經者。則別正經而言之也。奇者倚也。寄也。其大部之經穴。悉寄於正經之中也。有謂奇。奇數也。對耦而言之。正經有臟腑表裏爲之配。奇經則無臟腑等爲之配。因名之曰奇。此說亦可通。其曰任督衝帶蹻維者亦有說。任者負也。其經行於腹側之中央。總統諸陽之經而理之也。衝者以其經脈之氣能上衝。故名其脈曰衝。帶者其脈環腹一週。如束帶然。因名其脈曰帶。維者繫也。陽經由諸穴而連繫之。名其脈曰陽維。陰經由諸穴而連繫之。名其脈曰陰維。蹻者捷也。言其脉自足直上而至頭也。亦正如登橋之級級上升也。在外側者。則曰陽蹻。在內側者。則曰陰蹻。

凡此諸說即古人定名之義。吾人應作爲醫學上之術語觀。作假定名詞觀。若泥之而謂必

經穴學講義

有是經有是脈。必如是循行。則大謬矣。

彼泥古者。以十二經八脉定陰配陽。劃表分裏。義理深奧。視爲中醫學之精粹。莫與倫比。維新者。則目爲空談虛妄。不值一顧。甚且執此以爲攻擊之目的。此皆過偏之見也。學術隨時代而演進。吾人不能執四五千年前之學理。以指摘古人之錯誤。當推測古人之立意。而修之删之。去其蕪而存其精。使其成爲完善之學術。始不負古人創學之深意。徒事攻擊。是爲無理。若膠執古人之學識。奉爲金科玉律。不敢稍微更易。甚且爲之刻意解釋。愈解愈奥。益釋愈玄。有識之士。欲將經文稍稍更易者。則目爲離經叛道。是欲揚其學。而反閉其門也。吾儕當以温古知新之精神。爲改進中醫學術之方針。泥古不化。固爲時代所不許。舍本務新。勢必使國粹盡亡而後已。亦非研究者之所應有也。編者釋上文。因感泥古與務新者之成見太深。故不嫌辭費而申述之。

四　周身名位解

研究經穴之入手。必先明經之循行。明經之循行。必先知周身之名位。然後讀各經循行之分野。可了然於胸中也。醫宗金鑑。註周身名位。淺顯易記。因採用之。

頭　頭者。人之首也。凡物獨出之首。皆名曰頭。

腦　腦者。頭骨髓也。俗名腦子。

顛　顛者。頭頂也。頭頂之骨。俗名天靈蓋。

顖　顖亦作囟。顚前頭骨也。小兒初生未闔名曰囟門。已闔名曰囟骨。即天靈蓋後合之骨。

面　凡前曰面。凡后曰背。居頭之前。故曰面也。

顏　顏者。眉目間名也。

額顱　額前髮際之下。兩眉之上名曰額。一曰顙者。亦額之謂也。

頭角　額兩旁稜處之骨也。

鬢骨　即兩太陽之骨也。

目　目者。司視之竅也。

目胞　目胞者。一名目窠。一名目裹。即上下兩目外衛之胞也。

目綱　目綱者。即上下目胞之兩瞼邊。又名曰睫。司目之開闔也。

目內眥　目內眥者。乃近鼻之內眼角。以其大而圓。故又名大眥也。

目外眥　目外眥者。乃近鬢前之眼角也。以其小而尖。故稱目銳眥也。

目珠　目珠者。目睛之俗名也。

目系　目系者。目睛入腦之系也。

目眶骨　目眶者。目窠四圍之骨也。上曰眉稜骨。下即䪼骨。䪼骨之外。即顴骨。

頞　頞者鼻梁。即山根也。

經穴學講義

鼻 鼻者。司臭之竅也。兩孔之界骨。名曰鼻柱。下至鼻之盡處。名曰準頭。

頞 目之下眶骨。顴骨內下連上牙床者也。

𩕄 𩕄者。頞內鼻旁間近生門牙之骨也。

顴 顴者。兩旁之高起大骨也。

顑 顑者。俗呼爲腮。口旁頰前。內之空軟處也。

耳 耳者。司聽之竅也。

蔽 蔽者。耳門也。

耳郭 耳郭者耳輪也。

頰 頰。耳前顴側面兩旁之稱也。

曲頰 曲頰者。頰之骨也。曲如環形。受頰車骨尾之鉤者也。

頰車 頰車者。下牙床骨也。總載諸齒。能咀食物。故名頰車。

人中 人中者。鼻柱之下。脣之上。穴名水溝。

口 口者。司言食之竅也。

脣 脣者。口端也。

吻 吻者。口之四週也。

頤 頤者。口角後顑之下也。

頦　頦者。口之下脣之末之處。俗名下把殼也。

頜　頜者。頦下結喉上兩側內空軟處也。

齒　齒者。口齗所生之骨也。俗名牙。有門牙。虎牙。槽牙。上下牙盡根之別。

舌　舌者。司味之竅也。

舌本　舌本者。舌之根也。

頏顙　頏顙者。口內之上二孔。司分氣之竅也。

懸壅垂　懸壅垂者。張口視喉上似乳頭之小舌也。

會厭　會厭者。覆喉管之上竅。似皮似膜。發聲則開。嚥食則閉。故為聲音之戶也。

咽　咽者飲食之路也。居喉之後。

喉　喉者。通聲氣之路也。居喉之後。

喉嚨　喉嚨者。喉也。肺之系也。

嗌　嗌者。咽也。胃之系也。

結喉　結喉者。喉之管頭也。其人瘦者。多外見頸前。肥人則隱於肉內多不見也。

胸膺　胸者。缺盆下腹之上有骨之處也。膺者。胸前兩旁高處也。一名曰臆胸骨也。俗名胸膛。

髑骬　髑骬者。胸之衆骨名也。

經穴學講義

乳　乳者。膺上突起兩肉有頭。婦人以乳兒者也。

鳩尾　鳩尾者。即蔽心骨也。其質係脆骨。在胸骨之下。歧骨之間。

膈　膈者。胸下腹上之界內之膜也。名曰羅膈。

腹　腹者。膈之下曰腹俗名曰肚。臍之下曰少腹。亦名小腹。

臍　臍者。人之初生胞帶之處也。

毛際　毛際者。小腹下橫骨間叢毛之間際也。

篡　篡者。橫骨之下。兩股之前。相共結之凹也。前後兩陰之間。名下極穴。又名屏翳穴。會陰穴。即男女陰器之所也。

睪丸　睪丸者。男子前陰兩丸也。

上橫骨　上橫骨在喉前宛宛中。天突穴之外小灣。橫骨旁拄骨之骨也。

拄骨　拄骨者。膺上缺盆之外。俗名鎖子骨也。內接橫骨。外接肩解也。

肩解　肩解者。肩端之骨節解處也。

髃骨　髃骨者。肩端之骨也。即肩胛骨頭臼之上稜骨也。其臼接臑骨上端。俗曰肩頭。其外曲卷翅骨肩後之稜骨也。其下稜骨在背肉內。

肩胛　肩胛者。即髃骨末成片骨也。亦名肩髆。俗名鍁板子骨。

臂　臂者。上身兩大支之通稱也。一名曰肱。俗名肌髆中節。上下骨交接處。名曰肘。

肘上之骨曰臑骨。肘下之骨曰臂骨。臂骨有正輔二骨。輔骨在上。短細偏外。骨正居下。長大偏內。俱下接腕骨也。

腕　腕者。臂掌骨交接處。以其宛曲故名也。當外側之骨名曰高骨。一名銳骨。亦名踝骨。

掌骨　掌骨者。手之衆指之本也。掌之衆骨。名壅骨。合湊成掌。非塊然一骨也。

魚　魚者。在掌外(内)側之上隴起。其形如魚。故謂之魚也。

手　手者。上體所以持物也。

手心　手心者。即掌之中也。

指骨　指骨者。手指之骨也。第一大指名巨指。在外二節。本節在掌。第二名食指。又名大指之次指。三節在外。本節在掌。第三中指名將指。三節在外。本節在掌。第四指名無名指。又名小指之次指。三節在外。本節在掌。第五指爲小指。三節在外。本節在掌。各節之交接處。皆有碎骨筋膜聯絡。

爪甲　爪甲者。指之甲也。足趾同。

歧骨　歧骨者。凡骨之兩叉者。皆名歧骨。手足同。

臑　臑者。肩膊下內側對腋處高起耎白肉也。

腋　腋者。肩之下脇之上際。俗名肐肢窠。

經穴學講義

脇肋　脇者。脇下至肋骨盡處之統名也。曰肋者。腋之單條骨之謂也。統脇肋之總。又名曰胠。

季脇　季脇者。肋之下。小肋骨也。俗名軟骨。

眇　眇者。脇下無肋骨空軟處也。

腦後骨　腦後骨者。俗呼腦杓。

枕骨　枕骨者。腦後骨之下隴起者是也。其稜或平或長。或圓不一。

完骨　耳後之稜骨。名曰完骨。在枕骨下兩旁之稜骨也。

頸項　頸項者。頸之莖也。又曰頸之側也。項者。莖之後也。俗曰脖項。

頸骨　頸者。頭之莖骨。肩骨上際之骨。俗名天柱骨也。

項骨　項骨者。頭後莖骨之上三節圓骨也。

背　背者。後身大椎以下腰以上之通稱也。

膂　膂者。夾脊骨兩旁肉也。

脊骨　脊骨者。脊膂骨也。俗名脊梁骨

腰骨　腰骨者。即脊骨十四椎下十五十六椎間尻上之骨也。其形中凹上寬下窄。方圓二三寸許。兩旁四孔下接尻骨上際也。

胂者。腰下兩旁髁骨上之肉也。

臀 臀者。胂下尻旁大肉也。

尻骨 尻骨者。腰骨下十七椎。十八椎。十九椎。二十椎。二十一椎。五節之骨也。上四節紋之旁。左右各四孔。骨形內凹如瓦。長四五寸許。上寬下窄。末節更小。如人參蘆形。名尾閭。一名骶端。一名橛骨。一名窮骨。在肛門後。其骨上外兩旁。形如馬蹄。附着兩髁骨上端。俗名髖骨。

肛 肛者。大腸下口也。

下橫骨髁骨楗骨 下橫骨在少腹下。其形如蓋。故名蓋骨也。其骨左右二大孔。上兩分出向後之骨。骨如張扇。下寸許附着於尻骨之上。形如馬蹄之處。名曰髁骨。下分出向前之骨。末如楗柱。在於臀內。名曰楗骨。與尻骨成鼎足之勢。爲坐之主骨也。婦人俗名交骨。其骨面名曰髖。俠髖之細骨名曰機。又名髀樞。外接股之髀骨也。即環跳穴處。此一骨五名也

股 股者。下身兩大支之通稱也。俗名大腿小腿。中節上下交接處名曰膝。膝上之骨曰髀骨。股之大骨也。膝下之骨。曰骱骨。脛之大骨也。

髀骨 髀者。膝上之大骨也。上端如杵。接柱髀樞。下端如錘。接於骱骨。

骱骨 骱骨者。俗名臁脛骨也。其骨兩根。在前者名成骨。又名骭骨。形粗膝外突出之骨也。在後者名輔骨。形細膝內側之小骨也。

經穴學講義

伏兎 伏兎者。髀骨前之上起肉。似俯兎故曰伏兎。

膝解 膝解者。膝之節解也。

臏骨 臏骨者。膝上蓋骨也。

連骸 連骸者。膝外側二高骨也。

膕 膕者。膝後屈處。俗名腿凹也。

腨 腨者。下腿肚也。一名腓腸。俗云小腿肚。

髁骨 髁者。䯒骨之下。足跗之上。兩旁突出之高骨。在外爲外髁。在内爲内髁也。

足 足者。下體所以趨走也。俗名脚。

跗骨 跗者。足背也。一名足趺。俗稱脚面。跗骨者。足跗本節之衆骨也。

足心 足心者。即踵之中也。

跟骨 跟骨者。足後跟之骨也。

趾 趾者。足之指也。其數五。名爲趾者。别於手也。居内之大者名大趾。第二趾名大指之次指。第三趾名中趾。第四趾名小趾之次趾。第五居外之小者。名小指。足之指節與手指節同。其大趾之本節後内側圓骨形突者。名曰核骨。

三毛 足大趾爪甲後爲三毛。毛後横紋爲聚毛。

踵 踵者。足下面著於地之謂也。俗名脚底板。

五，骨度

欲準確經穴之部位。必知骨之計數。如匠之有規矩繩墨。方可以測量而計數之也。茲骨度法之尺度如下。所舉尺度。即以其所舉之尺度爲尺度。非另有一種計尺也。名此尺曰同身寸。其尺寸必須同其身也。今之鍼家。但以中指中節角度爲一寸者。僅遺法之一耳。未可以測全身之穴位也。

六，全身

人身自頭頂至足踵。共長七尺五寸。

七，頭部

頭之大骨。（頭蓋骨）周圍長二尺六寸。（作頭部橫寸之標準）

（今以目內眥至外眥作一寸，爲頭部橫寸之標準。尙有少許相差也）

前髮際至後髮際長一尺二寸。（作頭部直寸之標準）

（如髮際不明，以眉心至大椎作一尺八寸計算，眉心上三寸爲前髮際，大椎骨上三寸爲後髮際，）

八，胸腹部

結喉以下至缺盆中長四寸。（此條應屬頸部）

（結喉爲喉頭之隆起處，缺盆爲鎖骨部分非穴名也）

經穴學講義

缺盆以下。髑骬之中長九寸。(作胸部直寸之標準)

此指天突以下至胸骨端之長度，今以天突至膻中七寸四分計之，

胸圍四尺五寸。(以當乳頭處測量)

兩乳之間廣九寸五分。(折作八寸。爲胸部横寸之標準)，

髑骬中下至天樞長八寸。(爲上腹部直寸之標準)，

(即歧骨下至臍中之長度八寸)，

天樞以下至横骨長六寸半。(折作五寸爲下腹之直寸標準)

(即臍中至横骨之長度，今以臍中至横骨上邊毛際部分作五寸計算，)

腰圍四尺二寸。(作腰腹横寸之標準)

横骨横長六寸五分。(作下腹部之横寸標準)，

九，背部

脊骨以下至尾骶二十一節。長三尺。

(背部標準，以脊椎爲最準，但稍肥者，不易按摸，惟有依照背部折算法取之，其折法自大椎至尾閭通折三尺，上七節各長一寸四分一厘，共九寸八分七厘，中七節各長一寸六分一厘，共一尺一寸二分七厘，第十四節與臍平，下七節各長一寸二分六厘，共八寸八分二厘，統長二尺九寸九分六厘，不足四厘者，有零未盡也，(

(上七节取穴自大椎下起为第一节)(简直用力按摸向下数七节为至阳穴 此七节不易肥瘦皆可按得此为而上七节取穴之标法

十，側部

七

中七节計共八
以至第十四节
逐向上推方得
其椎之穴位也
下七节自第十
四节起至尾閭
骨之上端以分
配位分配之
也

自柱骨下行腋中。不見者長四寸。柱骨頸項根骨也，
腋以下至季脅長一尺二寸。
季脅以下至髀樞長六寸。
髀樞下至膝中長一尺九寸。
橫骨上廉。下至內輔之上廉。長一尺八寸。
內輔之上廉以下至下廉長三寸五分。
內輔下廉下至內髁長一尺二寸。
內髁以下至地長三寸。

十一，四肢部

肩至肘長一尺七寸。
肘至腕長一尺二寸五分。
腕至中指本節長四寸。
本節至末長四寸五分。
膝以下至外髁長一尺六寸。
膝膕以下至跗屬長一尺二寸。
跗屬至地長三寸。

經穴學講義

手指寸式

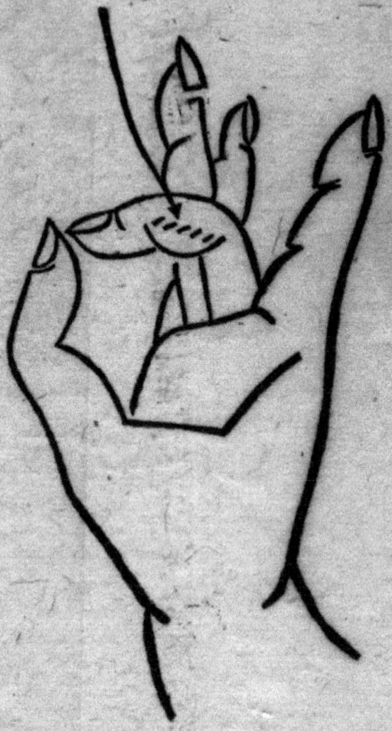

按四肢之取寸法，雖可以其長度而推之，今人爲簡便計，每以指寸法推算，其法使本人之中指屈曲，取其中節兩端之横紋尖，相去作一寸計算之，於實驗上，頗感使利與確效也，有以此法比量全身，則大誤矣。

十一，十二經氣血多少

氣血多少男女各偏男多氣少血女少氣多血对於男女把病治療方面十二經中对男子血少比

素問血氣形志篇。太陽常多血少氣。少陽常少血多氣。陽明常多氣多血。少陰常少血多氣。厥陰多血少氣。太陰常多氣少血。

靈樞五音五味篇。謂少陰常多血少氣。厥陰常多氣少血。

靈樞九鍼篇。謂太陰常多血少氣。

素問靈樞合稱黃帝內經。而其立說。乃不同如此。後世稱謂諸韓公子所作。黃帝爲假托之詞。實有見地。就今日解剖學眼光觀之。氣爲神經之機能。總統於腦。血爲循環液質總統於心。每經氣血多少。實爲古人推測之辭。於今之治療上。無關宏旨。以研究經穴上。常有此類術語。故表而出之。

十三，經脈之長度

靈樞脉度篇。手之六陽。從手走頭。長五尺，五六三丈。手之六陰。從手至胸中長三尺五寸。三六一丈八尺。五六三尺。合二丈一尺。足之六陽。從足上至頭八尺。六八四丈八尺足之六陰從足至胸中。六尺五寸。六六三丈六尺。五六三尺。合三九尺。蹻脈從足至目。長七尺五寸。二七一丈四尺。二五一尺。合一丈五尺。督任各四尺五寸。二四八尺。二五一尺。合九尺。凡都合一十六丈二尺。此氣之大經隧也。肺經以至肝經及兩蹻任督。共計一十六丈二尺之脈。爲氣血循行之路。一呼脈行三寸。一吸脈行三寸。呼吸定息。脈行六寸。漏水下一刻。計一百三十五息。脈行八丈一尺。二刻計二百七十息。脈行一十六丈二尺。爲一週身。漏水下百刻。計一萬三千五百息。脈行八百一十丈。晝夜共行五十度。寅時大會於手太陰。古代鍼家依之而推測氣血之流注。行迎隨之補瀉。就生理上觀察。血之流行。二十七秒。即可周遍全身。脈度與氣血流注之說。與上節氣血多少。作同樣觀。

十四，十二經流注之時刻

肺寅大卯胃辰通。脾已心午小未中。申胱酉腎心包戌。亥焦子膽丑肝通。此爲後人根據平旦脉大會於手太陰。而測人身氣血依時流注之韻文也。析言之。謂寅時氣血注於手太陰肺。卯時注於太腸。辰時注於胃。已時注於脾。午時注於心。未時注於小腸。申時注於膀胱。酉時注於肝。戌時注於心包。亥時注於三焦。子時注於膽。丑時注於肝。後世之子午流注八法開闔。悉本於此。而推演所得。鍼家奉爲治療之捷徑。古聖之心傳。試就內經之脈度長短。穴之多寡言之。手少陰脈長三尺五寸，穴僅九位。足太陽脈長八尺。穴位六十有七。長短多寡。相去甚遠。如何得平匀分配一時一經耶。即就上節經文言一呼一吸脈行三寸。一日夜五十周於身。亦不能定其一時常注於某經。以彼之矛。攻彼之盾。不擊而自破矣。子午流注八法開闔。其根據既不成立。實無苦研之必要。淡安治症十餘年。未嘗及此。雖曾一度研究。以其理不可通。旋即棄置。有好古者。可於鍼灸大成求之。

十五，經穴學上之術語

「井」「滎」「俞」「原」「經」「合」「絡」「郄」其他「俞」「募」

五臟六腑，合心包絡配十二經，分佈四肢，每經則各配上列各名稱之穴於四肢之端。屬臟經者。爲井滎俞經合。稱之爲五腧穴。以五臟合五腧也。屬腑經者，爲井滎俞原經合。多一原穴，以六腑合六腧也。絡穴郄穴則臟腑各經皆有之。俞募則在背在腹。

何謂井，靈樞經曰。二十七氣之所出爲井。井者，泉也。水源之所自出也。言臟腑之氣。由此而出。古人以人比一小天地。臟腑經絡。各配陰陽五行。以說明生長病痛之演變。以臟爲陰。以乙木配井。稱爲井本。以腑爲陽。以庚金配井。陰陽必相合。陰經之井配乙木。陽經之井必配庚金爲之合。陽經之井配庚金。必以陰經之井配乙木爲之合也。因此陰經之井稱井木。陽經之井稱井金。

何謂滎，經言，二十七氣之所溜爲滎。滎小水也。溜流也。譬臟腑之氣。由井而出。由此而流過也。陰經之經配火。陽經之經配水。

何謂俞，經言二十七氣之所注爲俞。俞者輸也。如水之注也。言其氣由井由滎而輸注於此也。以陰經之俞配土，陽經之俞配水。

何謂原，所過所原。言氣由此而過也。陽經有原穴。配五行爲火。陰經無原穴。以俞穴代之。陰經無原穴。在井條已簡略言之。茲再推廣其義。古人以五臟配地之五行。以應四時之生長化收藏。故在經祇立五穴。以六腑應六氣。六氣有二火。故其經配六穴。多一原穴配以火也。

何謂經，二十七氣之所行爲經。如經行之道路。言氣由此而經行過也。以陰經之經配金。陽經之經配火。

何謂合，二十七氣之所入爲合。合者，如水之會也。言臟腑經脈之氣。由此而會合。而

經穴學講義

循環啣接也。陰經之合配水。陽經之合配土。

何謂絡，直行者曰經。支而橫出者曰絡。十二經各有別絡。絡，聯絡也。支路也。即此經與彼經連繫之支路也。脾經除原有絡穴之外。多一大絡。謂大絡之血氣。散於周身之孫絡也。以脾主爲胃行其津液。灌溉於五臟四旁。從大絡而布於周身也。其他加任督二脈之絡。共合十五絡穴。

何謂郄，郄者閉也。亦還也。言氣由此而下陷復還出也。

何謂俞，穴之在背者曰俞。

何謂募，募者，聚也。言臟腑氣之結聚處也。募穴在胸腹部。難經曰，募在陰而俞在陽者是也。

各經中皆有上列各穴名稱。古人立意。大率如此。五臟之經無原穴。考千金外臺則有原穴。可見立法本無定則。淡安素不汪意此類玄空之談。惟求治療上之確效是務。而以現代學理。推求其所以。謀闢一新途徑也。試觀井之所治皆主心下滿。而鍼療中。治心下滿。未嘗皆取井穴也。滎之所治。皆主身熱。觀刺熱論治大熱。最多有五十九刺。亦未嘗及滎穴。有其說而無其用。最易令後之學者。走入迷途。故在研習針灸治療之始。特提此數則而說明古人之立意。再明其不適於現代學理與治效。取法既不足。而阻礙鍼學之改進則實大。故特提出數則而闢之。

十二經循行經文

手太陰肺經循行經文

肺，手太陰之脈。手太陰之脈，自足厥陰之期門穴內行循中脘，故起於中焦。中焦當中脘之分，手之三陰，從臟走手，皆自內而出也，下絡大腸。由中焦下還絡大腸，還循胃口。自大腸腹上行還循胃上口，上脘賁門分也，上膈屬肺。經膈膜而會屬於肺，從肺系。即肺管也，橫出腋下。脾之上，脅之上，曰腋，腋下即中府之旁，數謂從肺系而橫出腋下也，下循臑內。由中府處下行，而至上臂之臑內，即天府穴分，行少陰心主之前。經心經脈之前側，下肘中。過尺澤穴，循臂內上骨下廉。上骨即臂骨之上側一骨，上骨下廉，即上骨之下側也，即沿孔最列缺之分，入寸口。手腕後太淵穴分，上魚。腕上魚肉，循魚際。經魚際穴，出大指之端。至大指端少商穴，

其支者。從腕後。其本經之分支從腕後列缺穴分出，直出次指內廉出其端。直至次指之端商陽穴分，與大腸經脈相啣接，

按手太陰肺經穴。凡一十一穴。左右共二十二穴。起於中府。止於少商。絡在列

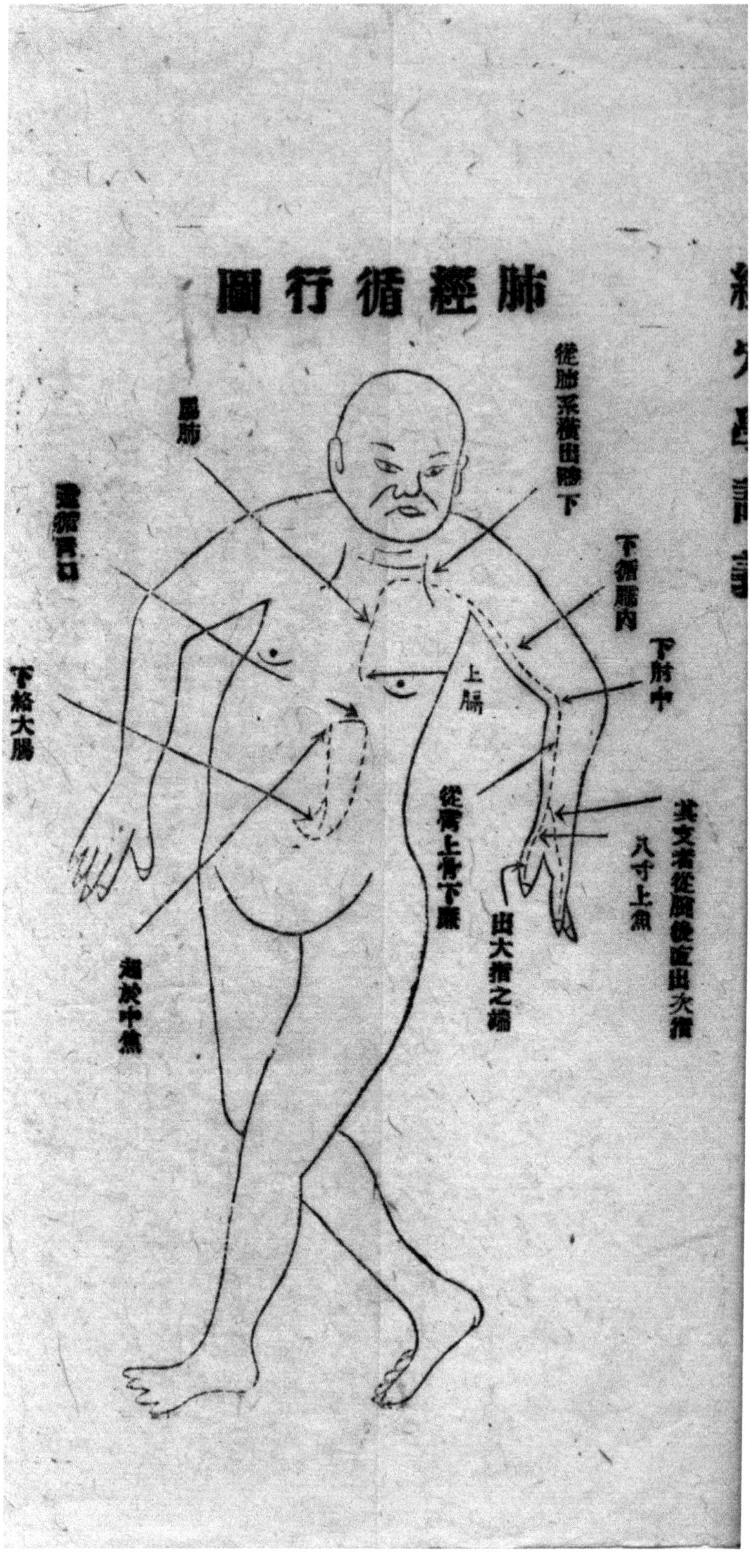
肺經循行圖
屬肺
還循胃口
下絡大腸
起於中焦
從肺系橫出腋下
下循臑內
上膈
下肘中
從臂上骨下廉
出大指之端
其支者從腕後直出次指
入寸上魚

缺。募在中府。井在少商。滎在魚際。俞在太淵。經在經渠。合在尺澤。郄在孔最。

爲便於記憶其循行經文與穴位多寡。特於各經之下附錄謌括。初學應宜熟記。

手太陰肺經脈謌

手太陰肺出中府。下絡大腸還賁門。上膈屬肺從肺系。横外腋下臑中行。肘臂寸口上魚際。大指內側爪甲根。支絡還從腕後出。接次指屬陽明經。

手太陰肺經總穴謌

手太陰肺十一穴。中府雲門天府訣。俠白尺澤孔最存。列缺經渠太淵涉。魚際少商如韭葉。

手太陰肺經穴分寸謌

太陰中府三肋。上行雲門寸六許。雲在璇璣旁六寸。天府腋三動脈求。俠白肘上五寸主。尺澤肘中約紋是。孔最腕側七寸擬。列缺腕上一寸半。經渠寸口陷中取。太淵掌後橫紋頭。魚際節後散脈裏。少商大指內側端。鼻衄喉痺刺可已。

二，手陽明大腸經循行經文

經穴學講義

大腸手陽明之脈。起於大指次指之端（食指，商陽穴也，手之三陽，從手走頭，）循指上廉。（上側二三間穴分也，）出合谷兩骨之間。（大指次指岐骨間，）上入兩筋之中。（腕中上側兩筋之陷中陽谿穴也，）循臂上廉。（經上下廉穴，）入肘外廉。（曲池穴分，）上臑前廉。（經五里臂臑穴分，）上肩出髃骨之前廉。（肩髃穴分，）上出於柱骨之會上。（柱骨，乃天柱骨也，在肩骨之上，頸項之根，本經由肩髃上出膀胱之天柱穴，會於督脈之大椎穴，陽經會於督脈之大椎，故內經以此爲會上，）下入缺盆。（自大椎而前行下缺盆，）絡肺。（絡繞於肺，）下膈屬大腸。（由肺而下膈屬會於大腸，）其支者。（支而出者，）從缺上頸。（經天鼎扶突，）貫頰入下齒中。（貫頰入齒縫中，）還出挾口。（由齒還出，沿口吻旁，）交人中。左之右。右之左。（經人中左右交，貫）上挾鼻孔。（自禾髎以至迎香，）

按手陽明大腸穴。凡二十穴。左右共四十穴。起於商陽。止於迎香。絡在偏歷。募在天樞。郄在温溜。井在商陽。滎在二間。原合谷。經在陽谿。合在曲池。

大腸經循行圖

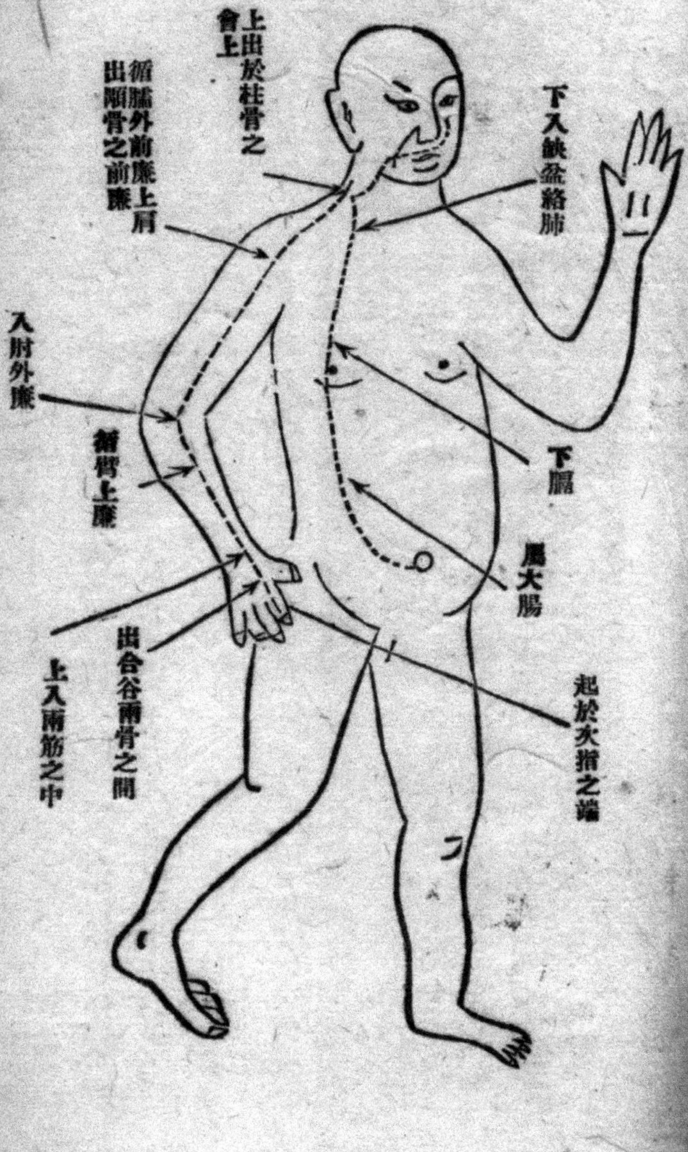
上出於柱骨之會上
循臑外前廉上肩出髃骨之前廉
下入缺盆絡肺
入肘外廉
循臂上廉
下膈
屬大腸
上入兩筋之中
出合谷兩骨之間
起於次指之端

手陽明大腸經脉謌

陽明之脉手大腸。次指內側起商陽。循指上廉出合谷。兩筋歧骨循臂長。入肘外廉循臑外。肩端前廉巨骨旁。從肩下入缺盆內。絡肺下膈屬大腸。支從缺盆直上頸。斜貫頰前下齒當。環出人中交左右。上挾鼻孔上迎香。

手陽明大腸經總穴謌

手陽明穴起商陽。二間三間合谷藏。陽谿偏歷溫溜長。下廉上廉手三里。曲池肘髎五里近。臂臑肩髃巨骨當。天鼎扶突禾穴接，鼻旁五分號迎香

手陽明大腸經穴分寸

商陽食指內側邊。二間尋來本節開。三間節後陷中取。合谷虎口歧骨間。陽谿腕上筋間是。偏歷交叉中指端。溫溜腕後去五寸。池前四寸下廉看。池前三寸上廉中。池前二寸三里逢。曲池曲肘紋頭盡。肘髎大骨外廉近。大筋中央尋五里。肘上三寸行向裏。臂臑肘上七寸量。肩髃肩端舉臂取。巨骨肩尖端上行。天鼎扶下一寸眞。扶突人迎後寸五。禾髎水溝旁五分。迎香禾髎上一寸。大腸經穴是分明。

三　足陽明胃經循行經文

胃。足陽明之脈。起於鼻之交頞中。其經由太陽經迎香穴，上行與接於足陽明經，旁納太陽之脈。納入也，足太陽起睛明穴，與頞相近，陽明由頞中互交而下行，下循鼻外。承泣四白之分，入上齒中。行上顴齒中，還出挾口。由上齒還出挾口吻地倉分，環唇。繞唇下，交承漿。交於承漿分，卻循頤後下廉。循頤後下側大迎分上行，出大迎。循頰車。過頰車，上耳前。下關分，過客主人，上關循髮際。行懸釐頷厭之分，經頭維，至額顱。會於督脈之神庭，其支別出者。從大迎前下人迎。循喉嚨。歷水突氣舍之分，入缺盆。行少陰俞府之外，下膈。屬胃絡脾。當上中脘分屬胃會脾，其直行下而者。從缺盆下乳內廉。中直者由缺盆直下而至乳間之穴分，下挾臍。由乳而下過臍之天樞穴分，而臨下至氣街中，其支而別出者。起於胃口。幽門下脘穴分，下循腹裏。由幽門循腹裏，過足少陰肓俞之外，下至氣街而合。與缺盆直下者，會合於氣街之分，以下髀關。會合而下抵髀關，抵伏兔。至伏兔，下膝臏中。經犢鼻穴分，下循脛外廉。經三里巨虛等穴，下足跗。下至衝陽陷谷等穴部分，入中指間。內庭厲兌穴分，其支者。下廉三寸而別。由膝下三寸而別，下過豐隆分，入中指外間。抵中趾之外側，其支者。又一別名，別跗上。由跗上別出，入大指間。出其端。自衝陽別行斜入大趾與接手足太陰脾經，

按足陽明胃經穴凡四十五。左右共九十穴。起於頭維。終於厲兌。絡在豐隆。郄在巨虛。募在中脘。井在厲兌。滎在內庭。俞在陷谷。原在衝陽。經在解谿。合在三里。

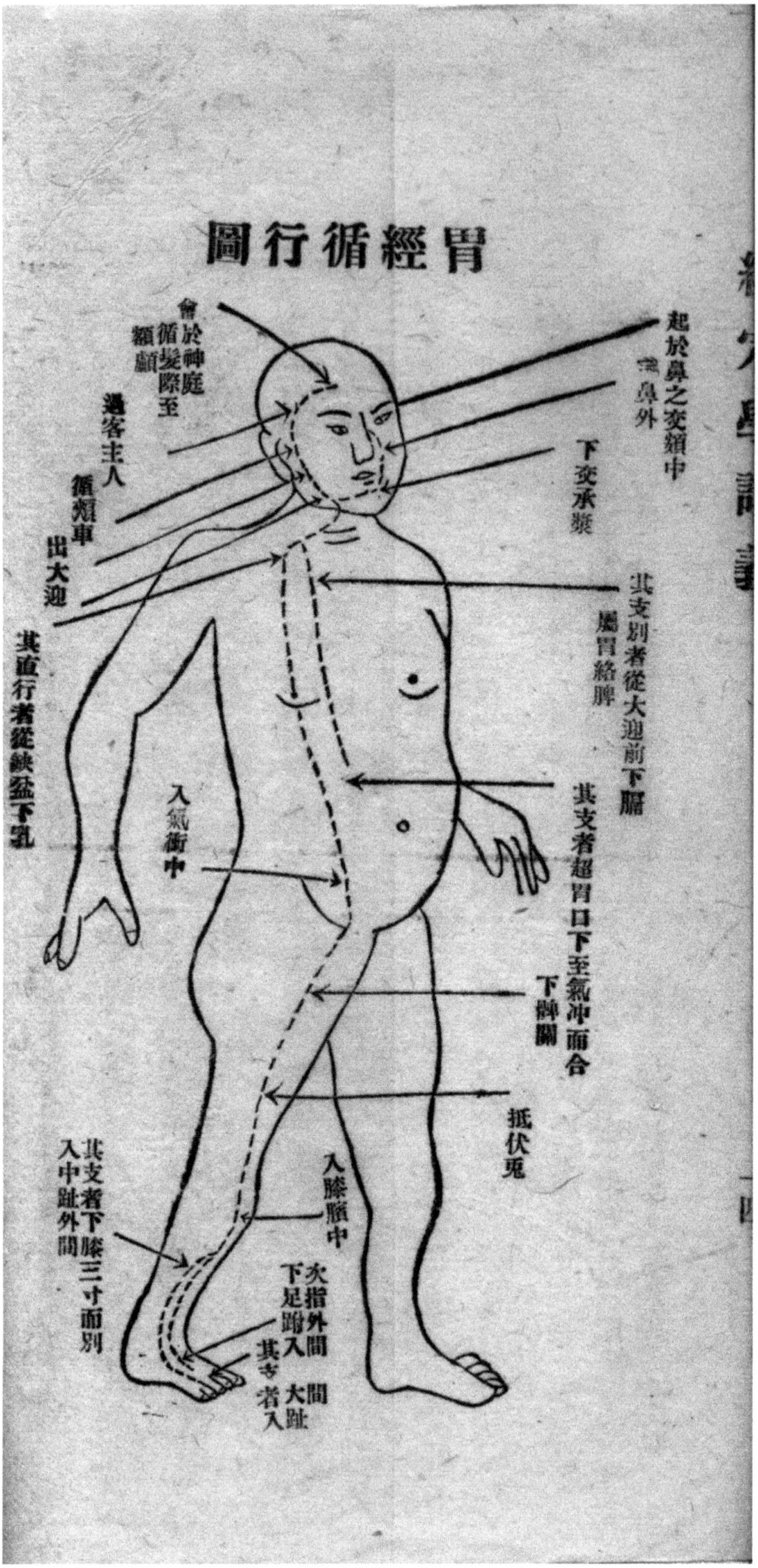
胃經循行圖
起於鼻之交頞中
鼻外
下交承漿
其支別者從大迎前下膈
屬胃絡脾
其支者起胃口下至氣冲而合
下髀關
抵伏兎
入膝臏中
下足跗入
次指外間
其支者入大趾間
其支者下膝三寸而別
入中趾外間
入氣衝中
其直行者從缺盆下乳
出大迎
循頰車
過客主人
會於神庭
循髮際至
額顱

足陽明胃經脈訣

足陽明胃交鼻起。下循鼻外下入齒。還出挾口繞成漿。頤後大迎頰車裏。耳前髮際至額顱。支下人迎缺盆底。下膈入胃絡脾宮。直者缺盆下乳內。一支幽門循腹中。下行直合氣相逢。遂由髀關抵膝臏。䯒跗中指內間同。一支下膝注三里。前出中指之外間。支者別走足跗上。次指之端經已終。

足陽明胃經穴總訣

四十五穴足陽明。頭維下關頰車停。承泣四白巨髎經。地倉大迎對人迎。水突氣舍連缺盆。氣戶庫房屋翳屯。膺窗乳中延乳根。不容承滿梁門起。關門太乙滑肉穴。天樞外陵大巨存。水道歸來氣衝次。髀關伏兎走陰市。梁邱犢鼻足三里。上巨虛連條口位。下巨虛跳上豐隆。解谿衝陽陷谷中。內庭厲兌經穴終。

足陽明胃經穴分寸歌

胃之經兮足陽明。承泣目下七分尋。四白目下方一寸。巨髎鼻孔旁八分。地倉俠吻四分近。大迎頷前寸三分。頰車耳下曲頰陷。下關耳前動脈行。頭維神庭旁四五。人迎喉旁寸五真。水突筋前迎下在。氣舍突外穴相乘。缺盆舍外橫骨內。相去中行四寸明。氣戶璇璣旁四寸。至乳六寸又分明。庫房屋翳膺窗近。乳中正在乳頭心。次有乳根出乳下。各一寸六不相侵，却去中行須四寸。以前穴道爲君陳。不容巨闕旁二寸。却近幽門寸五新。其下承滿與梁門。關門太乙滑肉門。上下一寸無多少。共去中行二寸尋。天樞臍旁二寸間。樞下一寸外陵安。樞下二寸大巨穴。樞下三寸水道全。水下一寸歸來好。共去中行二寸邊。氣衝鼠鼷上一寸。又在曲骨二寸間。髀關膝上有尺二。伏兎膝上六寸是。陰市膝上方三寸。梁邱膝上二寸記。膝臏陷中犢鼻存。膝下三寸三里至。膝下六寸上廉穴膝下七寸條口位。膝下八寸下廉看。下廉之旁豐隆係。却是踝上八寸量。解谿跗上繫鞋處。衝陽跗上五寸喚。陷谷庭後二寸間。內庭次指外間陷。厲兌大次指外端。

四 足大陰脾經循行經文

脾足太陰之脈。起於大趾之端。隱白穴，循趾內側白肉際。沿趾內側赤白肉際而上，過核骨後。足大趾本節後起核骨，又名圓骨，上內踝前廉。上內踝微前，商邱穴分。上腨內。走上足肚，循脛骨後。由三陰上腨內，循脛骨後漏谷，交出厥陰之前。至地機之分，上膝股內前廉。經膝之內側血海，而至上箕門，入腹。過衝門)，入腹內行，屬脾絡胃。行於中下脘之分，會於脾而絡於胃，上膈挾咽。由胃部腹哀處上膈由周榮外，曲折向下至大包外折向上，會中府行經人迎，連舌本。接於舌根，散舌下。轉散舌下而終其支者。復從胃別上膈。由腹哀別行，經中脘。之分上膈，注於心。行膻中之裏注於心之分，以交於手少陰，

按足太陰脾經穴凡二十一。左右共四十二。起於隱白。止於大包。絡在公孫與大包

脾經循行圖

足太陰脾經脈歌

。郄在地機。井在隱白。滎在大都。俞在太白。經在商邱。合在陰陵泉。

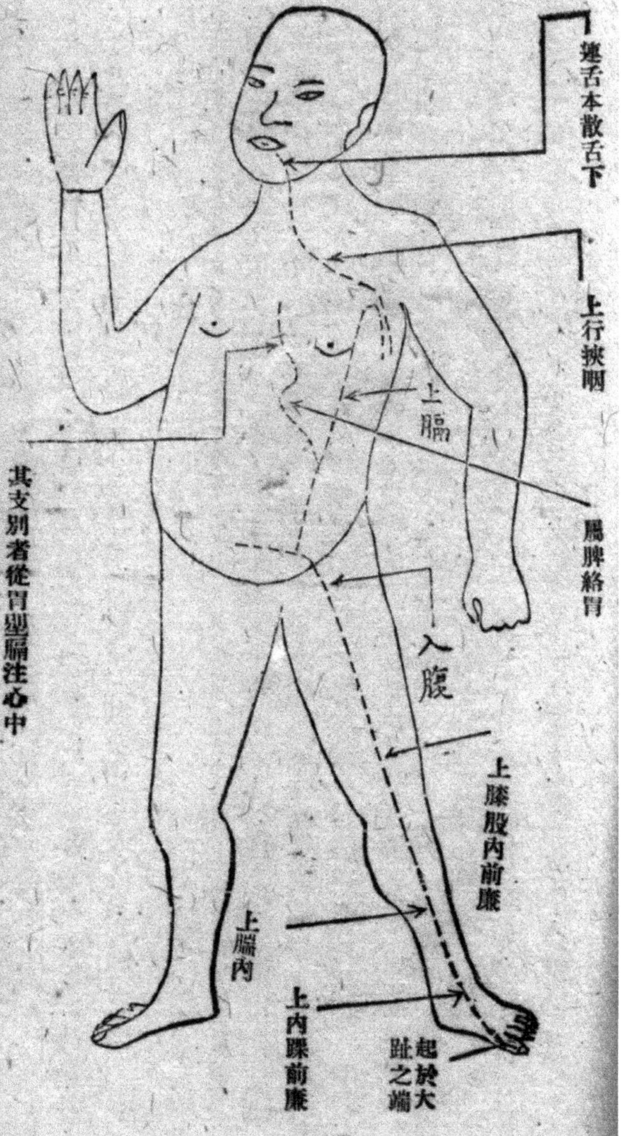

太陰脾起大指端。上循內側白肉際，核骨之後內踝前。上臑循行經膝裏。股內前廉入腹中。屬脾絡胃與膈通。俠喉連舌散舌下。支絡從胃注心中。

足太陰脾經穴總歌

二十一穴脾中州。隱白在足大指頭。大都太白公孫盛。商邱三陰交可求。漏谷地機陰陵穴。血海箕門衝門開。府舍腹結大横排。腹哀食竇連天谿。胸鄉周榮大包隨。

足太陰脾經穴分寸歌

大趾內側端隱白。節前陷中求大都。（原作節後），太白核後白肉際。節後一寸公孫呼。商邱踝前陷中遭。踝上三寸三陰交。踝上六寸漏谷是。膝下五寸地機朝。膝下內側陰陵泉。血海膝臏上內廉。箕門穴在魚腹取。動脉應手越筋間。衝門横骨兩端同。去腹中行三寸半。衝上七分府舍求。舍上三寸腹結算。結上寸三是大横。却與臍平莫胡亂。中脘之旁四寸取。便是腹哀分一段。中庭旁五食竇穴。膻中去六是天谿。上寸六胸鄉穴。周榮相去亦同然。大包腋下三六寸。淵腋之之下三寸絆。

五　手少陰心經循行經文

心手少陰之脈。起於心中。（由脾經而來），出屬心系。（附着脊骨之系也），下膈。（當臍上二寸之分），絡小腸。（絡繞於其小腸），其支者。

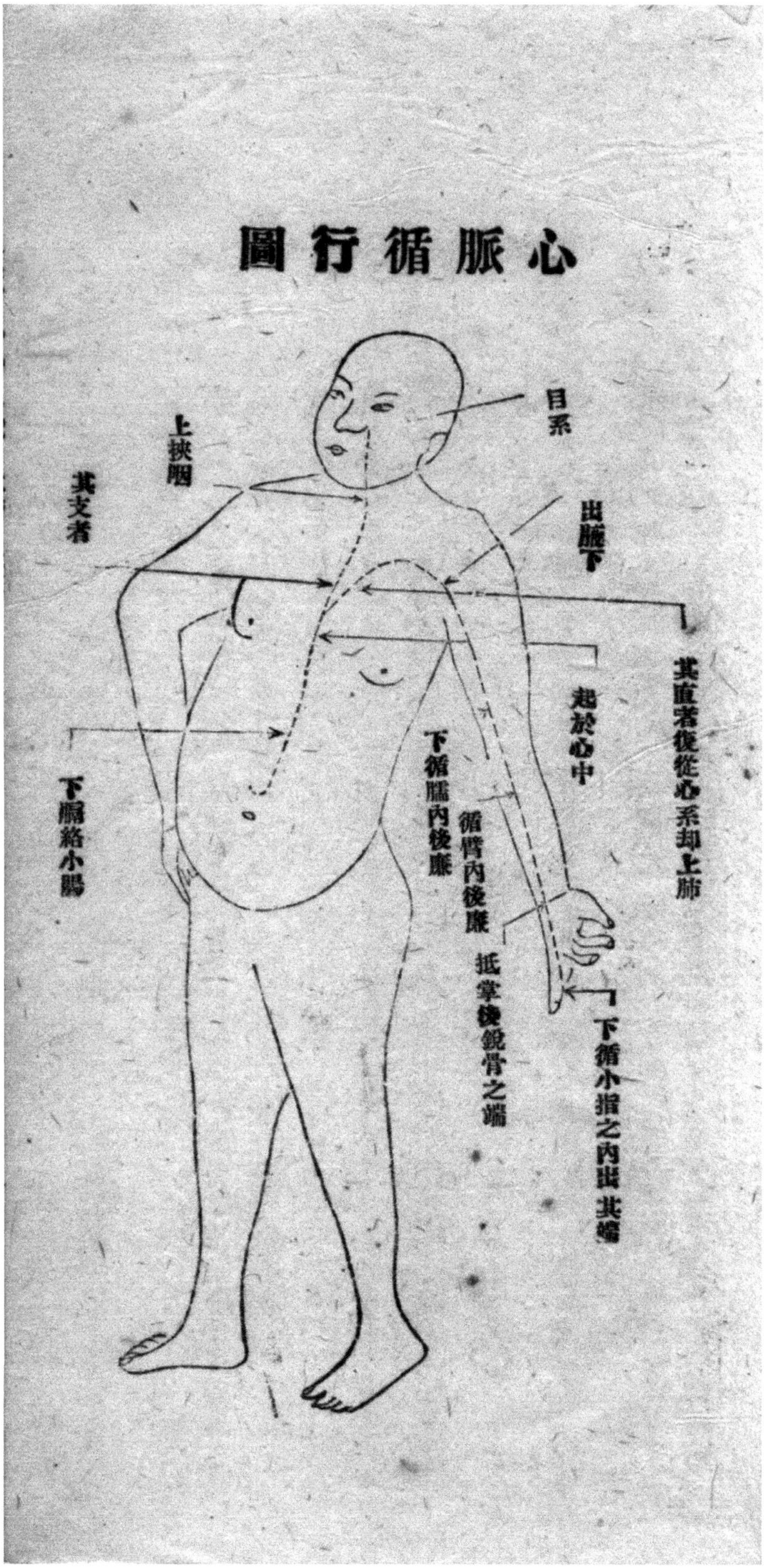
心脈循行圖
目系
上挾咽
其支者
出腋下
其直者復從心系却上肺
起於心中
下循臑內後廉
循臂內後廉
下膈絡小腸
抵掌後銳骨之端
下循小指之內出其端

從心系。心肺連接之系，上挾咽。出任脈之外而挾咽，繫目系。達目球通腦之系，而合於內眥，其直者。復從心系。却上肺出腋下。從心系直上肺葉之分，出循腋下而抵極泉，下循臑內後廉。自極泉而至臑之內側，行厥陰心主之後。經青靈穴，下肘內廉。少海穴分，循臂後廉。經靈道通里等穴，抵掌後兌骨之端○入掌內後廉。過少府穴，循小指之內出其端。抵少衝。而與小腸經接，

按手少陰心經穴凡九穴。左右共十八穴；起於極泉。止於少衝。絡在通里。郄在陰郄。募在巨闕。井在少衝。滎在少府。俞在神門。經在靈道。合在少海。

手少陰心經脉謌

手少陰脈起心中。下膈直與小腸通。支者還從心系走。直上喉嚨繫目瞳。直者上肺出腋下。臑後肘內少海從。臂內後廉抵掌中。銳骨之端注少衝。

手少陰心經總穴謌

九穴午時手少陰。極泉青靈少海深。靈道通里陰郄後。神門少府少衝尋。

手少陰心經穴分寸謌

少陰心起極泉中。腋下筋間動引胸。青靈肘上三寸覔。少海肘後五分充。靈道掌後一寸半。通里腕後一寸同。陰郄去腕五分的。神門聳後銳骨逢。少府小指本節末。小指內側足少衝。

六　手太陽小腸經循行經文

小腸手太陽之脈。由小指內側端心經少衝穴而來，起於小指之端。少澤穴，循手外側。經後谿穴，上腕出踝中。腕骨穴、直上。經養老等穴，循臂骨下廉。支正穴分，出肘內側兩骨之間。兩骨尖中，少海穴分，上循臑外後廉，行手陽明少陽之外，出肩解。肩後骨縫，肩貞穴分也，繞肩胛。繞肩胛下天宗等分穴，交肩上。曲垣穴分左右交於兩肩之上會於督脈之大椎，入缺盆，由交肩上入缺盆，絡心。當膻中之分，而絡於心，循咽下膈抵胃屬小腸。自缺盆循咽下膈，經上中脘抵胃下行任脈之外，當臍上二寸之分屬小腸，其支者。從缺盆循頸上頰。經天窗等穴而上過耳抵顴髎，至目銳眥。由目外眥下抵耳中之聽宮，其支者•別頰上䪼。由䪼至目下睛明穴以交於足太陽經，抵鼻至目內眥。

按手太陽經穴凡十九。左右共三十八穴，起於少澤。止於聽宮。絡在支正。郄在養老。募在關元。井在少澤。滎在前谷。俞在後谿。原在腕骨經在陽谷。合在小海。

小腸經循行圖

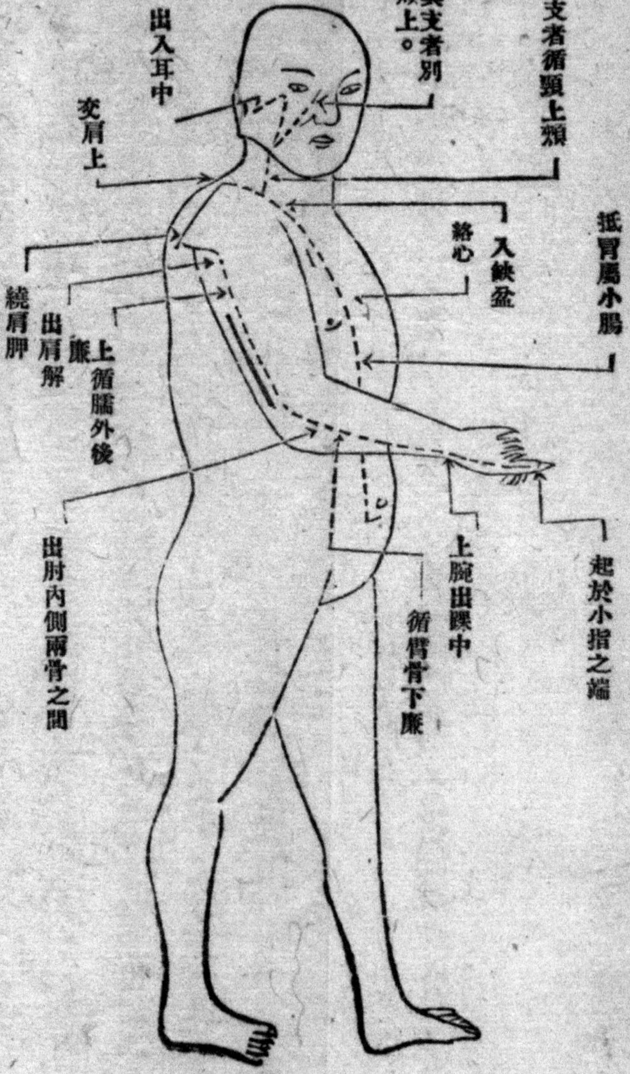

手太陽小腸經脈詞

。直過肩解繞肩胛。交肩下入缺盆內。向腋絡心循咽嗌。下膈抵胃屬小腸。一支缺盆貫頸頰。入目銳眥却入耳。復從前從行仍上䪼。抵鼻升至嗌目內眥。斜於顴別絡接。

手太陽小腸經穴總謌

手太陽穴一十九。少澤前谷後谿數。腕骨陽谷養老繩。支正小海外輔肘。肩貞臑兪接天宗。髎外秉風曲垣首。肩外兪連肩中兪。天窻乃與天容偶。銳骨之端上顴髎。聽宮耳前珠上走。

手太陽小腸經穴分寸謌

小指端外爲少澤。前谷外側節前覓。節後揑拳取後谿。腕骨腕前骨陷側。兌骨下陷陽谷討。腕後銳上覔養老。支正腕後五寸量。小海肘端五分好。肩貞胛下兩筋解。臑兪大骨下陷保。天宗秉風後骨中。秉風髎外舉有空。曲垣肩中曲肩陷外兪去脊三寸從。中兪二寸大推旁。天窗扶突後陷詳。天容耳下曲頰後。顴髎面鳩銳端量。聽宮耳中大如菽。此爲小腸手太陽。

七　足太陽膀胱經循行經文

膀胱足太陽之脈。（由小腸經遞來，）起於目內眥。（睛明穴，）上額交巔。（由攢竹而上至絡却穴左右斜行而交於巔頂之百會穴，）其支者。從巔至

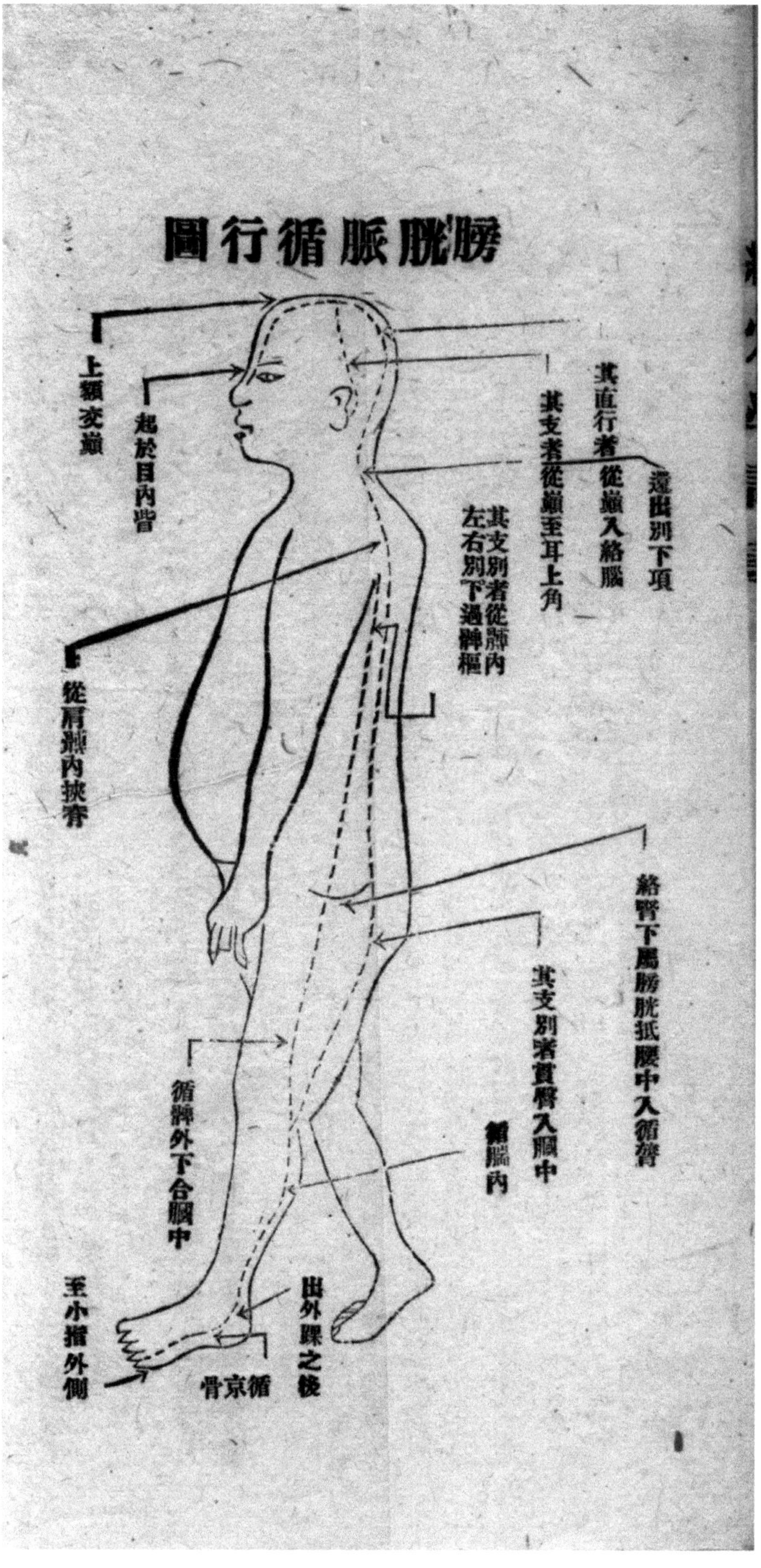
膀胱脈循行圖
上額交巔
起於目內眥
其直行者從巔入絡腦
其支者從巔至耳上角
還出別下項
從肩髆內挾脊
其支別者從髆內左右別下過髀樞
絡腎下屬膀胱抵腰中入循膂
其支別者貫臀入膕中
循髀外下合膕中
循腨內
至小指外側
循京骨
出外踝之後

耳上角。由百會旁行至耳上角過足少陽膽經，其直者。從巔入絡腦。自百會行通天至玉枕入絡於腦，還出別下項。自腦後出別下項由天柱而下會於督之陶道。循肩內。挾脊腰中。由陶道循肩膊內側挾脊兩旁下行經各兪穴而抵腰中，入循膂。絡腎屬膀胱。循挾脊之肉，而絡於腎膀胱，其支者從腰中下挾脊貫臀。由腰中分支循脊而下經四髎貫臀之會陽，入膕中。經承扶委陽等穴而入委中，其支者。從髆內左右別下貫胛。由肩髆內左右別行下貫胛膂而下，挾脊內過髀樞。經附分魄戶直下至臀之髀樞，循髀外後廉。下合膕中。循髀樞之裏承扶之外一寸五分之間，而下與前之入膕者相合，以下貫腨內。由委中而下經承山等穴，出外踝之後。崐崙穴分，循京骨至小趾外側。至陰穴而交於足少陰腎經，

按足太陽膀胱經穴凡六十七左右共百三十四穴。起於睛明。止於至陰。絡在飛揚。郄在金門。募在中極。井在至陰。滎在通谷。兪在東骨。原在京骨。經在崐崙。合在委中。

足太陽膀胱經脈謌

足太陽膀胱經脈。目內眥上起額尖。支者巔上爲耳角。直者從巔腦後懸。絡腦還出別下項。仍循肩膊挾脊邊。抵腰脊臀膀胱內。一支下與後陰連。貫臀斜屬委中穴。一支膊內左右別。貫胛挾脊過髀樞。臀內後廉膕中合。下貫腨內外踝後。京骨之下指外側。

足太陽膀胱經穴謌

足太陽經六十七。睛明目內紅肉藏。攢竹眉冲與曲差。五處上寸半承光。通天絡却玉枕昂天柱後際大筋外。大杼背部第二行。風門肺俞厥陰四。心俞督俞膈俞强。肝胆脾胃俱挾次。三焦腎氣海大腸。關元小腸到膀胱。中膂白環仔細量。自從大杼至白環。各各節外寸半長。上髎次髎中復下。一空二穴腰髁當。會陽陰尾骨外取。附分挾脊第三行。魄戶膏肓及神堂。譩譆膈關魂門九。陽綱意舍仍胃倉。肓門志室胞肓逐。二十雄下秩邊塲。承扶臀橫紋中央。殷門浮郄到委陽。委中合陽承筋是。承山飛陽踝跗陽。崐崙僕參連中脈。金門京骨束骨忙。谷通至陰小指旁。

足太陽膀胱經穴分寸謌

足太陽是膀胱經。目內眥角始睛明。眉頭頭中攢竹取。眉冲直上旁神庭。曲差入髮五分際。神庭旁開寸五行。五處旁開亦寸半。細算却與顖會平。承光通天絡却穴。相去寸五調勻看。玉枕夾腦一寸三。入髮三寸枕骨取。天柱項後髮際中。大筋外廉陷中獻。自此夾脊開寸五。第一大杼二風門。三椎肺俞厥陰四。心五督六椎下論。膈七肝九十胆俞。一十一脾俞十二胃。十三三焦十四腎。氣海俞在十五椎。大腸十六椎之下。十七關元俞穴椎。小腸十八胱十九。中膂穴俞二十椎，白環念一椎下當。以上諸穴可推之。更有上次中下髎。一二三四腰空好。會陽陰尾尻骨旁。背部第二諸穴了。又從脊上開三寸。第二椎下爲附分。三椎魄戶四膏肓。第五椎下神堂尊。第六譩譆膈關七。第九魂門陽綱十。

十一意舍之穴存。十二胃倉穴已分。十三肓門端正在。十四志室不須論。十九胞肓廿一秩。背部三行諸穴勻。又從臀下横紋取。承扶居下陷中央。殷門扶下方六寸。委陽膕外兩筋鄉。浮郄實居委陽上。相去只有一寸長。委中在膕約紋裏。此下三寸尋合陽。承筋合陽之下直。穴在腨腸之中央。承山腨下分肉間。外踝七寸上飛陽。附陽外踝上三寸。崑崙後跟陷中央。僕參跟下脚邊上。申脉踝下五分張。金門申前墟後取。京骨外側骨際量。京骨本節後内際。通谷節前陷中强。至陰却在小指側。太陽之穴始週詳。

八　腎經循行經文

腎足少陰之脉。由膀胱而來，起於小趾之端。斜趨足心。由小趾端斜走之湧泉，出然谷之下。循内踝之後。由然谷循内踝後太谿穴，別入跟中。別走跟中之大鐘照海等穴，上踹内。由照海而折自上行於太陰之後，出膕内廉。自三陰交而上至膕内陰谷穴分，上股内後廉。貫脊屬腎。由股内後廉而上結於督之長强貫脊中而屬腎，下絡膀胱。由長强穴還出於前陰横骨中復當肓俞之所臍之左右屬腎下臍過關元中極而絡膀胱，其直者。從腎上貫肝膈。入肺中。循喉嚨。挾舌本。其直者，從肓俞屬腎處上行循商曲通谷諸穴貫肝，循幽門上膈歷步廊入肺中循神藏俞府等穴而上循喉嚨并人迎挾舌而終也，其支者。從肺出絡心。注胸中。其支者自神藏別注於心出胸之膻中而交厥陰心包絡之脈，

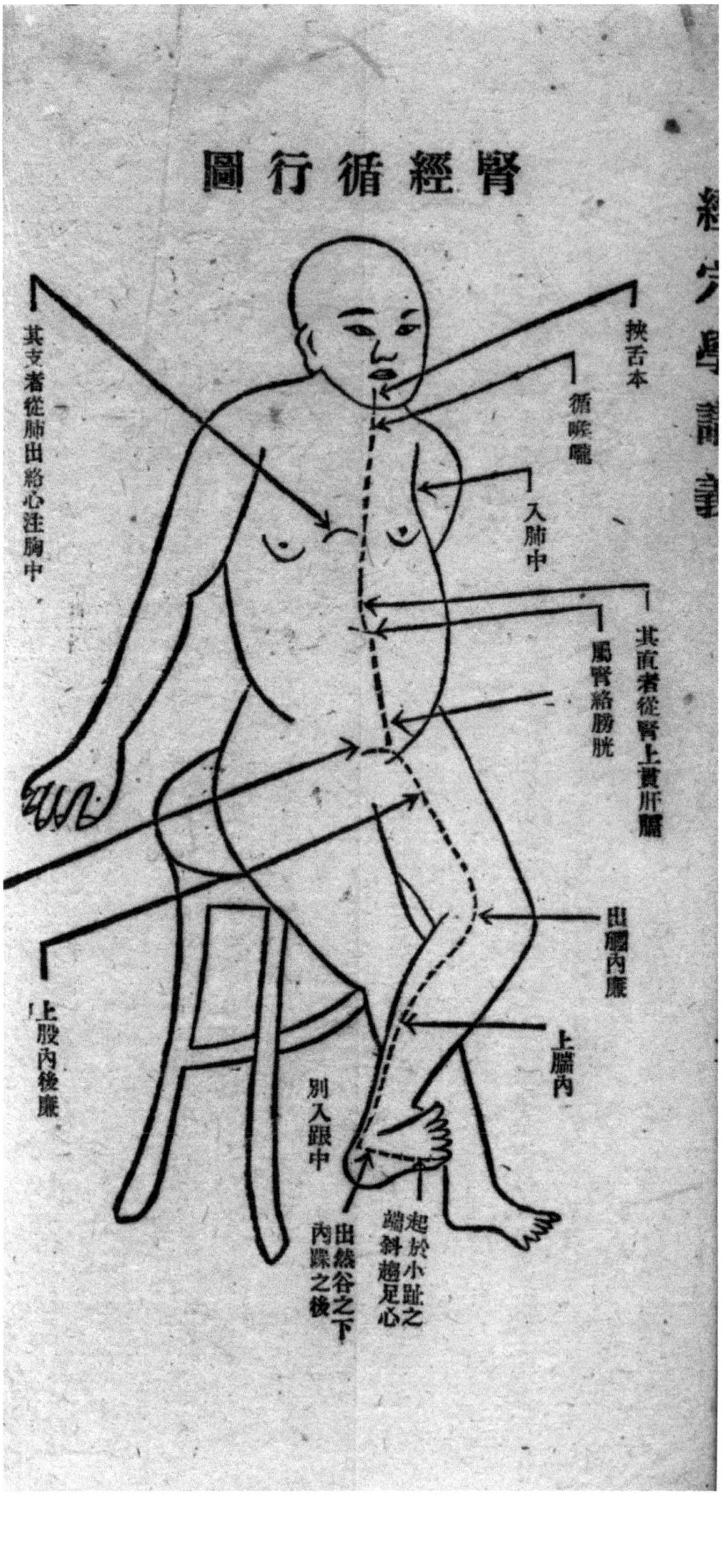
腎經循行圖
經穴學講義
挾舌本
循喉嚨
入肺中
其直者從腎上貫肝膈
屬腎絡膀胱
其支者從肺出絡心注胸中
出膕內廉
上腨內
上股內後廉
別入跟中
起於小趾之端斜趨足心
出然谷之下內踝之後

按足少陰腎經穴凡二十七。左右共五十四穴。起於湧泉。止於俞府。絡在大鍾。郄在水泉。募在京門。井在湧泉。滎在然谷。俞在太谿。經在復溜。合在陰谿。

足少陰腎脉訣

足腎經脉屬少陰。小指斜趨湧泉心。然骨之下內踝后。別入跟中腨內侵。出膕內廉上股內貫脊屬腎膀胱臨。直者屬腎貫肝膈。入肺循喉舌本尋。支者從肺絡心內。仍至胸中部分深。

足少陰腎經穴總歌

足少陰經二十七。湧泉然谷照海溢。水泉太谿通大鍾。復溜交信築賓實。陰谷膝內輔骨後，已上從足走至膝。橫骨大赫連氣穴，四滿中注肓俞臍。商曲石關陰都密。通谷幽門寸半闢。折量腹上分十一。步郎神封膺靈墟。神藏或中俞府畢。

足少陰腎經穴分寸訣

足掌心中是湧泉。然谷踝前大骨邊。太谿踝後跟骨上。大鍾跟後踵筋間。水泉谿下一寸覓。照海踝下四分安。復溜踝上方二寸。交信溜前（後）五分連。二穴止隔筋前後。太陰之後少陰前。築賓內踝上腨分。陰谷膝下內輔邊。橫骨大赫并氣穴。四滿中注亦相連。五穴上行皆一寸。中行旁開半寸邊。肓俞上行亦一寸。俱在臍旁半寸間。商曲石關陰都穴。

通谷幽門五穴纏。下上俱是一寸取。各開中行半寸前。步廊神封靈墟穴。神藏或中俞府安。上行寸六旁二寸。俞府璇璣二寸觀。

九 手厥陰心包絡經循行經文

心主手厥陰心包絡之脈。（由胃經傳至，）起於胸中。（膻中穴分，）出屬心包。下膈歷絡三焦。（出心包下膈歷絡於三焦之上中脘及臍下三焦之分，）其支者。循胸出脅。下腋三寸。（由心包循胸出脅下腋下三寸天池穴分，）上抵腋下。（自天池上行抵腋下之天泉穴。）循臑內。行太陰少陰之間。（介乎太陰少陰兩筋中間下行，）入肘中。（抵曲澤穴，）下臂行兩筋之間。入掌中。（由肘中下臂行臂兩筋之間循間使大陵等穴而入掌中勞宮穴，）循中指出其端。（掌中直上至中指端，）其支別者。從掌中循小指次指出其端。（由勞宮穴前出通小指次指出其端而交於手少陽，）

按手厥陰心包絡經穴凡九。左右共一十八穴。起於天池。止於中衝。絡在內關。郄在郄門。募在巨闕。井在中衝。滎在勞宮。俞在大陵。經在間使。合在曲澤。

心包絡循行圖

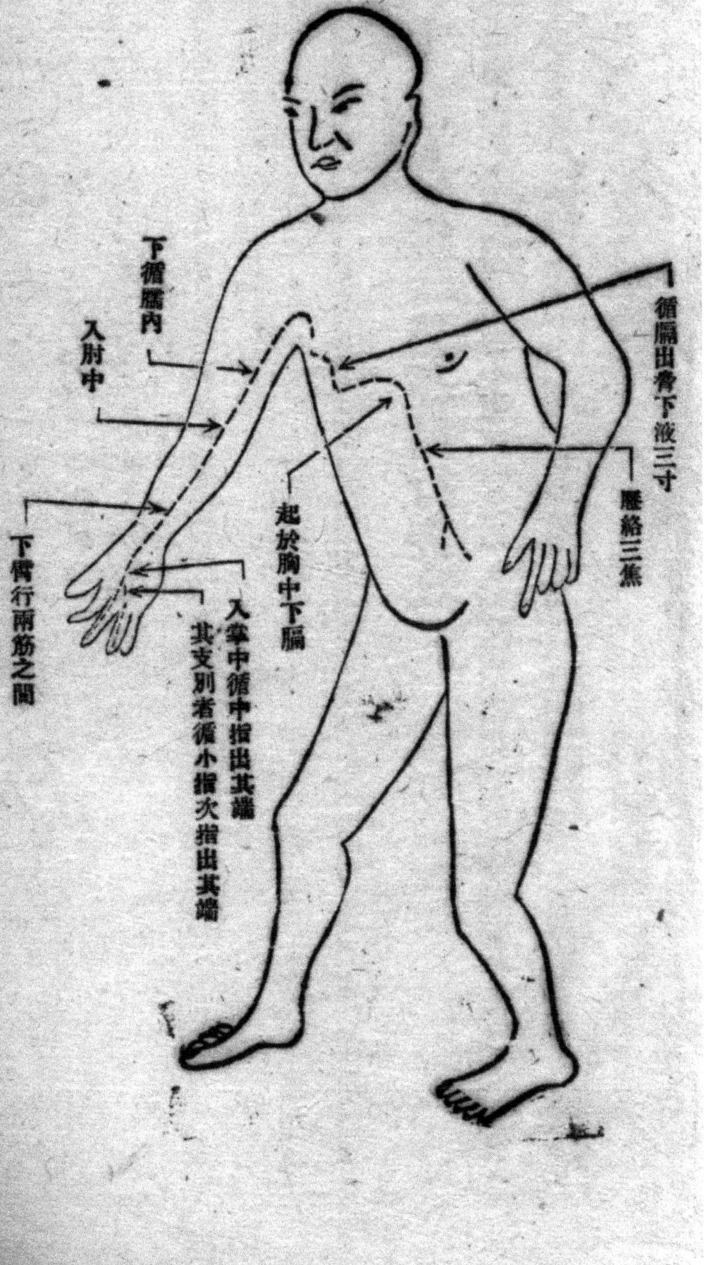
下循臑內
入肘中
下臂行兩筋之間
入掌中循中指出其端
其支別者循小指次指出其端
起於胸中下膈
循膈出脅下液三寸
歷絡三焦

手厥陰心包脈謌

手厥陰心主起胸。屬包下膈三焦宮。支者循胸出脅下。脅下連腋三寸同。仍上抵腋循臑內。太陰少陰兩筋中。指透中冲支者別。小指次指絡和通。

手厥陰心包絡經穴謌

九穴心包手厥陰。天池天泉曲澤深。郄門間使內關對。大陵勞宮中衝侵。

手厥陰心包絡經穴分寸謌

心包穴起天池間。乳後旁一腋下三。天泉曲腋下二寸。曲澤肘內橫紋端。郄門去腕方五寸。間使腕後三寸安。內關去腕止二寸。大陵掌後兩筋間。勞宮屈中名取指。中冲中指之末端。

十　手少陽三焦經循行經文

三焦手少陽之脉。（受心包絡經之遞注，）起於小指次指之端。（循）上出兩指之間。（經液門中渚，）循手表腕。（陽池穴分，）出臂外兩骨之間。（經外關支溝，）上貫肘。（抵天井穴，）循臑外上肩。（走太陽陽明之間歷清冷消濼而至肩，）交出足少陽之後。（過肩井而交出足少陽之後，）入缺盆。交膻中散絡心包。下膈循屬三焦。（由缺盆經足陽明之外而交會於膻中散絡心包下膈屬上焦至中脘屬中焦至陰交而屬下焦，）其支者。從膻中上出缺盆。（從膻中而上出缺盆之外，）上項。（會於督脈之椎而後上循，）挾耳後。（循天牖經翳風而上，）直上出耳上角。（角孫穴，）以下屈

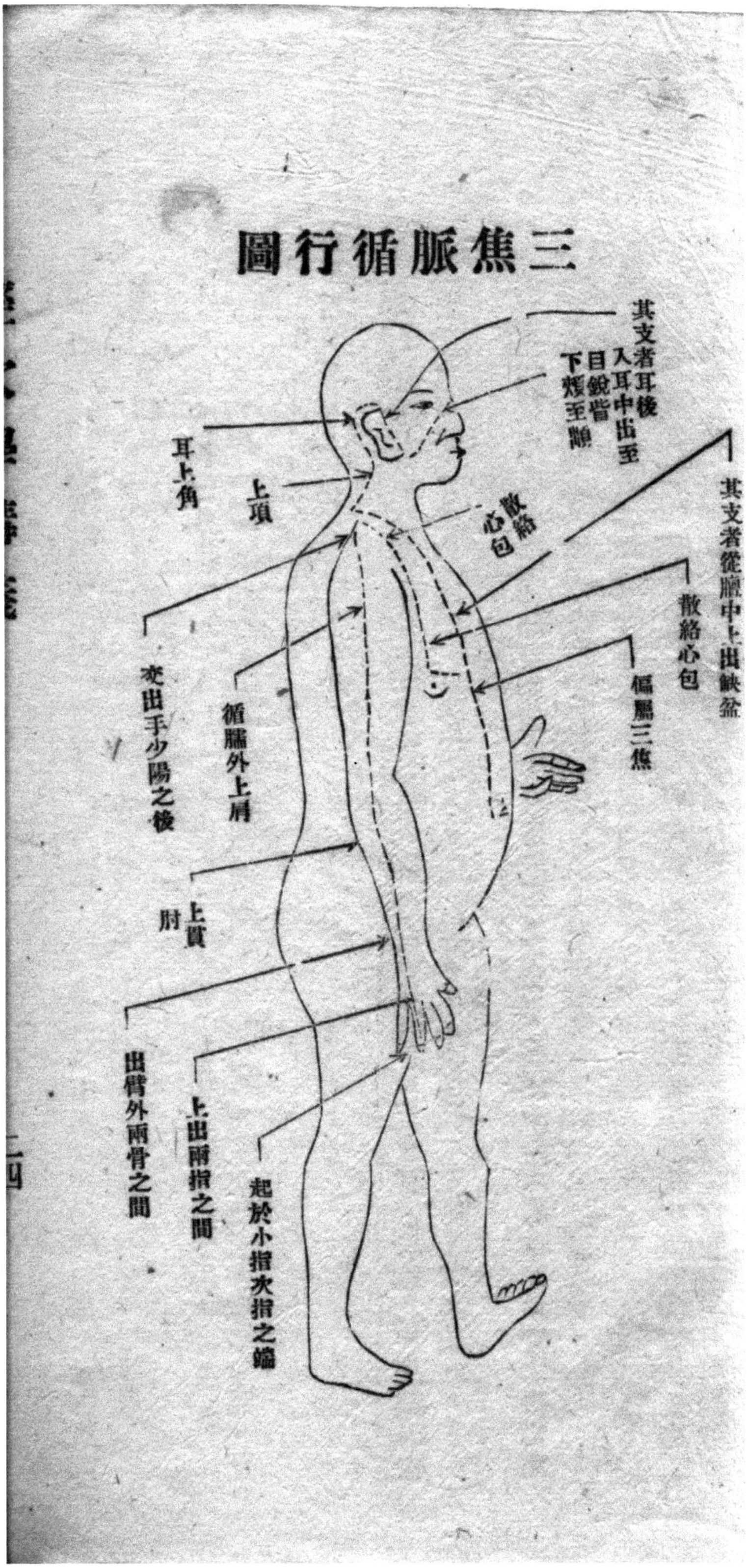
三焦脈循行圖
其支者耳後
入耳中出至
目銳眥
下頰至顓
耳上角
上項
散絡
心包
其支者從膻中上出缺盆
散絡心包
徧屬三焦
交出手少陽之後
循臑外上肩
上貫
肘
出臂外兩骨之間
上出兩指之間
起於小指次指之端

經穴學講義

頰至顗。（由角孫屈向懸厘頷厭過陽白睛明屬而下頗會於顴髎之分，）其支者。從耳後。（翳風穴分。）入耳中。（過聽宮，）出走耳前。過客主人交頰至目銳眥。（經上關過禾髎而至目銳眥交於足少陽膽經，）

按手少陽三焦經穴凡二十三。左右共四十六。起於關衝。止於絲竹空。本在液門。標在角孫。絡在外關。郄在四瀆。募在石門。井在關衝。滎在液門。俞在中都。原在陽池。經在支溝。合在天井。

手少陽三焦經脉謌

手經少陽三焦脈。起自小指次指端。兩指歧骨手腕表。上出臂外兩骨間。肘後臑外循肩上。少陽之後交別傳，下入缺盆膻中分。散絡心包膈裏穿。支者膻中缺盆上。上頸耳後耳角旋。屈下至頤仍注頰。一支出耳入耳前。却從上關交曲頰。至目銳眥乃盡焉。

手少陽三焦經穴總謌

二十三穴手少陽。關冲液門中渚旁。陽池外關支溝正。會宗三陽四瀆長。天井清冷淵消爍。臑會肩髎天髎堂。天牖翳風瘈脈靑。顱息角孫絲竹張。和髎耳門聽有常。

手少陽三焦經穴謌

無名指外端關冲。液門小次指陷中。中渚液上止一寸。陽池手表腕陷中。外關腕後方二寸。腕後三寸支溝容。支溝橫外取會宗。空中一寸用心攻。腕後四寸三陽絡。四瀆肘前五寸看。天井肘外大骨後。骨罅中間一寸膜。肘後二寸清冷淵。消濼對液臂外落。臑會肩前三寸量。肩髎臑上陷中央。天髎盆骨陷內上。天牖天容之後旁。翳風耳後尖角陷。瘈脈耳後鷄足張。顱息亦在青絡上。角孫耳廓上中央。耳門耳缺前起肉。和髎耳前銳髮鄉。欲知絲竹空何在。眉後陷中仔細量。

十一　足少陽膽經穴經循行經文

胆足少陽之脈。受三焦經之傳注，起於銳眥。瞳子髎，上抵頭角。至頷厭穴分經懸釐外循耳上髮際過曲鬢率谷而下，下耳後。循天衝完骨折返角孫循本神陽白會於睛明復從睛明直上經臨泣等穴而至風池，循頸行手少陽之前，過天髎，至肩上。循肩井，却交出手少陽之後。入缺盆。由肩井處左右相交出少陽之後過大椎當秉風之前入缺盆之外，其支者從耳後入耳中。從耳後顱顖間過翳風之分入耳中，出走耳後。至目銳眥後。由耳中過聽宮出走耳前復自聽會至銳眥瞳子髎分，其支者。別目銳眥。下大迎。合於手少陽。絲竹空穴分，抵於䪼。下加頰車。下頸合缺盆。以下胸中。當顴髎之分下臨頰車下頸循本經之前與前之入缺盆者絡分下胸中天池之外，貫膈絡肝屬胆。胸中以下貫膈於期門之所而絡於肝至日月之分而屬於膽也，循脇裏。出氣衝。繞毛際。橫入髀厭中。循脇裏由足厥陰之章門下行至足陽明之氣街繞毛際合於足厥陰橫入髀厭中環跳穴分，其直者。從缺盆下液。歷淵液，循胸。經日月，過季脇。京門等穴，下合髀厭中。經中瀆陽關至膝外側陽陵，下外輔骨之前。直下抵絕骨之

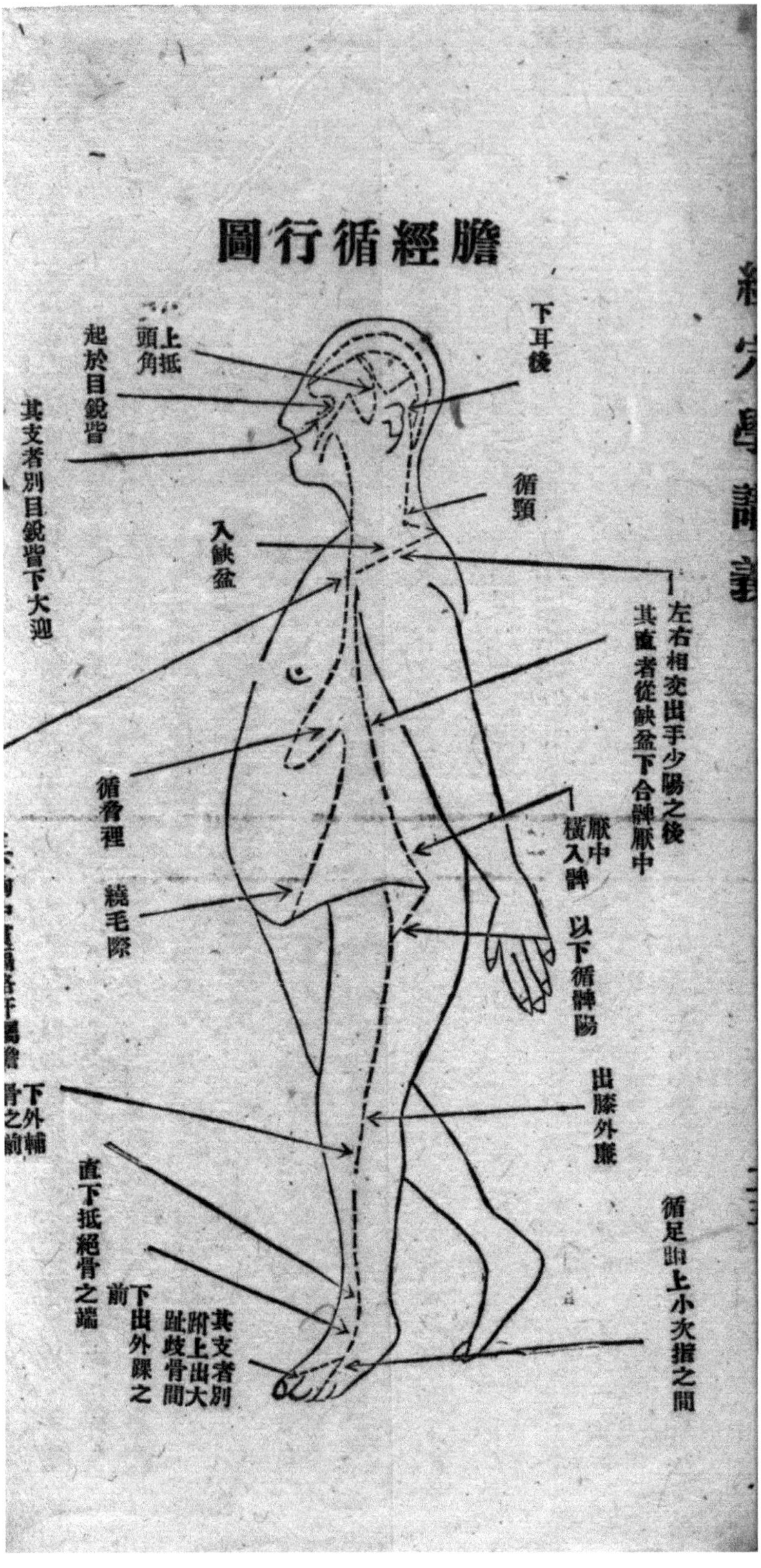
膽經循行圖
起於目銳眥
上抵頭角
下耳後
其支者別目銳眥下大迎
循頸
入缺盆
左右相交出手少陽之後
其直者從缺盆下合髀厭中
循脅裡
橫入髀厭中
繞毛際
以下循髀陽
出膝外廉
下外輔骨之前
直下抵絕骨之端
下出外踝之前
其支者別跗上出大趾歧骨間
循足跗上小次指之間

端。（經陽交等穴而抵絕骨，）下出外踝之前。（丘墟）循足跗上入小趾次趾之間。（歷臨泣等穴而至竅陰，）其支者。別跗上。入大趾之間。（由臨泣穴別行大趾，）循大趾歧骨內出其端。還貫爪甲出三毛。（由大趾歧骨至大趾端而還出三毛處以交肝經。）

足少陽胆經穴凡四十四。左右八十八穴。起於瞳子髎。止於竅陰。本在足竅陰按。標在聽宮。絡在光明。郄在外邱。募在日月。井在足竅陰。滎在俠谿。俞在足臨泣。原在邱墟。經在陽輔。合在陽陵泉。

足少陽胆經脈謌

足脈少陽胆之經。始從兩目銳眥生。抵頭循角下耳後。腦空風池次第行。手少陽前至肩上。交少陽右上缺盆。支者耳後貫耳內。出走耳前銳眥循。一支銳眥大迎下。合手少陽抵䪼根。下加頰車缺盆合。入胸貫膈絡肝經。屬胆仍從脇裏過。下氣街毛際縈。橫入髀厭環跳內。直者缺盆下腋膺。過季脇下髀厭內。出膝外廉是陽陵。外輔絕骨踝前過。足跗小趾次趾分。 其支別從大趾去。三毛之際接肝經。

足少陽胆經穴總歌

少陽足經瞳子髎。四十四穴行迢迢。聽會上關頷厭集。懸顱懸厘曲鬢翹。率角天衝浮白次。竅陰完骨本神邀。陽白臨泣目窗闢。正營承靈腦空搖。風池肩井腋堂出。淵腋輒筋相幷標。日月橫生京門穴。帶脈五樞肋下條。維道居髎相繼取。環跳之下風市招。中瀆揚關陽陵穴。陽交外邱光明宵。陽輔懸鐘邱墟外。臨泣地五俠谿滔。

足少陽胆經穴分寸歌

外眥五分瞳子髎。耳前陷中聽會繞。上關上行一寸足。內斜曲角頷厭照。後行顱中釐下廉。曲鬢耳前髮際看。入髮寸半率角穴。天冲率後斜三分。浮白下行一寸間。竅陰穴在枕骨上。完骨耳後入髮際。量得四分須用記。本神神庭旁三寸。入髮五分耳上繫。陽白眉上一寸許。入髮五分是臨泣。臨後寸半目窗穴。正營承靈及腦空。後行相去寸半同。風池耳後髮際陷。肩井肩上陷解中。大骨之前寸半取。淵液腋下三寸逢。輒筋復前一寸行。日月乳下二肋逢。期門之下五分存。臍上五分旁九五。季肋俠脊是京門。季下寸八尋帶脉。帶下三寸五樞眞。維道章下五三定。章下八三居髎名。環跳髀樞宛中陷。風市垂手中指尋。膝上五寸是中瀆。陽關陽陵上三寸。陽陵膝下一寸任。陽交外踝上七寸。外邱外踝七寸分。此係斜屬三陽絡。踝上五寸定光明。踝上四寸陽輔地。踝上三寸是懸鐘。邱墟踝下陷中立。邱下三寸臨泣存。臨下五分地五會。會下一寸俠谿呈。欲覓竅陰歸何處。小趾次趾外側尋。

十二　足厥陰肝經循行經文

肝足厥陰之脉。受膽經之所交，起於大指叢毛之際。大敦穴，上循足跗上廉。去內踝一寸。中封穴，上踝八寸。中都穴，交出太陰之後。上膕內廉。折向太陰之後歷曲泉等穴，循股陰入毛中。過陰器。經急脈左右相交環繞陰器而會於任脈之曲骨，抵少腹。挾胃。屬肝絡胆。自陰上入少腹經關元而循章門期門日月挾胃屬肝絡於膽上貫膈。布脅肋。自期門上貫膈行太陰食竇之外大包之裏散布脅肋之足少陽淵液手太陰雲門間，之上入頏顙。由人迎之外循喉嚨之後，上入頏顙，連目系。上出額。與督脈會於巔。由大迎地倉四白而連目系上出額行臨泣之裏與督脈相會於巔，頂之百會，其支者。從目系。下頰裏。環唇內。此支從目系下頰從交環於口唇之內，其支者。復從肝別貫膈。上注肺。又其支者從期門屬肝之分行太陰食竇之外，本經之裏，別貫膈上注於肺下至中脘之分交接於手太陰之肺經，

按足厥陰肝經穴凡十四。左右共二十八穴。起於大敦。止於期門。木在中封。標在肝俞。絡在蠡溝。郄在中都。井在大敦。滎在行間。俞在太衝。絡在中封合在曲泉。

足厥陰肝經脉歌

厥陰足脉肝以絡。大趾之端毛際叢。足跗上廉太衝分。踝前一寸入中封。上踝交出太陰後。循膕內廉陰股衝。環繞陰器入小腹。挾胃屬肝絡膽逢。上貫膈裏布脅肋。挾喉頏顙

肝經循行圖

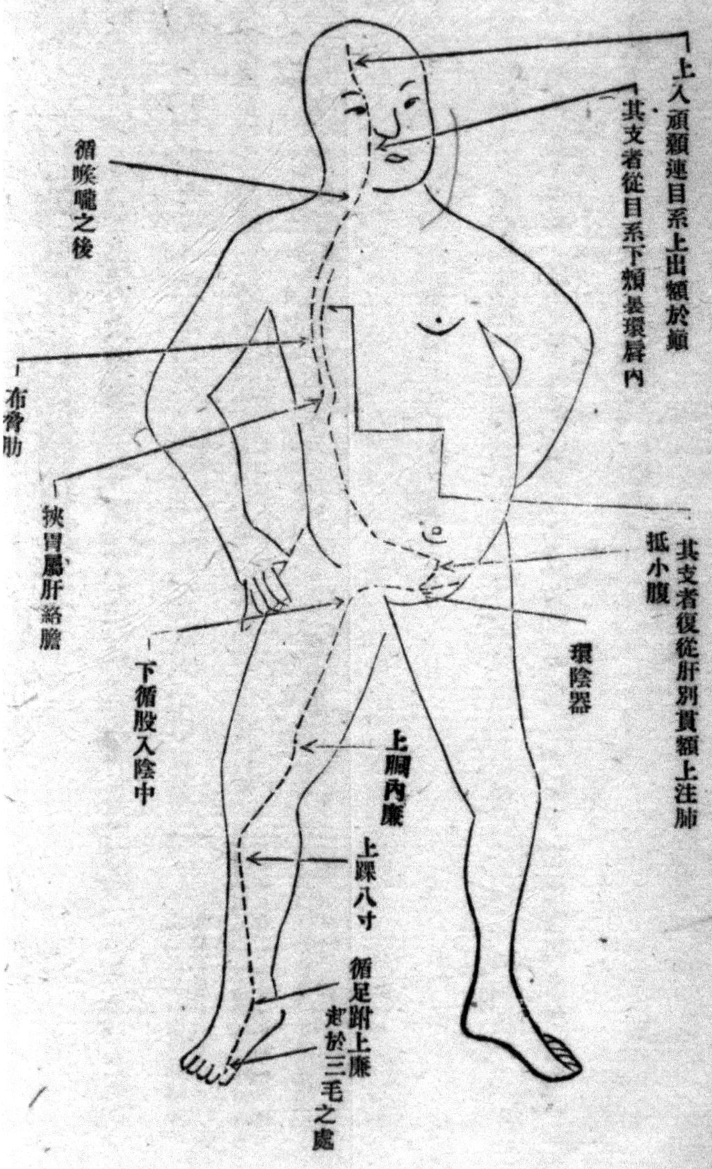
上入頏顙連目系上出額於巔
其支者從目系下頰裏環脣內
循喉嚨之後
布脅肋
挾胃屬肝絡膽
其支者復從肝別貫膈上注肺
抵小腹
環陰器
下循股入陰中
上膕內廉
上踝八寸
循足跗上廉
起於三毛之處

目繫同。脉上巔會督脉出。支者還生目系中。下絡頰裏環脣內。支者便從膈肺通。

足厥陰肝經總穴歌

一十四穴足厥陰。大敦行間太衝侵。中封蠡溝中都近。膝關曲泉陰包臨。五里陰廉上急脉。章門常對期門深。

足厥陰肝經穴分寸歌

足大趾端名大敦。行間大趾縫中存。太衝本節後寸半。踝前一寸號中封。蠡溝踝上五寸是。中都踝上七寸中。膝關犢鼻下二寸。曲泉曲膝盡橫紋。陰包膝上方四寸。氣衝三寸下五里。陰廉衝下有二寸。急脉陰旁二寸半。章門直臍季肋端。肘尖盡處側臥取。期門穴在乳直下。四寸之間無差矣。

附 任脈經循行經文

任脉起於中極下。（會陰之分上行而外出循曲骨上毛際至中極穴，）上行腹裏。循關元。上行會衝脉。浮外循臍。至咽。別絡口唇承漿。（衝任二脈皆起於胞中上行背裏爲經絡之海其浮而外者循腹上行會於咽喉，而絡唇口至承漿，）過足陽明。上頤間。循面入目。至睛明會督脉爲陰脈之海。（自承漿轉入胃經之地倉承泣等穴而至睛明以會督脈總爲陰脈之海，）

任脈圖

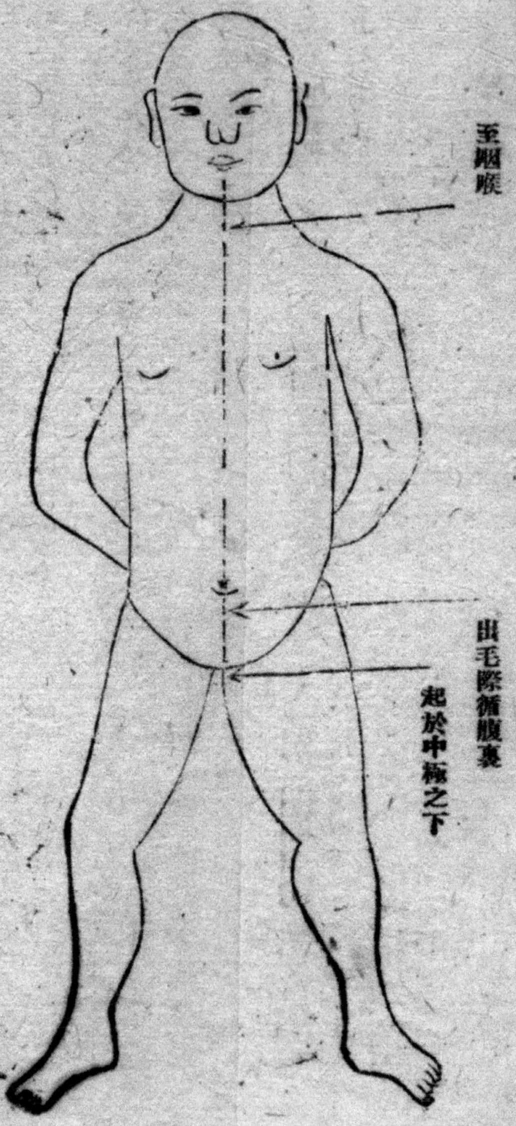

經穴學講義

按本經之穴凡二十四穴。起於會陰。止於承漿。絡於會陰。

任經脈歌

任脈起於中極下。會陰腹裏上關元，循內上行會衝脈。浮外循腹至咽端。別絡口唇承漿已。過足陽明上頤間。循面入目至睛明。交督陰脉之海傳。

任經脉總穴訣

任脈二五起會陰。曲骨中極關元臨。石門氣海陰交仍。神闕水分下脘配。建里中上脘相連。巨闕鳩尾蔽骨下。中庭膻中募玉堂。紫宮華蓋璇璣夜。天突結喉上廉泉。承漿相接齦交舍。

任脈穴分寸歌

任脈會陰兩陰間。曲骨毛際陷中安。中極臍下四寸取。關元臍下三寸連。臍下二寸石門是。臍下寸半氣海全。臍下一寸陰交穴。臍之中央即神闕。臍上一寸爲水分。臍上二寸下脘列。臍上三寸名建里。臍上四寸中脘許。臍上五寸上脘在。巨闕臍上六寸步。鳩尾蔽骨下五分。中庭膻下寸六取。膻中却在兩乳間。膻上寸六玉堂主。膻上紫宮三寸二。膻上四八華蓋舉。膻上璇璣六寸四，璣上一寸天突取。天突結喉下二寸。廉泉頷下結上已。承漿齦前下唇中。齦交齒下齦縫裏

督脈經循行經文

督脈者。起於下極之纂。（兩陰之間會陰處名曰纂纂之深處為下極。督脈之所始也）并於脊裏。（并脊上上行，）上至風府。入腦上巔。（由風府而上入腦至百會之巔，）循額至鼻柱。（自百會循額而下鼻柱，）屬陽脈之海也。

按督脉經穴凡二十八。起於長强。止於齦交。絡於長强。

督脈經謌

督脉少腹骨中央。始於下極過長强。并脊上行至風府。絡腦上巔百會疆。前行循額至鼻柱。入繫齦交會在鄉。

督脈經穴總謌

督脈中行廿八穴。長强腰俞陽關密。命門懸樞接脊中。中樞筋縮至陽逸。靈台神道身柱長。陶道大椎并肩的。瘂門風府腦戶深。强間後頂百會準。前頂顖會上星面。神庭素髎水溝竄。兑端開口唇中央。齦交唇内任督畢。

督脉經穴分寸歌

尾閭骨端是長强。二十一椎腰俞當。十六陽關十四命。十三懸樞脊中央。十一椎下尋脊中。十椎中樞穴下藏。九椎之下筋縮取。七椎之下乃至陽。六靈五神三身柱。陶道一椎

督脈圖

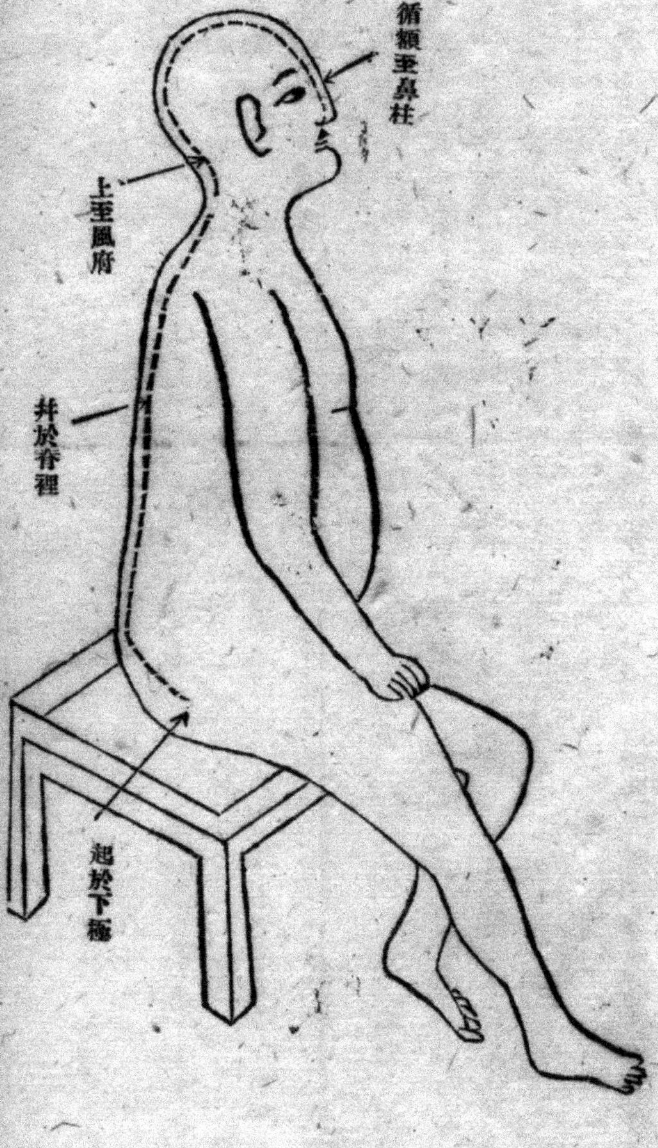

前行一尺顖會量。一尺一寸上星會。入髮五分神庭當。鼻端準頭素髎穴。水溝鼻下人中藏。兌端唇尖端上取。齦交齒下齦縫鄉。

陽蹻脈

陽蹻脈者。起于跟中。循外踝上行。入風池。其爲病也。令人陰緩而陽急。兩足蹻脉。本太陽之別。合於太陽。其氣上行。氣幷相還。則爲濡目。氣不營。則目不合也。蹻脈長八尺。所發之穴。生於申脉(外踝下屬足太陽經,)以輔陽爲郄。(外踝上,)本於僕參。(跟骨下,)與足少陰會於居髎。(章門下,)又與手陽明。會於肩髎及巨骨。(穴在肩端,)又與手足太陽陽維。會於臑俞。(在肩貞穴之上廉,)與手足陽明。會於地倉,(口吻之旁、)又與手足陽明。會於巨髎。(鼻兩旁,)又與任脉足陽明。會於承泣。(目下七分,)以上爲陽蹻脉之所發。凡二十穴。陽蹻脉病者。宜刺之。

陰蹻脉

陰蹻脉者。亦起於跟中。循內踝上行。至咽喉。交貫衝脉。此爲病者。令人陽緩而陰急。故曰蹻脉者。少陰之別。別於然谷之後。上內踝之直上。循陰股入陰。上循胸裏。上入缺盆。上出人迎之前。入鼻。屬目內眥。合於太陽。兩足蹻脉。長八尺。而陰蹻之郄在交信。陰蹻脈病者取此。

衝脈

衝脈者。與任脉皆起於胞中。上循腹裏。爲經絡之海。循腹上行。會於咽喉。別而絡唇口。故曰。衝脉者。起於氣衝。并足少陰之經。俠臍上行。至胸中而散。此爲病。令人逆氣裏急。難經則曰。并足陽明之經。以穴考之。足陽明。俠臍左右各二寸而上行。足少陰。俠臍左右各五分而上行。針經所載。衝脈與督脉。同起於會陰。其在腹也。行乎幽門。通谷。陰都。石關。商曲。肓兪。中注。四滿。氣穴。大赫。橫骨。凡二十二穴。皆足少陰之分也、然則衝脈。并足少陰之經明矣。

陽維脈

陽維。維於陽。其脉起於諸陽之會。與陰維。皆維絡於身。若陽不能維於陽。則溶溶不能自收持。其脈氣所發。別於金門。（在足外踝下太陽之屬，）以陽交爲郄。（在外踝上七寸）與手足太陽。及蹻脈。會於臑兪。（肩胛後上廉，）與手足少陽。會於天髎。（在缺盆上，）又會於肩井（肩上）其在頭也。與足少陽。會於陽白（在肩上，）上於本神。及臨泣。上至正營。循於腦空。下至風池。其與督脈會。則在風府及啞門。難經云。陽維爲病。苦寒熱。

此陽維脉氣所發。凡二十四穴。

陰維脈

陰維。維於陰。其脈起於諸陰之交。陰若不能維於陰。則悵然失志。其脉氣所發者。陰維之郄。名曰築賓（見足少陰），與足太陰會於腹哀大横。又與足太陰厥陰。會於府舍期門。與任脉會於天突廉泉。難經云。陰維爲病。苦心痛。此陰維氣所發。凡十二穴。

帶脈

帶脈者。起於季脅。回身一週。其爲病也。腰腹縱容如囊水之狀。其脈氣所發。在季脅下一寸八分。正帶脈。以其回身一周如帶也。又與足少陽。會於維道。

以上雜取素問。難經。甲乙經。聖濟總錄。參合爲篇。

註；蹻維衝帶未繪圖可參考醫宗金鑑之針灸心法中各圖

經穴學第一章總論篇終

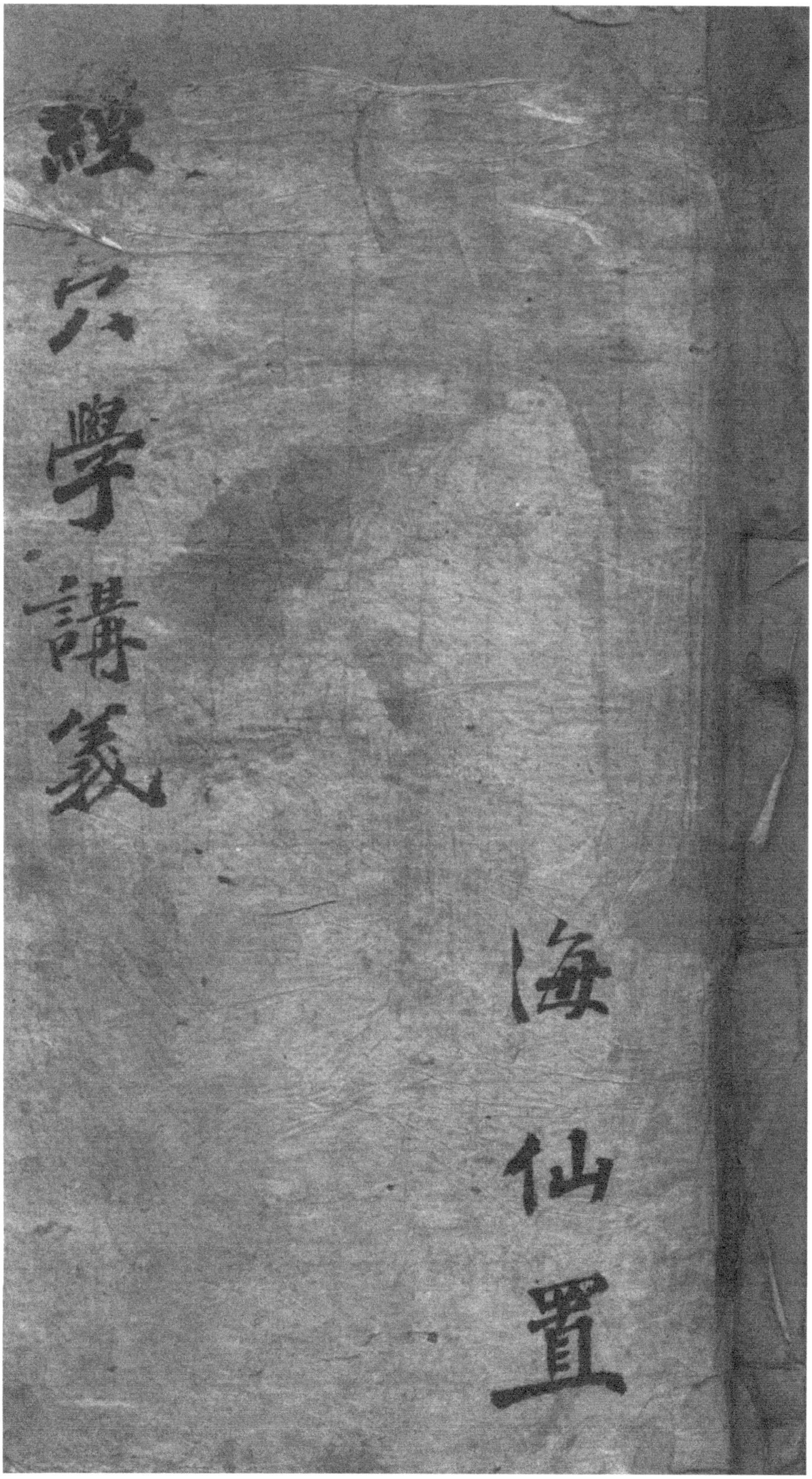

經穴學講義

海仙置

經穴學　第二編　經穴篇

江陰　承澹盦編

第二章　經穴篇

一，手太陰肺經穴

手太陰肺經穴，自胸部中府穴起，經臑臂內面至手大指端少商穴止，計十穴，

一，中府

解剖　在第一肋骨之下，前胸壁之外上端。外層爲大胸筋。內層爲小胸筋。有腋窩動脈與靜脈。有前胸神經中膊皮下神經。

部位　在雲門下一寸六分。與任脈華蓋穴相平。相去五寸。

主治　傷寒肺急胸滿。喘逆善噎食不下。咳嗽上氣不得臥。肺風面膊肩背痛，流涕涕。喉痺。少氣肩息汗出。癭瘤。尸注。

摘要　此穴爲肺之募穴。又手足太陰之會也。主瀉胸中之熱。及身體之煩熱。『百證賦』胸滿更加噎塞。中府意舍所行。『千金』上氣。欬逆短氣。氣滿食不下。灸五十壯。

取法　仰臥。按乳上肋骨三枚之上。四枚之下。即第一肋骨之下。去中行五寸。普通取法。由乳頭直上三寸。外開一寸。肋骨罅間。

針灸　五分至一寸深。不可太深。灸五壯至五十壯。

經穴學講義

肺經圖

一，中府 二，雲門 三，天府 四，俠白 五，尺澤

六，孔最 七，列缺 八，經渠 九，太淵 十，魚際

十一，少商 十二，華蓋 十三，上脘

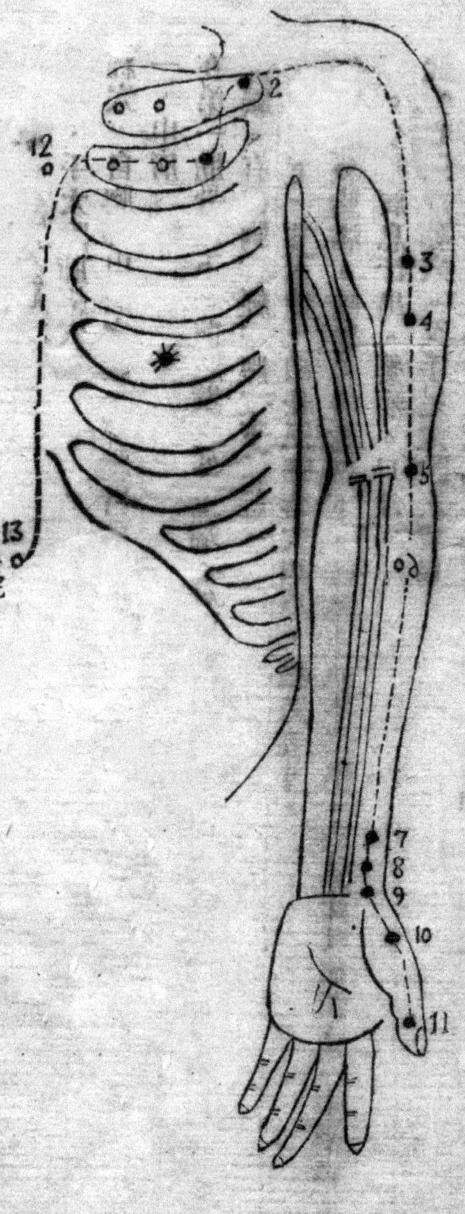

主治

傷寒肺急胸滿。喘逆善噎不下。咳嗽上氣不得臥。肺風面腫。肩背痛。流浠涕。喉

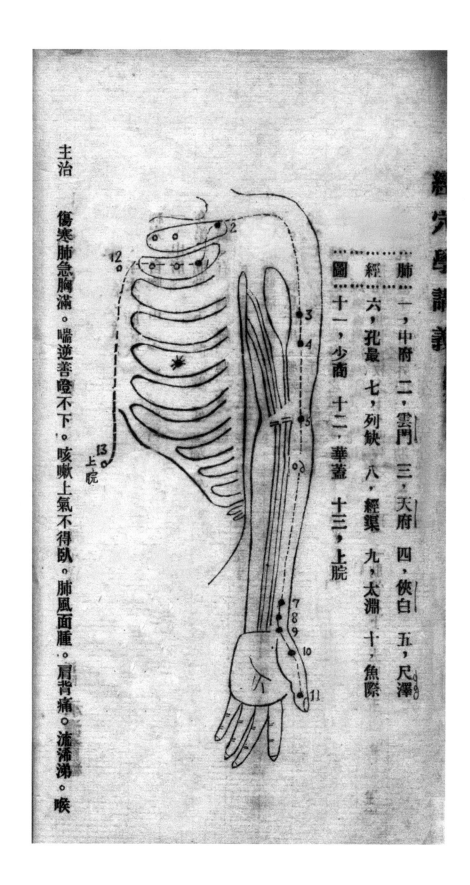

二　雲門

解剖　在鎖骨下窩部之外側端。內有三角筋。及鎖骨下神經。前胸神經。胸肩峯動脈與靜脈。

部位　在巨骨（鎖骨）之下。離任脉璇璣旁六寸。中府微斜上一寸六分餘。

主治　傷寒。喉痺。欬逆喘不息。四肢熱不已。胸脅煩滿。肩痛不舉。胸脅徹背痛。

摘要　此穴主瀉四肢之熱。「千金」治病癭上氣胸滿。可灸百壯。

取法　仰臥按鎖骨下凹陷中，去中行六寸取之。坐則平舉手取之。

針灸　五分至一寸。灸五壯以上至百壯。注意。針太深。能令氣短促。

三，天府

解剖　在腋下上膊部。有二頭膊筋。腋窩動脉靜脉。及正中神經。其深處即上膊骨之上部。

部位　在腋下三寸。臂之內側。直對尺澤。距尺澤七寸。

主治　中風中惡。口鼻衄血。暴痺。寒熱痎瘧。目眩善忘。喘息不得臥。癭氣。

摘要　「百症賦」天府合谷。鼻中衄血宜追。「千金」治身重嗜臥不自覺。灸百十壯。針三分補之。

「素問至眞要大論」天府絕。死不治。絕者腋窩動脈不搏動也。

取法　以手平舉。從尺澤上七寸取之。或以手向平舉。鼻尖塗墨。俯首就臂。鼻尖到處是穴。

針灸　鍼五分至一寸。禁灸。灸則令人逆氣。千金則灸之。

四、俠白

解剖　有三頭膊筋。上膊動脈。頭靜脈。內膊皮下神經。撓骨神經枝。

部位　在天府下二寸。尺澤上五寸。

主治　心痛短氣。嘔逆煩滿。

摘要　與內關合鍼。能開胸滿。

取法　以手平伸。從尺澤直上五寸取之。

針灸　針五分至一寸深。灸五壯。

五、尺澤

解剖　適當前膊與上膊之關節部。二頭膊筋腱之外面。

部位　在肘中約之紋筋腱內側。

主治　汗出中風。寒熱痎瘧。喉痺鼓頷。嘔吐上氣。心煩身痛。口乾喘滿。欬嗽吐濁。心痛氣短。肺脹息賁。心疼腹痛。風痺肘攣。四肢腫痛不舉。溺數遺矢。面白善嚏。

悲愁不樂•

摘要 此穴爲手太陰之脉所入爲合水「千金」治邪病四肢重痛諸雜候•尺澤主之•「席弘賦」五般肘痛尋尺澤「雜病穴法歌」吐血尺澤功無比。「玉龍歌」筋急不開手難伸。尺澤從來要認眞•「又」兩肘拘攣筋骨連。艱難動作欠安然。只將曲池針瀉動。尺澤兼行是聖傳。

取法 以手平伸。接取肘中。筋䐃之外「大指側」取之。

針灸 針四分至八分一寸深。不宜灸。

六，孔最

解剖 有長回後筋。膊撓骨筋。及橈骨動脉與靜脉枝。有外膊皮下神經•撓骨神經之皮下枝•

部位 在尺澤下三寸。腕側橫紋上七寸。

主治 傷寒發熱汗不出。欬逆。肘臂痛屈伸難。吐血失音。頭疼咽痛。

摘要 此穴爲手太陰之郄。熱病汗不出。灸三壯即汗出。

取法 以手平伸。從腕橫紋端。上量七寸。直對尺澤取之。

針灸 針三分至七分深。灸五壯。

七，列缺。

解剖　此處爲撓骨近關節處之上側。有撓骨動脉枝。外膊皮下神經。撓骨神經之皮下枝。

部位　去腕側一寸五分。

主治　偏風口眼喎斜。手肘痛無力。半身不遂。口噤不開。痎瘧寒熱。煩躁。咳嗽。喉痺。嘔沫。縱唇。健忘。驚癇。善笑。妄言妄見。面目四肢疼腫。小便熱痛。實則肩背暴腫汗出。虛則肩背寒慄。少氣不足以息。

摘要　此穴爲手太陰之絡。別走陽明。『千金』治男子陰中疼痛。尿血精出。灸五十壯。『玉龍歌』寒痰咳嗽更兼風。列缺二穴最堪攻。先把太淵一穴瀉。加多艾火即收功。『席弘賦』氣刺兩乳求太淵。未應之時瀉列缺。『又』列缺頭痛及偏正。重瀉太淵無不應。『四總穴』頭項尋列缺。『馬丹陽十二訣』善療偏頭患。遍身風痺痲。痰涎頻壅上。口噤不開牙。

取法　以手之大食二指之虎口交叉。食指盡處。筋骨罅中取之。

針灸　針二分至三分深。灸三壯。

八，經渠

解剖　有長外轉托筋。撓骨神經之皮下枝。

部位　在腕後五分。寸口脉上。

主治　傷寒熱病汗不出。心痛嘔吐。痎瘧寒熱。胸背拘急。胸滿脹。喉痺。欬逆上氣。掌中熱。

摘要　此穴爲手太陰脈之所行爲經金「百症賦」熱病汗不出。大都更接於經渠。

取法　伸臂腕横紋上五分脈窠中取之。

針灸　針二分至三分深。禁灸。灸則傷神明。

九，太淵

解剖　有外轉托筋。橈骨動脈枝。橈骨神經之皮下枝。

部位　在寸口前。横紋上。緊接經渠。

主治　乍寒乍熱，煩躁狂言。胸痺氣逆。肺脹喘息。嘔噦噫氣。欬嗽咳血。咽乾心痛。目痛生翳赤筋。口噼。缺盆痛。肩背痛引臂。溺色變。遺矢。煩悶不得眠。

摘要　此穴爲手太陰脈之所注爲俞土「席弘賦」氣刺兩乳求太淵。未應之時瀉列缺。又列缺頭痛及偏正。重瀉太淵無不應。又五般肘痛尋尺澤。太淵針後却收功。「玉龍歌」寒痰欬嗽更兼風。列缺二穴最堪攻。先把太淵一穴瀉。多加艾火即收功。「神農經」治牙疼及手腕無力疼痛。可灸七壯。

取法　伸掌。於腕骨上陷中。搯之甚酸楚處。取之。

針灸　針一二分深。灸三壯。

十，魚際

解剖　有拇指對向筋。短屈拇筋。有撓骨動脉之背枝動脈。及撓骨神經枝。

部位　在大指本節後內側白肉際。散紋中。

主治　酒病身熱惡風。寒熱舌上黃。頭痛。欬吐血。傷寒汗不出。痺走胸背痛不得息。目眩煩心。少氣寒慄。喉燥咽乾。欬引尻痛。吐血。心痺悲恐。腹痛食不下。乳癰。

摘要　此穴爲手太陰脉之所流爲滎火。「席弘賦」「百症賦」喉痛兮，液門魚際去療。「一傳」汗不出者，針太淵經渠通里，便得淋漓，更兼二間三間，便得汗至遍身。「千金」齒痛不能飲食，左患灸右，右患灸左。

取法　手掌微握拳。側向上。於赤白肉際本節中央。取之。

針灸　針三分至六分深。灸五壯。

十一，少商

解剖　有長曲拇筋。與拇指內轉筋。分布撓骨神經枝。

部位　在拇指內側之第一節。去爪甲角如韭葉。

主治　頷腫。喉痺。乳娥。咽腫喉閉。欬逆。痎瘧。煩心嘔吐。腹脹腸鳴。寒慄鼓頷。手攣指痛掌中熱口乾引飲。食不下。

摘要　此穴爲手太陰脉之所出爲井木。微刺出血。能泄諸臟之熱「乾坤生意」凡初中風猝暴昏沉。痰涎壅盛。不省人事。牙關緊閉。藥水不下。急以三稜針刺此穴與諸井穴。使氣血流行。乃起死回生急救之妙穴。『百症賦』少商曲澤。血虛口渴同施。『天星秘訣』指痛攣急少商好。「玉龍」咽中腫塞。水粒不下。針之立愈。「肘歌後」剛柔二痙最乖張。口噤眼合面紅粧。熱血流入心肺臟。須要金針刺少商。「勝玉歌」頷腫喉閉少商前。「雜病穴法歌」小兒驚風刺少商。人中湧泉瀉莫深。

取法 微握拳。手掌側向上。大指爪甲角一分許。赤白肉際處取之。

針灸 針微斜入一分許。瀉熱；宜以三稜針刺出血。不可灸。灸鬼魅邪祟。有灸之者。

二　手陽明大腸經穴

手陽明大腸經穴。自食指內側端開始起。經手臂肩頸而上入面部鼻旁之迎香穴上。共計二十穴。

一，商陽

解剖 有頭靜脉。指背動脉。撓骨神經之皮下枝。

部位 食指端內側。去爪甲角如韭葉。

主治 傷寒熱病汗不出。耳鳴耳聾。痎瘧。胸中氣滿。喘咳口乾。頤腫齒痛，目盲惡寒。肩背肢臂腫痛。急行缺盆中痛。

摘要 此穴爲手陽明之脈所出爲井金。「乾坤生意」治中風猝倒。卒暴昏沉。痰盛不省人事。

大腸經圖

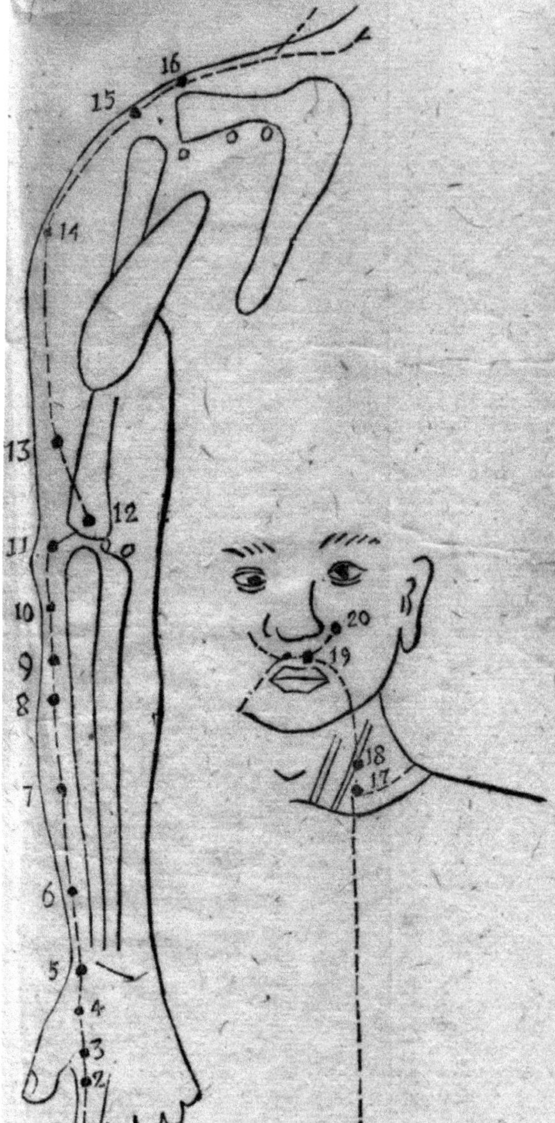

1.商陽
2.二間
3.三間
4.合谷
5.陽谿
6.偏歷
7.温溜
8.下兼廉
9.上廉
10三里
11曲池
12肘髎
13五里
14臂臑
15肩顒
16巨骨
17天鼎
18扶突
19禾髎
20迎香

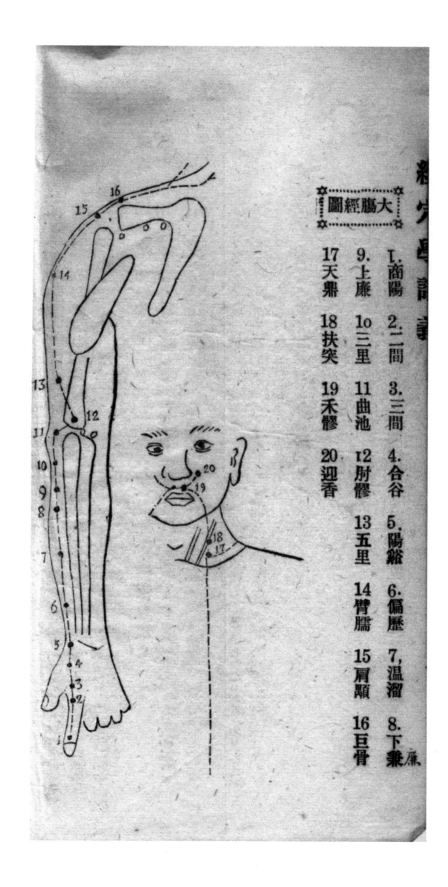

牙關緊閉。藥水不下。急以三稜鍼出血之。「百症賦」寒瘧兮。商陽太谿驗。

取法 以手掌側置。於食指端爪甲角一分許。赤白肉際取之。

針灸 針一分深。灸三壯。

二，二間

解剖 仝商陽

部位 在食指關節第三節之前內側。當食指之旁面近關節處。

主治 頷腫喉痺。肩背臑痛。鼽衄。齒痛舌黃口乾。口眼歪斜。飲食不思。振寒。傷寒水結。

摘要 此穴爲手陽明之脉所流爲滎水「席弘賦」牙疼頭痛并咽痺。二間陽谿疾怎逃「百症賦」寒慄惡寒。二間疏通陰郄諳。「天星祕訣」牙疼頭痛兼喉痺。先刺二間後三里「玉龍歌」牙疼陣陣苦相煎。穴在二間要得傳。

取法 以手握拳側置。按食指本節前第三節骨邊陷中取之。

針灸 針一二分深。灸三壯。

三，三間

解剖 有指掌動脉·頭靜脉。橈骨神經。

部位 在第二掌骨端之凹陷處。即食指本節後陷中。去二間約一寸。

主治　鼽衄。熱病。喉痺咽塞・氣喘多吐。唇焦口乾。下齒齲痛。目眥急痛。吐舌捩頸。嗜臥。腹滿腸鳴洞泄。寒熱瘧。急食不通。傷寒氣熱身寒善驚。

摘要　此穴爲手陽明脈之所注爲腧木。「席弘賦」更有三間腎兪妙。善治肩背浮風勞。「百症賦」目中漠漠。即尋攢竹三間。「捷徑」治身熱氣喘。口乾目急。

取法　握拳側置。按壓食指本節後骨節凹陷處取之。

針灸　針三分深。灸三壯

四，合谷

解剖　此處爲第一手背側骨間筋。有橈骨動脈。橈骨神經。

部位　在食指拇指凹骨間陷中。即第一掌骨與第二掌骨中間之陷凹處。

主治　傷寒大渴。脉浮在表。發熱。惡寒。頭痛脊强。風疹寒熱。痎瘧。熱病汗不出。偏正頭痛。面腫。目翳。唇吻不收。瘖不能言。口禁不開。腰脊引痛痿躄。小兒乳娥。一切齒痛。

摘要　此穴爲手陽明脈之所過爲原穴。「千金」產後脉絕不還。針合谷三分。急補之「神農經」鼻衄。目痛不明。牙疼。喉痺。疥瘡。可灸三壯至七壯。「蘭江賦」傷寒無汗。瀉合谷。補復溜。若汗多不止。補合谷。瀉復溜。「席弘賦」手連肩尖痛難忍。合谷太冲隨手取又 曲池兩手不如意。合谷下針宜仔細。又 睛明治眼未効時。合谷光明安可缺。又冷嗽先宜補合谷，又須針瀉三陰交。「百症賦」天府合谷，鼻中衄血宜追。「天星祕訣」寒瘧面腫及腸鳴。先取合谷後內庭。「四總穴」面口合谷收。「馬丹陽天星十二訣」頭疼并面腫。瘧病熱還寒。齒齲及衄血，口噤不開言。「肘後歌」口噤合眼藥不下。合谷一針効甚奇。又傷寒不汗合谷瀉。「勝玉歌」兩手痠重難執物。曲池合谷共肩顒。「雜病穴法歌」頭面耳目口鼻病。曲池合谷爲之主。又赤眼迎香出血奇。臨泣太冲合谷侶。又耳聾臨泣與金門。合谷針後聽人語。又鼻塞鼻痔及鼻淵。合谷太冲隨手取。又舌上生苔合谷當。又牙風面腫頰車神。合谷臨泣瀉不數。又手指連肩相引疼。合谷太冲能救苦。又痢疾合谷三里宜。又婦人通經瀉合谷。

取法 微握拳。側置。按虎口岐骨間。陷中取之。

針灸 針五分至一寸深。灸三壯 孕婦禁針。

五，陽谿

解剖 穴在舟狀骨與撓骨兩關節之中。有頭靜脈撓骨動脉枝。有外膊皮下神經。撓骨神經。

部位 在手腕橫紋之上側。兩筋間陷中。與合谷直。

主治 熱病狂言。喜笑見鬼。煩心掌中熱。目赤翳爛。厥逆頭痛。胸滿不得息。寒熱痎瘧嘔沫。喉痺。耳鳴。齒痛。驚掣。肘臂不舉。痂疥。

摘要　此穴爲手陽明脈之所行爲經火。『席弘賦』牙疼頭痛兼喉痺。二間陽谿疾怎逃『百症賦』肩顒陽谿。消陰中之熱極。

取法　手握拳側置。就合谷直上約一寸二分地位。陷中取之。

針灸　針二三分深。灸三壯。

六，偏歷

解剖　此處爲短伸拇筋。有頭靜脉。撓骨動脈枝。後下膊皮下神經。撓骨神經

部位　在腕後三寸。

主治　痎瘧寒熱。癲疾多言。目䀮䀮。耳鳴。喉痺。口渴咽乾。鼻衄。齒痛。汗不出。

摘要　此穴爲手陽明之絡別走太陰。『標幽賦』利小便。治大人水蠱。針偏歷。

取法　從陽谿直上三寸。對直曲池取之。或如列缺取法。兩手交叉取中指之端。

針灸　針二三分深。灸三壯

七，溫溜

解剖　有長外轉拇筋。頭靜脈。撓骨動脉。三分枝。與後下膊之皮下神經。

部位　去偏歷二寸。

主治　傷寒寒熱頭痛。喜笑狂言見鬼。嘔逆吐沫。噎膈氣閉。口舌腫痛喉痺。四肢腫。腸鳴腹痛。肩不得舉。肘腕痠痛。

摘要　此穴爲手陽明郄。『百症賦』傷寒項强。溫溜期門而主之。

取法　以手側置。從陽谿直上五寸。直對曲池取之。

針灸　針三四分深。灸三壯。

八，下廉

解剖　有長屈拇筋。頭動脈。撓骨動脈枝。後膊皮下神經。撓骨神經。

部位　曲池下四寸。

主治　勞瘵狂言。頭風痺痛。飧泄小腹滿。小便血。小腸氣面無顏色。痃癖腹痛不可忍。食不化。氣喘涎出。乳癰。

摘要　此穴與巨虛。三里。氣冲。上廉。主瀉胃中之熱。

取法　以手側置。從曲池直下四寸取之。

針灸　針三至五分。灸五壯。

九，上廉

解剖　有長屈拇筋。中頭靜脈。撓骨動脈。外膊皮下神經。撓骨神經。

部位　曲池下三寸。下廉上一寸。

主治　腦風頭痛。咽痛喘息。半身不遂。腸鳴。小便濇。大腸氣滯。手足不仁。

摘要　此穴主瀉胃中之熱。與氣衝，三里。巨虛，下廉同。

經穴學講義

取法　仝下廉取法。直上一寸。

針灸　針五分至一寸深。灸五壯。

十。手三里

解剖　仝上穴。

部位　曲池下二寸。

主治　中風口噼。手足不遂。五勞虛乏羸瘦。霍亂遺矢失音。齒痛頰腫。瘰癧。手痺不仁。肘攣不伸。

摘要　「席弘賦」腰背痛連臍不休。手中三里便須求。又手足上下針三里。食癖氣塊憑此取。「百症賦」兩臂頑麻。少海就傍於三里。「通玄賦」肩背痛治三里宜。「勝玉歌」臂痛背疼針三里。「雜病穴法歌」頭風目眩項捩強。中脈金門手三里。又手三里治肩連臍。又手三里治舌風舞。

取法　照上穴取式。自曲池下量二寸是穴。

針灸　針五分至一寸深。灸五壯。

十一，曲池

解剖　肘攣合尖處。為長回後筋內膊筋之間。有撓骨動脈。撓骨神經。

部位　在肘外輔骨之陷中。屈肘橫紋頭。

主治 傷寒振寒。餘熱不盡。胸中煩滿熱渴。目眩耳痛。喉痺不能言。瘛瘲癲疾。繞踝風。手臂紅腫。

摘要 爲大腸脈之所入爲合土。善治肘中痛。偏風半身不遂。風邪泣出。臂膊痛，筋緩無力。屈伸不便。皮膚乾燥痂疥。婦人經水不行。「神農經」 治手肘臂膊疼細無力。半身不遂。發熱胸前煩滿。灸十四壯。「玉龍歌」 偏補曲池瀉人中。「百症賦」 半身不遂。陽陵遠達於曲池。又發熱仗少冲曲池之津。「標幽賦」 曲池肩井。甄權針臂痛而復射。「席弘賦」 曲池兩手不如意。合谷下針宜仔細。「秦承祖」 主大人小兒遍身痂疥風疹，灸之。「馬丹陽十二訣」 善治肘中痛。偏風手不收。挽弓開不得。筋緩莫梳頭。喉閉促欲死。發熱更無休。遍身風癬癩。鍼着即時瘳。「千金」 爲十三鬼穴之一。名曰鬼臣。治百邪癲狂鬼魅。「肘後歌」 鶴膝腫勞難移步。尺澤能舒筋骨疼，更有一穴曲池妙。又腰背若患攣急風，曲池一寸五分攻。「勝玉歌」 兩手痠重難執物，曲池合谷共肩顒。「雜病穴法歌」 頭面耳目口鼻病。曲池合谷爲之主。

取法 以手拱至胸前。乃就肘灣屈之橫紋尖上取之。

鍼灸 鍼一寸至一寸五深。灸五壯至十壯。

十二，肘髎

解剖 在三頭膊筋部。有迴反橈骨動脉。頭靜脈。橈骨神經。

經穴學講義

大腸經穴

部位　在曲池上稍外斜一寸。大骨外廉陷中。
主治　肘節風痺臂痛不舉。麻木不仁。嗜臥。
摘要　手臂痛麻木。
取法　如取曲池式。按取上下膊關節間陷中處是穴。
鍼灸　鍼三分至五分深。灸三壯。

十三，五里

解剖　在二頭膊筋之旁。撓骨副動脈。頭靜脈及內膊皮下神經。
部位　在肘上三寸。行向裏大脉中央。
主治　風勞驚恐。吐血咳嗽嗜臥。肘臂疼痛難動。脹滿氣逆。寒熱。瘰癧，目見䀮䀮。痎瘧。
摘要　「百證賦」五里臂臑。生癧瘡而能治。
取法　如取曲池式。手拱起。就池曲量上三寸。
鍼灸　此穴禁鍼。灸三壯至十壯。

十四。臂臑

解剖　此處爲三角筋部。頭靜脉後。有迴旋上轉動脉。腋窩神經。
部位　在臂外側。去肘七寸肩顒下三寸。

主治　臂痛無力。寒熱，瘰癧，頸項拘急。

摘要　「百症賦」五里臂臑。生癧瘡而能治。「千金」治癭氣灸隨年壯。

取法　肘彎屈平舉。由曲池量上七寸。對肩髃取之。

鍼灸　此穴宜以手舉平取之。禁不可鍼。但灸自七壯至百壯。

十五，肩髃

解剖　有三角筋廻轉上膊動脈。頭靜脈枝。鎖骨神經枝。

部位　在肩尖下寸許。罅陷中。舉臂有空陷。

主治　中風偏風。半身不遂。肩臂筋骨酸痛。不能仰頭。傷寒作熱不已。勞氣泄精憔悴。四肢熱。諸癭氣瘰癧。

摘要　此穴主治瀉四肢之熱。「千金」灸癭氣須十七八壯。「玉龍歌」肩端紅腫痛難當。寒濕相爭氣血狂。若向肩髃明補瀉。管君多灸自安康。「天星祕訣」手臂攣痺取肩髃。「百證歌」肩髃陽谿。消陰中之熱極。「甄權」唐臣狄欽患風痺。手不得伸。甄權針此穴立愈。「勝玉歌」兩手痠重難執物。曲池合谷共肩髃。

取法　以手平舉。按取肩尖骨下陷中。

鍼灸　灸偏風不遂。自七壯至七七壯。不可過多。多則使臂細。鍼六分留六呼。

十六，巨骨

解剖　有三角筋。肩峰動脈枝。腋下靜脈枝。前胸廓神經。
部位　在肩髃上。肩胛關節前下陷中。
主治　驚癇。吐血。胸中有瘀血。臂痛不得屈伸。
摘要　此穴不宜鍼灸。
取法　按取肩端前面。即肩胛骨端之前側陷中是穴。
鍼灸　灸三壯至七壯

十七，天鼎

解剖　有前項之不正筋分佈。橫肩胛動脈。鎖骨上神經。
部位　離甲狀軟骨「即喉結」三寸五分。再下一寸。即頭筋下肩井內。
主治　喉痺咽腫。不得食。暴瘖氣哽。
摘要　「百症賦」天鼎開使。失音囁嚅而休遲。
取法　從人迎「頸動脈跳動處」旁開一寸五分。直下二寸。當缺盆之上方取之。
鍼灸　鍼五分。灸五壯。

十八，扶突

解剖　爲胸鎖乳頭筋部。有橫頸動脈。及第三頸椎神經。
部位　去喉結「甲狀軟骨」三寸。天鼎上前一寸。人迎後一寸五分。

主治　咳嗽多唾。上氣喘息。喉中如水雞聲。暴瘖氣哽。

取法　從天鼎穴量上一寸。

鍼灸　針三分。仰而取之。灸三壯。

十九．禾髎

解剖　爲上顎骨犬齒窩部。有下眼窩動脈。深部顏面靜脈。下眼窩神經枝之分佈。

部位　在人中旁五分。

主治　尸厥。口不可開。鼻瘡瘜肉。鼻塞鼽衄。

摘要　「靈光賦」兩鼽鼻衄針禾髎。「雜病穴法歌」衄血上星與禾髎。

取法　鼻孔之直下二分許取之。

鍼灸　針二分至三分。禁灸。

二十，迎香

解剖　爲顏面方筋。有下眼窩動脈。深部顏面靜脈。及下眼窩神經。

部位　在眼下一寸五分。禾髎斜上一寸。鼻窪外五分。

主治　鼻塞不聞香臭瘜肉。多涕有瘡。鼽衄喘息不利。偏風喎斜。浮腫。風動面癢。狀如虫行。

摘要　「玉龍歌」不聞香臭從何治。迎香二穴可堪攻。「席弘賦」耳聾氣閉聽會針。迎香穴瀉功如神。

取法 鼻翼旁五分。當鼻窪溝中。

鍼灸 針二分至三分。此穴禁灸。

足陽明胃經穴

本經自目下承泣穴開始直下至大迎另一枝自頭維穴下行經頰車合下人迎入胸前過腹部至股之前面直下過膝臏行下腿外側之前面下至跗上出次趾端計四十五穴。

一、承泣

解剖 爲上顎骨部有上唇固有舉筋下側有半月狀骨「顴骨」有下眼窠動脈下眼窠神經。

部位 在目下七分與瞳子相直。

此穴針灸兩忌。

二、四白

解剖 亦爲上顎骨部有下眼窠動脈下眼窠神經。

部位 在承泣下三分去目一寸直對瞳子。

主治 頭痛目眩目赤生翳瞤動流淚眼眩癢口眼喎噼不能言。

取法 正坐按目眶骨下取之。

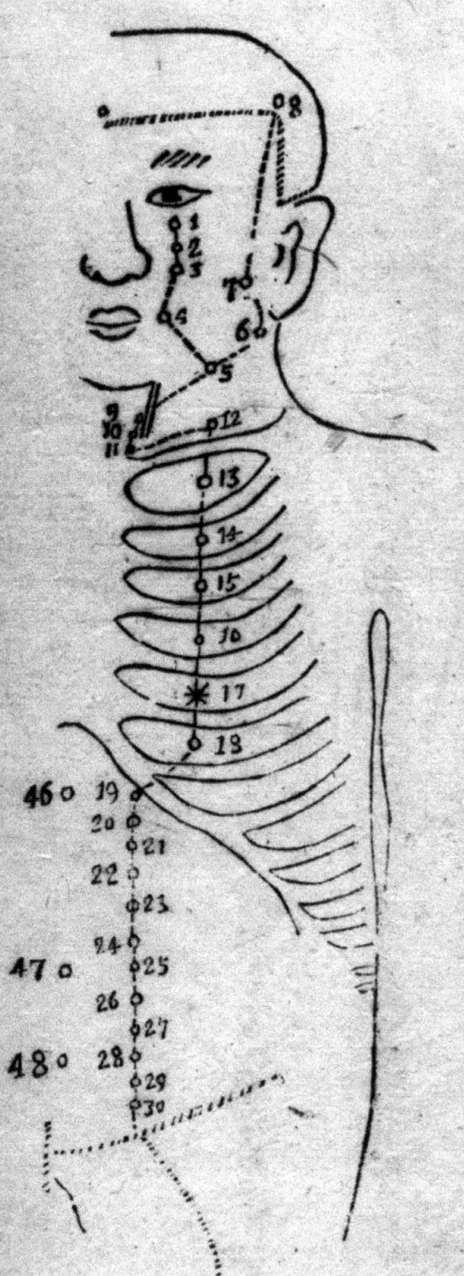

胃經穴圖

1. 承泣	9. 人迎	17 乳中	25 天樞
2. 四白	10 水突	18 乳根	26 外陵
3. 巨髎	11 氣舍	19 不容	27 大巨
4. 地倉	12 缺盆	20 承滿	28 水道
5. 大迎	13 氣戶	21 梁門	29 歸來
6. 頰車	14 庫房	22 關門	30 氣衝
7. 下關	15 屋翳	23 太乙	
8. 頭維	16 膺窗	24 滑肉門	

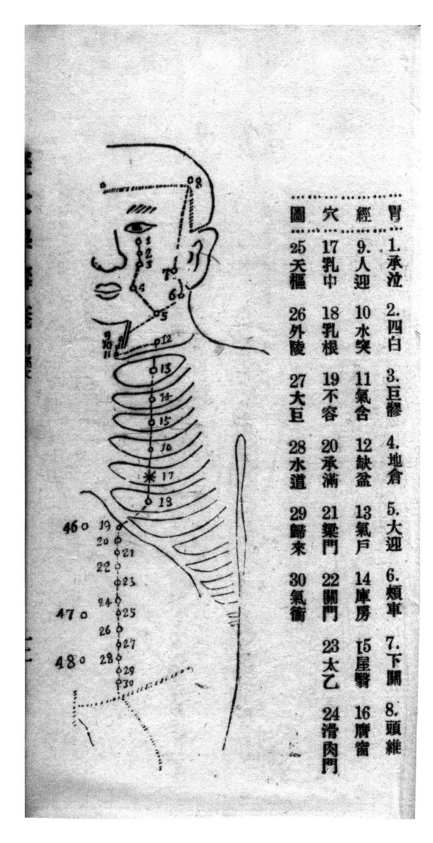

經穴學講義

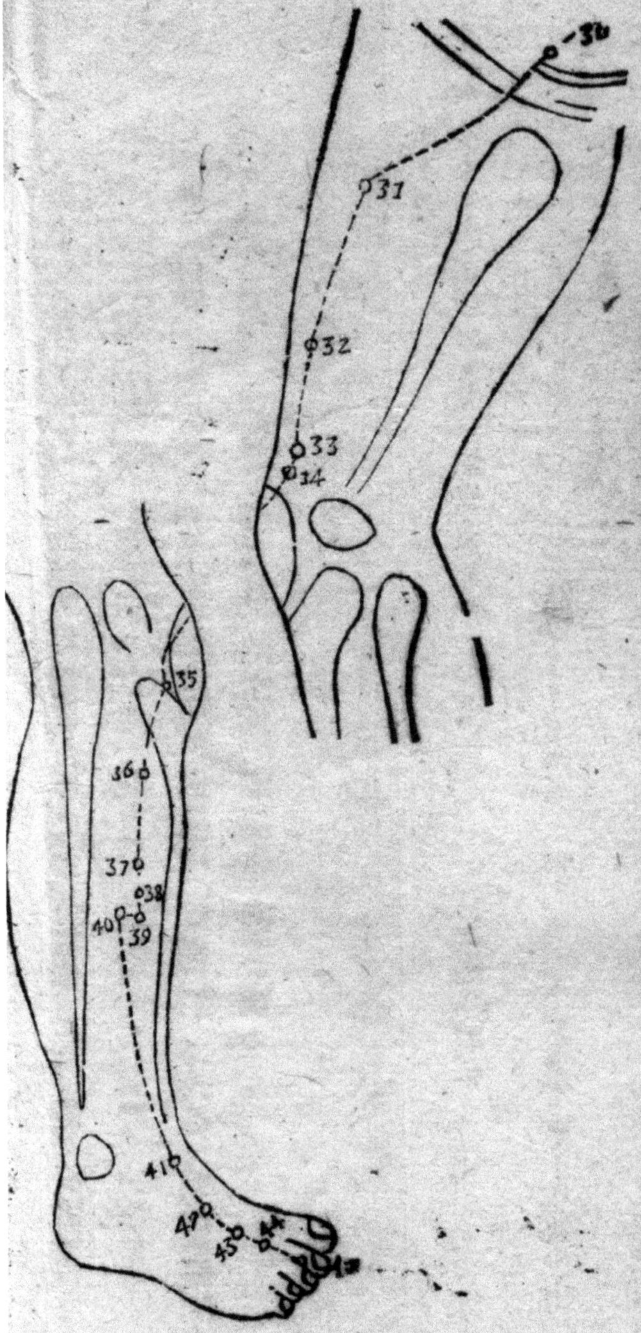

31 髀關
32 伏兎
33 陰市
34 梁丘
35 犢鼻
36 三里
37 上巨虛
38 條口
39 下廉下巨虛
40 豐隆
41 解谿
42 衝陽
43 陷谷
44 內庭
45 厲兌
46 巨闕
47 胯
48 關元

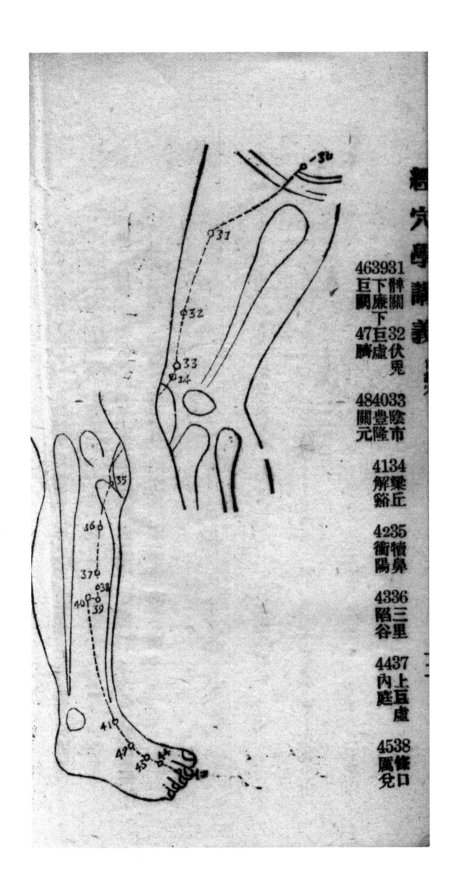

鍼灸　針二分深。不可太深。深則目成烏黑色。禁灸。

三，巨髎

解剖　亦爲上顎骨部右下眼窩動脈與下眼窩神經。

部位　在四白之下距鼻孔旁七八分之間。適在顴骨之下。

主治　瘈瘲。唇頰腫痛口喎。目障青盲無見遠視䀮䀮。面風鼻腫。脚氣膝脛腫痛。

摘要　「百證賦」胸膈停留瘀血。腎俞巨髎宜針。

取法　正坐從鼻翼旁開直對瞳子處取之。

針灸　針三分禁灸。

四，地倉

解剖　此處爲口輪匝部之筋。有顏面神經。三叉神經。上下口唇冠狀動脈

部位　在口吻旁四分。

主治　偏風口眼歪斜。牙關不開。齒痛頰腫。目不得閉。失音不語。飲食不收。水漿漏落眼瞤動。遠視䀮䀮。昏夜無見。

摘要　「百病賦」頰車地倉穴。正口喎於片時。「靈光賦」地倉能治口流涎。「肘後歌」治虫在臟腑食肌肉。「雜病穴法歌」治口噤喎斜流涎多。

取法　正坐從口角旁四分取之。

針灸　針五分。灸七壯至七七壯。病左治右。病右治左。艾炷宜小。過大則口反喎。却灸承漿即愈。

五，大迎

解剖　爲下顎骨部。有咬嚼筋。外顎動脈。顏面神經。

部位　在曲頷前一寸三分。

主治　風痙口瘖。口噤不開。唇吻瞤動。頰腫牙痛。舌强不能言。目痛不能閉。口喎數久風壅面腫。寒熱瘰癧。

摘要　「百症賦」目眩兮。顴髎大迎。「勝玉歌」牙顋疼緊大迎前。

取法　下顎隅之前一寸三分部位。鼓頤視之。下顎邊際有凹陷之處。

針灸　針三分。灸三壯。

六，頰車

解剖　爲下顎骨部。有咬嚼筋。顏面神經。外顎動脈。

部位　在耳下一寸左右。曲頰上端。近前陷中。

主治　中風牙關不開。失音不語。口眼歪斜。頰腫牙痛。不可嚼物。頸强不得回顧。

摘要　「百症賦」頰車地倉穴。正口喎於片時。「玉龍歌」口眼喎斜最可嗟。地倉妙穴連頰車。「勝玉歌」瀉却人中及頰車。治療中風口吐沫。「雜病穴法歌」口噤喎斜流涎多。地倉頰車仍可舉。又牙風面腫頰車神。

取法　正坐開口。按曲頰處微前陷中取之。

針灸　針三分。灸三壯至七七壯。

七，下關

解剖　爲下顎骨之顆狀突起部。有咀嚼筋。顏面神經外顎動脈。

部位　在耳前顴骨橋端之下。合口有空。張口則閉。

主治　偏風口眼喎斜。耳鳴耳聾。痛癢出膿。失欠牙關脫臼。

取法　按耳珠前約一寸。骨下陷中取之。

針灸　針三分。不可久留針。亦不可灸。

八，頭維

解剖　爲前頭蓋骨部。有前頭筋。顳顬動脈枝。顏面神經。

部位　在額角入髮際去神庭旁四寸五分。

主治　頭風疼痛如破。目痛如脫。淚出不明。

摘要　「玉龍歌」眉間疼痛苦難當。攢竹沿皮刺不妨。若是眼昏皆可治。更針頭維即安康。

「百症賦」淚出刺臨泣頭維之處。

取法　正坐。自正中髮際入髮五分神庭穴位旁開四寸五分取之。

針灸　針三至五分。沿皮下針。禁灸。

九，人迎

解剖　當胸鎖乳嘴筋之內緣。有外頸動脉。上頸皮下神經。舌下神經之下行枝。

部位　在頸部大動脉應手之處。去結喉旁一寸五分。

主治　吐逆霍亂。胸中滿。喘呼不得息。咽喉癰腫。

取法　按頸側部動脉跳動處。仰而取之。

針灸　針二三分。不可過深。禁灸。

十，水突

解剖　此處亦屬胸鎖乳嘴筋。有上頸皮下神經。舌下神經之下行枝。外頸動脉。

部位　在人迎下。氣舍上。

主治　欬逆上氣。咽喉癰腫。短氣喘息不得臥。

取法　取人迎氣舍之中間。仰而取之。

針灸　針三分。灸三壯

十一，氣舍

解剖　在鎖骨上窩之內面。有內乳動脈。鎖骨上神經。

部位　在人迎之直下近陷凹中。旁爲天突穴。

主治　欬逆上氣。喉痺哽咽食不下。手腫項强不能回顧。

取法　端坐。按胸骨把柄端之上角外側邊取之。

針灸　針三分灸三壯。

十二，缺盆

解剖　是處有闊頸筋。適當肺尖之部。有鎖骨下動脉。鎖骨神經。

部位　在結喉旁。橫骨上部之陷凹中。

主治　傷寒胸中熱不已。喘急息奔。欬嗽胸滿。水腫。瘰癧。缺盆中腫外潰。喉痺汗出。

摘要　主瀉胸中之熱。與大杼中府同。

取法　按取鎖骨上側。下直乳頭取之。

針灸　針三五分深。過深則令人逆息。孕婦禁針。灸三壯。

十三，氣戶

解剖　是處爲乳腺部。即第一肋間。有大胸筋。小胸筋。內外肋間筋。上胸動脈。胸廓神經。中包肺臟。

部位　在鎖骨下一寸。去中行璇璣旁四寸。

主治　欬逆上氣。胸背痛。支滿喘急不得息。不知味。

摘要　「百症賦」脇肋疼痛。氣戶華蓋有靈。

取法　仰臥按取鎖骨下陷中。直對乳頭取之。

針灸　針三五分。灸三壯。

十四，庫房

解剖　在第二肋間。亦有大胸筋。小胸筋。內外肋間筋。上胸動脈。胸廓神經。

部位　在氣戶下一寸六分陷中。

主治　胸脇滿。欬逆上氣。呼吸不利。唾膿血濁沫。

取法　仰臥按取第二三肋間陷中。直對乳頭取之。

針灸　針三五分。灸三壯。

十五，屋翳

解剖　同上

部位　在第三肋間部。即庫房下一寸六分陷中。

主治　欬逆上氣。唾膿血濁痰。身腫皮膚痛不可近衣。

摘要　[百症賦]　至陰屋翳。療癢疾之疼多。

取法　仰臥取之。在庫房下一寸六分。

針灸　針三五分。灸五壯。

十六。膺窗

解剖　此處爲第四肋間。內爲心臟部。
部位　在屋翳下一寸六分。去中行四寸。
主治　胸滿短氣不得臥。腸鳴注泄。乳癰寒熱。
取法　仰臥。從乳頭上一寸六分肋骨陷中取之。
針灸　針三至五分。灸五壯。

十七，乳中

解剖　在第四五肋間。內爲心臟部。外爲前橫胸筋。
部位　適當乳之正中。
此穴不可針灸。

十八，乳根

解剖　在第六肋間。組織同上穴。
部位　去乳中一寸六分陷中。
主治　欬逆。膈氣不下食。噎病，胸下滿悶。臂痛腫：乳痛。乳癰。霍亂轉筋。
摘要　主噎食膈氣。食不下。
取法　仰臥。就乳頭直下之一寸六分肋間陷中取之。
針灸　針五分。灸五壯。

十九，不容

解剖　當肋骨下通副胸骨線。有直腹筋。上腹動脈。肋間神經。中爲胃府。

部位　去中行二寸。傍幽門一寸五分，傍巨闕二寸。

主治　腹滿。痃癖。胸背肩脇引痛。心痛唾血。喘嗽嘔吐。痰癖。腹虛鳴不嗜食。疝瘕。

取法　仰臥。自臍旁開二寸。直上六寸取之。適當第七肋骨之內側邊。

針灸　針五分。灸五壯。

二十，承滿

解剖　通副胸骨線。有直腹筋。肋間神經。上腹動脈。

部位　在不容下一寸。去中行二寸。對上脘。

主治　腹脹腸鳴。脇下堅痛。上氣喘急。飲食不下。肩息鬲氣。唾血。

摘要　「千金」腸中雷鳴相逐痢下。灸五十壯。

取法　仰臥。於不容下一寸取之。

針灸　針三分至八分。灸五壯。

二十一，梁門

解剖　有直腹筋。肋間神經。上腹動脈。

部位　在承滿下一寸。去中行二寸。對中脘。

主治　胸脇積氣。飲食不思。氣塊疼痛。大腸滑泄。

取法　仰臥。不容下二寸取之。

針灸　針三分至八分。灸七壯至二十一壯。孕婦禁灸。

二十二，關門

解剖　此處爲橫行結腸部。有直腹筋。上腹動脈。肋間神經。

部位　在梁門下一寸。去中行二寸。對建里。

主治　積氣脹滿。腸鳴切痛。泄痢不食。俠臍急痛。痃瘧振寒遺溺。

取法　仰臥。膝旁二寸。直上三寸取之。

針灸　鍼五分至八分。灸五壯。

二十三　太乙

解剖　此處爲小腸部。有直腹筋。及上腹動脈。

部位　在關門下一寸。去中行二寸。對下脘。

主治　心煩癲狂吐舌

取法　仰臥。臍旁二寸。直上二寸取之。

針灸　針五分至一寸。灸五壯。

二十四．滑肉門

解剖　此處爲小腸部。有直腹筋。上腹動脈。
部位　在太乙下一寸。去中行一寸。對水分。
主治　癲疾狂走。嘔逆吐血。舌重舌强。
取法　仰臥。臍旁二寸。直上一寸取之。
針灸　針五分至一寸。灸三壯。

二十五、天樞

解剖　此處爲小腸部。有直腹筋。上腹動脈。
部位　在臍旁二寸。去肓腧上一寸五分
主治　奔豚泄瀉。赤白痢下。痢不止食不化。水腫腹脹腸鳴。上氣衝胸。不能久立。久積冷氣。遶臍切痛。時上衝心煩滿。嘔吐霍亂。寒瘧不嗜食。身黃瘦　女人癥瘕血結成塊。漏下。月水不調。淋濁帶下。
摘要　此穴爲手陽明大腸之募。主治腸鳴瀉痢。腹痛氣塊。虛損勞弱。可灸自二十七壯至百壯。「百證賦」　月潮爲限。天樞水泉須詳。「勝玉歌」　腸鳴大便時泄瀉。臍旁兩寸灸天樞。
取法　仰臥。臍旁二寸取之。
鍼灸　針五分。灸五壯至百壯。孕婦不可針。

從此至氣衝
分為五寸

二十六．外陵

解剖　亦屬小腸部。有直腹筋。下腹動脈。

部位　在天樞下一寸。去中行二寸。對陰交。

主治　腹痛心下如懸。下行腹痛。

針灸　針三分至八分。灸五壯。

二十七，大巨

解剖　有直腹筋。下腹動脈。

部位　在外陵下一寸。去中行二寸。對石門。

主治　小腹脹滿。煩渴。小便難。㿉疝。四肢不收。驚悸不眠。

取法　仰臥。天樞直下二寸取之。

針灸　針五分至八分。灸五壯。

二十八，水道

解剖　有直腹筋。下腹動脈。

部位　在大巨下一寸。去中行二寸。

主治　肩背强急痠痛。三焦膀胱腎氣熱結。大小便不利。疝氣偏墜。婦人小腹脹痛引陰中。月經至則腰腹脹痛。胞中瘕。子門寒。

經穴學講義

摘要　主三焦　膀胱中熱氣。「百症賦」　脊強兮水道筋縮。

取法　仰臥。天樞直下三寸取之。

針灸　針三分半至八分半深。灸五壯。

二十九．歸來

解剖　是處爲直腹筋之下部。有下腹動脈。

部位　在水道下一寸。中去行二寸。

主治　奔豚七疝。陰丸上縮入腹。痛引莖中。婦人血臟積冷。

摘要　「勝玉歌」　小腸氣痛歸來治。

取法　天樞直下四寸取之。

針灸　針五分至八分。灸五壯。

三〇．氣衝

解剖　爲直腹筋之下部。有腸骨下腹神經。下腹動脈。

部位　在歸來下鼠蹊上一寸。

主治　逆氣上攻心腹，脹滿不得正臥。奔豚。癩疝。大腸中熱。身熱腹痛。陰腫莖痛。婦人月水不利。小腹痛無子。姙娠子上冲心。產難胞衣不下。

摘要　此穴主瀉胃中之熱。「千金」　治石水灸然谷氣衝四滿章門。「百症賦」　帶下產崩。衝門氣衝宜審。「註」主血多諸證。以三稜鍼刺此穴出血立愈。

取法　天樞之下五寸。適當橫骨之上邊。取之。

三十一，髀關

此至膝盖中上计一尺

解剖　此處爲外大股筋部。內有大腿骨股動脈。股神經。

部位　在伏兎之上。斜行向裏些。去膝一尺二寸。

主治　腰痛膝寒。足痲木不仁。黃疸痿痺。股內筋絡急。小腹引喉痛。

取法　正坐足下垂。以手掌後之橫紋對膝尖後按之。中指屈下再向前一次。中指伸直到處取之。

針灸　針五分至一寸。灸三壯。

三十二，伏兎

髀關至此寸

解剖　爲外大股筋部。有股動脈關節枝。股神經。

部位　在膝上六寸。

主治　脚氣膝冷不得溫。風痺。

取法　正坐。足屈向後些　以手掌後橫紋對膝尖後按之。中指盡處取之。

針灸　針五分至一寸。禁灸。

三十三，陰市

伏兎下附

陰市下一寸

解剖　爲外大股筋部。有股動脉關節筋枝。股神經。

部位　在膝上三寸。

主治　腰膝寒如注水。痿痺不仁。不得屈伸。寒疝小腹痛滿少氣。

摘要　「玉龍歌」腿足無力身立難。原因風濕致傷殘。倘若二市穴能灸。步履悠然漸自安。「千金」水腫大腹灸隨年壯。「席弘賦」心疼手顫少海間。若要除根覓陰市。「通玄賦」膝脐痛陰市能治。「靈光賦」兩足拘攣覓陰市。「勝玉歌」腿股轉痠難移步。環跳風市及陰市。

取法　正坐垂足。從膝上量三寸。陷中取之。

針灸　針三分。一說不可灸多。

三十四。梁邱

解剖　有外大股筋。股動脈。關節筋枝。股神經。

部位　在膝上二寸。陰市下一寸。兩筋間。

主治　脚膝痛。冷痺不仁。不可屈伸。足寒大驚乳腫痛。

摘要　「神農經」治膝痛不得屈伸。

取法　如取上穴式。即於上穴下一寸陷中取之。

針灸　針三分灸三壯。

三十五、犢鼻

解剖　爲膝蓋骨之外側。有膝蓋固有靱帶。中通關節動脈。分佈上腿皮神經腓骨神經。

部位　在膝眼外側之陷凹處。

主治　膝痛不仁。難跪起。脚氣。若膝髕癰腫潰者不可治。不潰者可治。

摘要　善治風濕邪鬱之膝痛及脚氣。

取法　正坐垂足。按取膝髕骨外側之膝眼。當膝眼之下。胻骨髁之上際。取之。

針灸　針三分至六分　可灸。

三十六、三里

解剖　爲前脛骨筋部。分佈廻反脛骨動脈。及深腓骨神經。

部位　在膝眼下三寸。胻骨外廉。

主治　胃中寒。心腹脹痛。逆氣上攻。藏氣虛憊。胃氣不足。惡聞食臭。腹痛腸鳴食不化。大便不通。腰痛膝弱不得俯仰。小腸氣。

摘要　此穴爲足陽明之所入爲合「土」穴。主瀉胃中之熱。與氣衝巨虛上下廉同。「梁承祖」治食氣水氣。蠱毒痃癖。四肢腫滿膝胻痠痛。目不明。「華佗」療五勞七傷。羸瘦虛乏。瘀血癰乳。「百症賦」中邪霍亂。尋陰谷三里之程。「席弘賦」手足上下針三里。食癖氣塊憑此取。又虛喘須尋三里中。又胃中有積刺璇璣。三里功多人不知。又氣海專能治五淋。更針三里隨呼吸。又 耳內蟬鳴腰欲折。膝下明存三里穴。又 若針肩井須三里。不刺之時氣未調。又 腰連跨痛急。便於三里攻其隘。又 脚痛膝腫鍼三里。懸鐘二陵三陰交。又 腕骨腿疼三里瀉。又 倘若膀胱氣未散。更宜三里穴中尋。「天星祕訣」 耳鳴腰痛先五會。次針耳門三里內。又 若患胃中停宿食。後尋三里起璇璣。又 牙疼頭痛并咽痺。先刺二間後三里。又 傷寒過經不出汗。期門三里先後看。「玉龍歌」 寒濕脚氣不可熬。先針三里及陰交。再將絕骨穴兼刺。腫痛頓時立見消。又 又 肝家血少目昏花。宜補肝俞力便加。更把三里頻瀉動。還光益血是無差。又 水病之疾最難熬。腹滿虛脹不肯消。先灸水分并水道。後鍼三里及陰交。又 傷寒過經猶未解。須向期門穴上針。忽然氣喘攻胸膈 三里瀉多須用心。「馬丹陽十二訣」 能愈心腹脹。善治胃中寒。腸鳴并泄瀉。腿股膝脛痠。傷寒羸瘦損。氣臌及諸般。「勝玉歌」 兩膝無端腫如斗。膝眼三里艾當施。「靈光賦」 治氣上壅足三里。「雜病穴法歌」 霍亂中脘可入深。三里內庭瀉幾許。又 泄瀉肚腹諸般疾。三里內庭功無比。又 脹滿中脘三里揣。又 腰連腿疼腕骨升。三里降下隨拜跪。又 脚膝諸痛羡行間。三里申脈金門侈。又 冷風濕痺針環跳。陽陵三里燒針尾。又 大便虛閉補支溝。瀉足三里效可擬。又 小便不通陰陵泉。三里瀉下溺如注。又 內傷食積針三里。又 喘急列缺起三里。

取法

正坐垂膝。以手掌覆膝蓋上。中指向下盡處。當骱骨外緣約一寸取之。

針灸　針一寸五分。灸三壯至百數十壯。

三十七，上巨虛

解剖　爲前脛骨筋部。循行前脛骨動脈。

部位　在三里下三寸。

主治　藏氣不足。偏風脚氣。腰腿手足不仁。足脛痠。骨髓冷疼不能久立。俠臍腹痛。腸中切痛飧泄食不化。喘息不能行。腹脇支滿。

摘要　此穴主瀉胃中之熱。

取法　正坐。以足跟着地。足尖足背聳起。從三里下三寸取之。

針灸　針五分至八分。灸三壯。

三十八，條口

解剖　有前脛骨筋。脛骨動脉。深腓骨神經。

部位　在三里下四寸。上巨虛下一寸。

主治　足膝痲木。寒痠腫痛。轉筋溼痺足下熱。足緩不收。不能久立。

摘要　「天星秘訣」足緩難行先絕骨。次尋條口及衝陽。

取法　依取上穴式。從上巨虛下一寸取之。

針灸　針三分至五六分。灸三壯。

三十九，下巨虛

解剖　有前脛骨筋。脛骨動脉。

部位　在三里下五寸。

主治　胃中熱。毛焦肉脫。汗不出。少氣不嗜食。暴驚狂言。喉痺。面無顏色。胸脇痛。飧泄膿血。小腸氣。偏風腿痿。足不履地。熱風風溼。冷痺胻腫。足跗不收。女子乳癰。

摘要　此穴主瀉胃中之熱。

取法　依取上穴式。從條口下一寸取之。

針灸　針三分。灸三壯。

四〇，豐隆

解剖　此處亦爲前脛骨筋。有脛骨動脈。與神經。

部位　在外踝上八寸。

主治　頭痛面腫。喉痺不能言。風逆癲狂見鬼好笑。厥逆胸痛如刺。大小便難。怠惰腿膝痛屈伸不便。腹痛肢腫足冷寒溼。

摘要　此穴爲足陽明絡別走太陰者。「玉龍歌」痰多須向豐隆瀉。「百症賦」強間豐隆之際。頭痛難禁。「席弘賦」豐隆專治婦人心中痛。「肘後歌」哮喘發來寢不得，豐隆刺入三分深。

取法　正坐足垂。從外踝上量八寸。與下巨虛相並微上些取之。

針灸　針五分至一寸。灸三壯。

四十一．解谿

兩經之中

如屬見扣足

中指側寸配之

解剖　此處爲足跗關節之環狀韌帶部。有前內顆動脈。大薔薇神經。

部位　在足腕上繫鞋帶處。去衝陽一寸半。去內庭六寸半。

主治　風氣面浮頭痛。目眩生翳。氣上衝喘欬腹脹。癲疾煩心悲泣驚瘛。轉筋霍亂。大便下重。股膝胻腫。又瀉胃熱善饑不食。食即支滿腹脹。及瘧痎瘧寒熱。

摘要　此穴爲足陽明脈之所行爲經火「神農經」治腹脹腳腕痛。目眩頭疼。可灸七壯。「玉龍歌」腳背疼起邱墟穴。斜針出血即時輕。解谿再與商丘識。補瀉行針要辨明。「百症賦」悸驚怔忡。取陽交解谿弗誤。「一傳」氣發噎將死。灸之效。又腹虛腫。足脛虛。腫灸之效。「肘後歌」僞寒脉洪當瀉解。沉細之時補便瘳。

取法　足跗關節之前面正中。以兩中指從後跟正中。左右向前並行。至前面相會處陷中取之。

針灸　針三分至五分。灸五壯。

四十二．衝陽

解剖　是處爲大趾長伸筋部。有前內顆動脈與大薔薇神經。

部位　在足跗上五寸。足背最高之部動脈中。

主治　偏風面腫口眼喎斜。齒齲、傷寒發狂振寒汗不出。腹堅大不嗜食。發寒熱。足痿跗腫。或胃瘧先寒後熱。喜見日月光得火乃快然者。於方熱時針之出血立寒。

摘要　此穴爲足陽明脉之所過爲原。此穴針之出血不止者死。「天星秘訣」足緩難行先絕骨。次尋條口及衝陽。

取法　按取足背高骨動脉搏動處陷罅中取之。

針灸　針三五分。灸三壯

四十三，陷谷

解剖　此處爲短總趾伸筋腱部。有第一骨間背動脉。趾背神經。

部位　在次趾外本節後。去內庭二寸。

主治　面耳浮腫。及水病善噫。腸鳴腹痛。汗不出。振寒痎瘧。疝氣少腹痛。

摘要　此穴爲足陽明脈之所注爲俞木。胃脈弦者瀉此則木平而胃氣自盛。「百症賦」腹內腸鳴。下脘陷谷能平。

取法　按次趾外側本節之後陷中取之。

針灸　針三分至五分。灸三壯。

四十四，內庭

解剖　有短總趾伸筋。第一骨間背動脉。趾背神經。

部位　在次指中指之間，脚叉縫盡處之陷凹中。

主治　四肢厥逆。腹滿不得息惡聞木聲。振寒咽痛齒齲。口喎。鼻衄。癮疹。赤白痢。瘧不嗜食。

摘要　此穴爲足陽明脈之所流爲榮水。主療久瘧不愈并腹脹。「玉龍歌」小腹脹滿氣攻心。內庭二穴要先針。「天星祕訣」寒瘧面腫及腸鳴。先取合谷後內庭。「千金」三里內庭。治肚腹之病妙。「捷徑」治石蠱。又大便不通。宜瀉此。「馬丹陽十二訣」能治四肢厥。善靜惡聞聲。癮疹咽喉痛。數欠及牙疼。瘧疾不思食。耳鳴即便清。「雜病穴法歌」霍亂中脘可入深。三里內庭瀉幾許。又泄瀉肚腹諸般疾。三里內庭功無比。又兩足擭痲補太谿。僕參內庭盤根楚。

取法　按此次趾外側本節之前一二分許。陷凹中。

針灸　針二分至四分深。灸三壯。

四十五，厲兌

解剖　是處爲長總趾伸筋腱附著部之外側。分布趾背動脈。趾背神經。

部位　在足次趾外側爪甲角。

主治　尸厥口噤氣絕。狀如中惡。心腹滿水腫。熱病汗不出。寒熱瘧不食。面腫喉痺。齒齗惡風鼻不利。多驚發狂好臥。足寒膝臏腫痛。

摘要 此穴爲足陽明脈之所出爲井金穴。「百症賦」夢魘不寧。厲兌相偕於隱白。

針灸 針一分。灸一壯。

取法 次趾外側爪甲角分許取之。

四，足太陰脾經

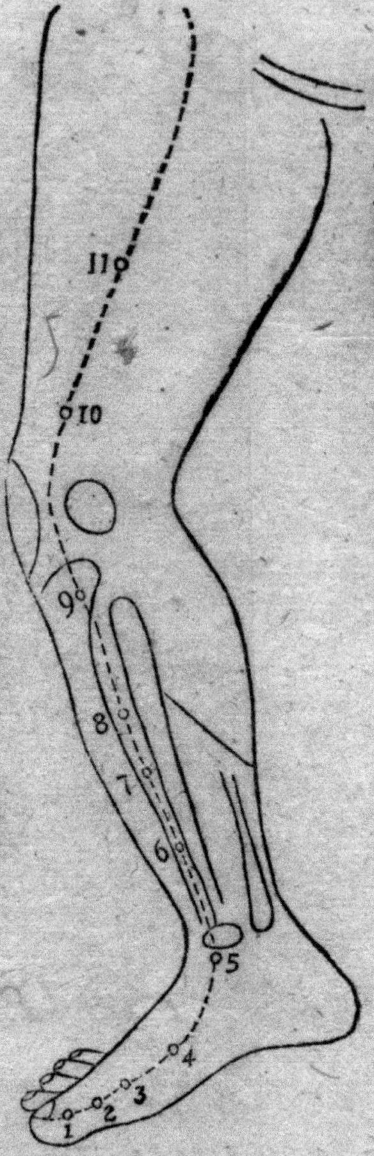

1.隱百　2.大都　3.太白　4,公孫　5.商丘　6.三陰交　7.漏谷　8.地機　9.陰陵泉　10血海　11箕門

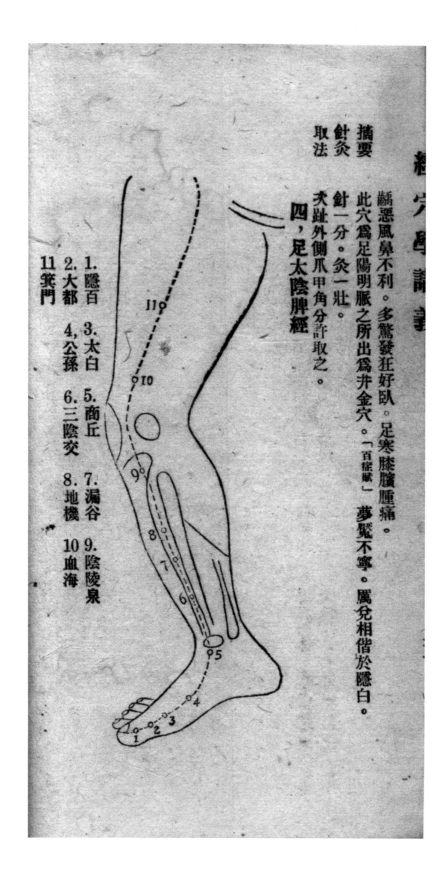

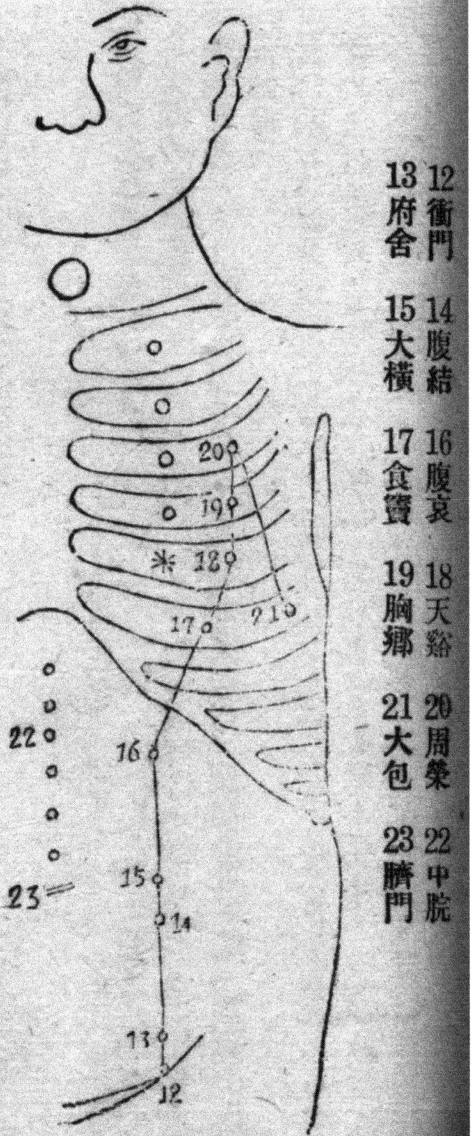

本經自足大趾內側。循赤白肉際上行。經內踝前。至脛之內側部。直上行膝之內側。上行經股之內側。上腹抵脇。至周榮而下行。至季肋大包穴止。計二十一穴。左右共四十二穴。

一．隱白

解剖　有足背動脈。淺腓骨神經。

部位　在大趾內側端。

主治　腹脹喘滿不得臥。嘔吐食不下。胸中痛。煩熱暴泄。衄血。尸厥不識人。足寒不得溫。婦人月事過時不止。小兒客忤驚風。

摘要　此穴爲足太陰脉之所出爲井木。婦人月事過時不止針之立愈。「百症賦」夢魘不寧。厲兌相諧於隱白。「雜病穴法歌」尸厥百會一穴美。更針隱白效昭昭。

取法　從大趾內側去爪甲角赤白肉分際取之。

針灸　針一分。禁灸。

二．大都

解剖　有足背動脉。深在腓骨神經。

部位　在大趾內側本節前。

主治　熱病汗不出。不得臥。身重骨痛。傷寒手足逆冷。腹滿嘔吐悶亂。腰痛不可俯仰。四肢腫痛。

摘要　此穴爲足太陰脉之所流爲滎火。凡婦人孕後。或新產未及三月不宜灸。「千金」治大便難。灸如壯年。「每一歲一壯」霍亂下瀉不止。灸七壯。「席弘賦」氣滯腰疼不能立。橫骨大都宜救急。「百症賦」熱病汗不出。大都更接於經渠。「肘後歌」腰腿疼痛十年春。服藥尋方枉費金。大都引氣探根本。

取法　大趾內側第二趾骨後端。當核骨之前陷中。取之。

針灸　針三分。灸三壯。

三，太白

解剖　第一趾骨之第二節後部。與第一蹠骨之間。有長伸拇筋。足背動脈。腓骨神經。

部位　在大趾本節後。

主治　身熱煩滿。腹脹食不化。嘔吐瀉痢膿血。腰痛大便難。氣逆霍亂。腹中切痛腸鳴。膝股胻痠轉筋。身重骨痛。

摘要　此穴爲足太陰脉之所注爲俞土。【通玄賦】太白一穴能宣導於氣衝。

取法　大趾本節後內側有如梅核骨之下陷中取之。

針灸　針二分至四分深。灸三壯。

四，公孫

解剖　有長伸拇筋。足背動脈。腓骨神經。

部位　大趾本節後一寸。即孤拐後赤白肉際。

主治　寒瘧不食。癇氣好太息。多寒熱汗出喜嘔。卒面腫。心煩多飲。胆虛腹虛。水腫腹脹如鼓。脾冷胃痛。

摘要　此穴爲足太陽之絡別走陽明者。又爲八法穴之一。「神農經」治腹脹心疼。灸七壯。「席弘賦」肚疼須是公孫妙。「標幽賦」脾冷胃疼瀉公孫而立愈。「雜病穴法歌」腹痛公孫內關原。

取法　按取足跗高骨之處。向內側下方骨邊取之。

針灸　針四分至一寸深。灸三壯。

五，商丘

解剖　爲前脛骨之筋腱部。有後內踝動脉及神經。

部位　在內踝骨下微前陷凹中。

主治　胃脘痛。腹脹腸鳴不便。脾虛令人不樂。身寒善太息。心悲氣逆。喘嘔舌强。脾積痞氣。黃疸。寒瘧。體腫支節痛。怠惰嗜臥。黃疸痔疾。陰股內痛。狐疝走引小腹。疼痛不可俛仰。

摘要　此穴爲足太陰脈之所行爲經金。「神農經」治脾虛腹脹胃脘痛。灸七壯。「玉龍歌」脚背疼起邱墟穴。斜針出血即時輕。解谿再與商丘識。補瀉行針要辨明。「百症賦」商邱痔漏而最良。「勝玉歌」脚背痛時商丘刺。

取法　按取內踝骨前側。凹陷中。

針灸　針三分。灸三壯。

六。三陰交

解剖　爲長總趾屈筋之下部。有後脛骨動脉之分枝及神經。

部位　在內踝上。除踝三寸。

主治　脾胃虛弱。心腹脹滿。不思飲食。脾病身重四肢不舉。飧泄血痢。痃癖臍下痛不可忍。中風卒厥。不省人事。膝內廉痛。足痿不行。

摘要　此穴爲足太陰厥陰少陰之會。凡女人難產。月水不禁。赤白帶下。先瀉後補。小腸疝氣偏墜。木腎腫痛。小便不通。渾身浮腫。先補後瀉。『玉龍歌』寒濕脚氣不可熬。先針三里及陰交。『席弘賦』脚痛膝腫針三里。懸鐘二陵三陰交。又小腸氣塞痛連臍。速瀉三陰交莫遲。又冷嗽先宜補合谷。却須針瀉三陰交。「百症賦」針三陰於氣海。專司白濁重遺精。『天星祕訣』脾病氣痛先合谷。後針三陰交莫遲。又胸膈痞滿先陰交。針到承山飲食美。『乾坤生意』小腸疝氣。針大敦陰交不可緩。『雜病穴法歌』舌裂出血尋內關。太冲陰交走上部。又冷嗽只宜補合谷。三陰交瀉即時住。又嘔噎陰交不可饒。又死胎陰交不可緩。

取法　內踝上。除踝骨直上三寸取之。

針灸　針二分。灸三五壯。姙娠不可針。

七，漏谷

解剖　爲比目魚筋部。即腓腸筋之內端。有脛骨動脈枝。脛骨神經。

部位　在三陰交上三寸。

主治　膝痺脚冷不仁。腸鳴腹脹。痃癖冷氣。小腹痛。飲食不爲飢膚。小便不利。失精。

取法　從三陰交直上三寸取之。

針灸　針三分。禁灸。

八，地機

解剖　爲腓腸筋內端。有脛骨動脈枝。脛骨神經。

部位　在膝下五寸內側。

主治　腰痛不可俯仰。溏泄腹脹。水腫不嗜食。精不足。小便不利。足痺痛。女子癥瘕。

摘要　此穴爲足太陰之郄。「百症賦」女子經事改常。自有地機血海。

取法　以足伸直。從膝臏正中內側。直下五寸取之。

針灸　針三分。灸三壯。

九，陰陵泉

解剖　居腓骨頭之下。即二頭股筋之連附處。有反迴脛骨動脈。及外腓腸皮下神經。

部位　淺在腓骨神經。

地機上附

部位　在膝下內輔骨下陷中。與陽陵泉相對。去膝橫開二寸餘。

主治　霍亂寒熱。腹中熱。不嗜食。喘逆不得臥。疝瘕腹中寒。脅下滿。水脹腹堅腰痛不可俯仰。陰痛氣淋。遺精。小便不利。遺尿。泄瀉。足膝紅腫。

摘要　此穴爲足太陰之所入爲合穴。「神農經」治小便不通。疝癖。可灸七壯。「千金」小便不禁。針五分。灸隨年壯。又水腫不得臥。灸百壯。「玉龍歌」膝蓋紅腫鶴膝風。陽陵二穴亦可攻。陰陵針透尤收效。「太乙歌」腸中切痛陰陵調。「席弘賦」陰陵泉治心胸滿。又腳痛膝腫針三里。懸鐘二陵三陰交。「百症賦」陰陵水分。治水腫之臍盈。「天星秘訣」若是小腸連臍痛。先刺陰陵後湧泉。「通玄賦」陰陵能開通水道。「雜病穴法歌」小便不通陰陵泉。三里瀉下溺如注。

取法　以足直伸。膝之內輔骨下。下廉陷中。取之。即脛骨頭之下部內緣陷中。與陽陵相對。

針灸　此穴針五分。灸三壯。

十，血海

解剖　爲內大股筋下部。在上膝關節動脈。及股神經。

部位　在膝臏上二寸。膝之內側白肉際。

主治　女子崩中漏下。月事不調。帶下逆氣腹脹。又主腎臟風。兩腿瘡癢濕不可當。

摘要　「百症賦」婦人經事改常。自有地機血海。又痃癖兮。衝門血海强。「靈光賦」氣海血海療五淋。「勝玉歌」熱瘡臁內年年發。血海尋來可治之。「雜病穴法歌」五淋血海男女通。

取法　從膝蓋骨內緣之上二寸。普通取法。正坐垂足。以手掌按膝上。大指端按着之處取之。

針灸　針五分至八分。灸五壯

十一，箕門

解剖　此處爲內大股筋罫分。股上膝關節動脈。及股神經。

部位　在內股去血海六寸。動脉應手。

主治　五淋小便不通。遺溺。鼠鼷腫痛。

取法　正坐垂足。從血海直上六寸取之。

針灸　針二分。灸三壯。一說此穴禁針。

十二，衝門

解剖　占恥骨地平枝之端。微上斜中。內爲直腸。有下腹動脈之恥骨枝。下腹神經。

部位　接上恥骨縫際。

主治　中寒積聚。淫濼。陰疝。姙娠衝心。難乳。

摘要　帶下產崩。衝門氣衝宜審。又痃癖兮。衝門血海强。

取法　仰臥。從曲骨橫開三寸五分部位取之。

針灸　針七分。灸五壯。

十三，府舍

解剖　爲內斜腹筋之下部。分布下腹動脈之恥骨枝。與腸骨下腹神經。

部位　在腹結下三寸。去中行三寸半。

主治　疝癖。腹脇滿痛。上下搶心。積聚痺痛。厥氣霍亂。

取法　仰臥。從衝門直上七分取之。

針灸　針七分。灸五壯。

十四，腹結

解剖　有內斜腹筋。下腹動脈。腸骨下腹神經。

部位　在大橫下一寸三分。

主治　欬逆遶臍腹痛。中寒瀉痢心痛。

取法　仰臥。從臍旁四寸。直下一寸三分取之。

針灸　針五分至一寸。灸五壯。

十五，大橫

解剖　爲內外斜腹筋部。中藏小腸。有下腹動脈。肋間神經枝。腸骨下腹神經。

可針1.5寸

部位　去中行四寸。與臍相平。

主治　大風逆氣。四肢不舉。多寒善悲。

摘要　「百症賦」反張悲哭。仗天衝大橫須精。

取法　仰臥。從臍旁四寸取之。

針灸　針三分至七分。灸三壯。

十六，腹哀

解剖　有內外斜腹筋。上腹動脈。肋間神經枝。腸骨下腹神經。

部位　在中脘旁四寸微下些。大橫上三寸半。

主治　寒中食不化。大便膿血。腹痛。

取法　仰臥。手外開。從乳頭直下。中脘旁開四寸微下些取之。

針灸　針三分至七分。灸五壯。

十七，食竇

解剖　在第五六肋間部。當胃之上。有大胸筋。內外肋間筋。長門動脈。肋間動脈。前胸神經。

部位　去中庭五寸。在第五肋間部。

主治　胸脇支滿。欬吐逆氣。飲不下。膈有水聲。

取法　仰臥。手外開。從中庭旁五寸。肋間陷中取之。

針灸　針四分。灸五壯。

十八，天谿

解剖　在第四五肋間部。有大胸筋。胸動脉。前胸神經。

部位　在第四肋間部。去中行六寸。乳頭旁二寸。

主治　胸滿喘逆上氣。喉中作聲。婦人乳腫。賁癰。

取法　仰臥手外開。從乳旁二寸。肋間陷中取之。

針灸　針四分灸五壯。

十九，胸鄉

解剖　在第三四肋間部。有大胸筋。長胸動脈。長胸神經。

部位　在第三肋間。天谿上一寸六分。

主治　胸脅支滿。引背痛。不得臥轉側。

取法　仰臥。手外開。從天谿上一寸六分肋間陷中取之。

針灸　針四分。灸五壯。

二〇，周榮

解剖　在第二三肋間部。有大胸筋。長胸動脉。前胸廓神經。

部位　在胸鄉上一寸六分。中府下一寸六分。

主治　胸滿不得俯仰。欬逆食不下。

取法　仰臥手外開。從胸鄉上一寸六分肋間陷中取之。

針灸　針四分。灸五壯。

二一，大包

解剖　在第九肋間部。有外斜腹筋。上腹動脉。長胸神經。

部位　腋窩下六寸。淵腋下三寸。

主治　胸中喘痛。腹有大氣不得息。實則身盡痛。虛則百節盡皆縱。

摘要　此穴爲脾之大絡。四肢百節皆縱者補之。

取法　仰臥。手外開。從食竇穴橫開三寸。肋間陷中。

針灸　針三分灸三壯。

手少陰心經穴

本經穴起於腋窩內之極泉穴。直下經肘中抵掌。出小指之內側少衝穴止。凡九穴。左右共計十八穴。

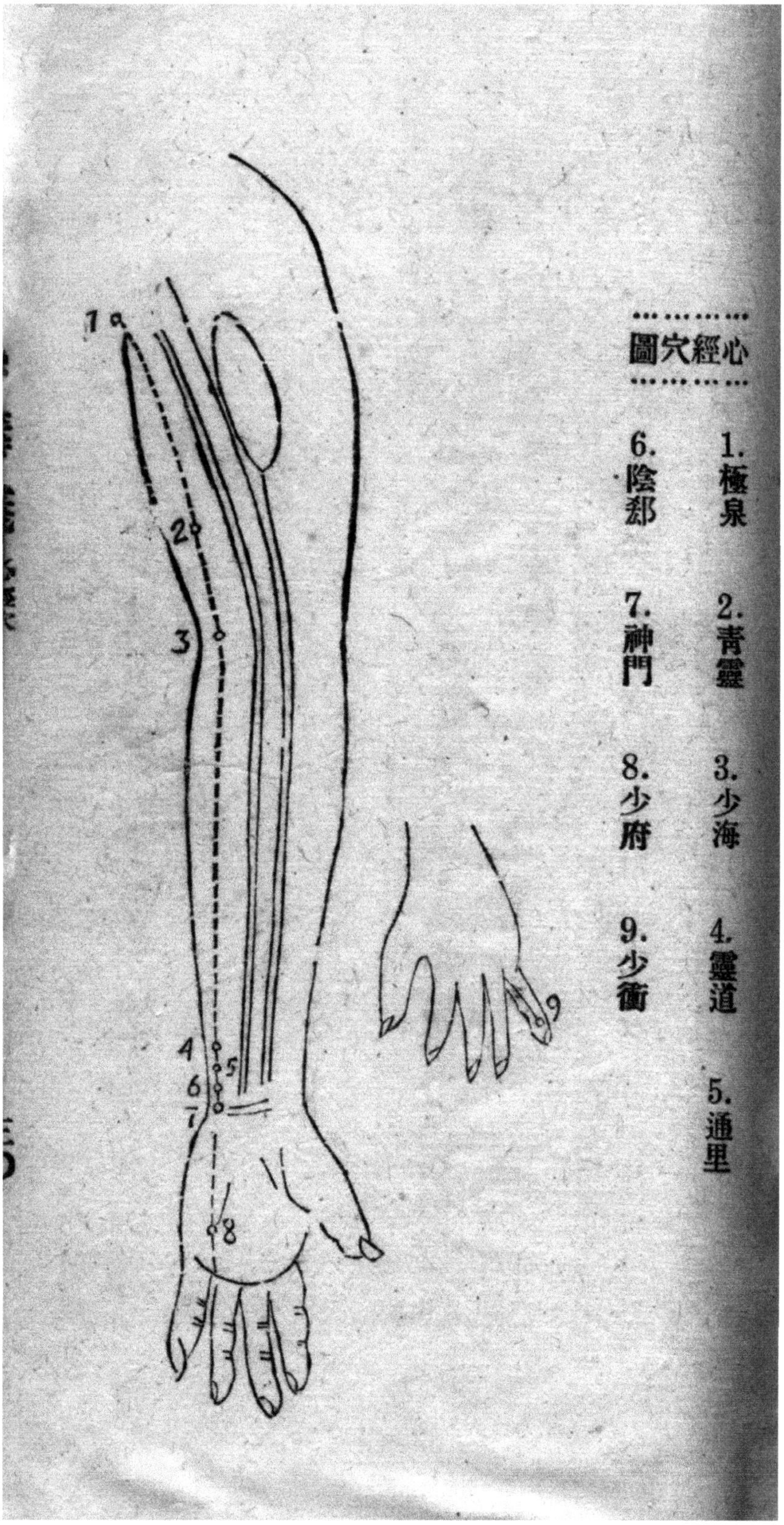
心經穴圖
1. 極泉
2. 青靈
3. 少海
4. 靈道
5. 通里
6. 陰郄
7. 神門
8. 少府
9. 少衝

經穴學講義

一，極泉

解剖　在大胸筋之上膊下部。與三角筋之境界間。有腋下動脉靜脉。中膊皮下神經尺骨神經。

部位　在腋窩內兩筋間。

主治　心脇滿痛。肘臂厥寒。四肢不收。乾嘔煩渴目黃。

取法　手平伸。掌向前。按其腋窩臂側兩筋間動脈跳動處取之。

針灸　鍼三分。灸七壯。

二，靈靑

解剖　在肘上三頭膊筋近旁。爲重要靜脈之一部。及腋窩動脈枝。正中神經。

部位　在肘上三寸。

主治　頭痛目黃振寒。脇痛肩臂不舉。

取法　手平舉。掌向上。從少海直上三寸取之。

針灸　此穴禁針。灸三壯。

三、少海

解剖　在二頭膊筋之筋腱旁。有尺骨副動脈與靜脈。中膊皮下神經與正中神經。

部位　在肘內廉。

主治 寒熱齒痛目眩。發狂。癲癇羊鳴嘔吐涎沫。項不得回。頭風疼痛。氣逆。瘰癧。肘臂腋脇痛攣不舉。

摘要 此穴爲手少陰之所入爲合水。「席弘賦」心痛手顫少海間。若要除根覓陰市。「百症賦」兩臂頑麻。少海就傍於三里。「手」「雜病穴法歌」心痛肘顫少海求。「勝玉歌」瘰癧少海天井邊。

取法 屈肘向頭。於肘內側端約五分部份骨邊取之。

針灸 針三分。不宜灸。

四，靈道

解剖 爲內尺骨筋部。有中靜脈。尺骨動脈。中膊皮下神經。尺骨神經。

部位 在掌後一寸五分。

主治 心痛悲恐乾嘔。瘈瘲肘攣。暴瘖不能言。

摘要 此穴爲手少陰脈之所行爲經金。主治心痛。「肘後歌」骨寒髓冷火來燒。靈道妙穴分明記。

取法 掌後銳骨橫紋端。直上一寸五分筋間取之。

針灸 針三分。灸五壯。

五，通里

解剖 爲內尺骨筋部。有尺骨動脈。中膊皮下神經。尺骨神經。

部位 在腕側後一寸。

主治 熱病頭痛目眩面熱。無汗懊憹暴瘖。心悸悲恐畏人。喉痺苦嘔。虛損數欠少氣遺溺。肘臂臑痛。婦人經血過多崩漏。

摘要 此穴爲手少陰絡別走太陽者。「神農經」治目眩頭疼。可灸七壯。「玉龍歌」連日虛煩面赤粧。心中驚悸亦當難。若須通里穴能得。一用金針體便康。「百症賦」倦言嗜臥。往通里少鍾而明。「馬丹陽十二訣」欲言聲不出。懊惱及怔忡。實則四肢重。頭顋面頰紅。虛則不能食。暴瘖面無容。

取法 同上穴。下五分部位取之。

針灸 針三分。灸三壯。

六；陰郄

解剖 有尺骨動脈。中膊皮下神經。尺骨神經。

部位 在通里下半寸。去腕五分。

主治 鼻衄吐血。失音不能言。霍亂中滿。灑淅惡寒。厥逆驚恐心痛。

摘要 此穴爲手少陰郄。「百症賦」寒慄惡寒。二間疏通陰郄諳。又陰郄後谿。治盜汗之多出。「標幽賦」瀉陰郄止盜汗。

取法　掌後鋭骨横紋端上五分。兩筋間取之。

針灸　鍼三分。灸三壯。

七，神門

解剖　在豌豆骨之下。有深掌側動脈。與中靜脈。尺骨神經。

部位　在掌後鋭骨「豌豆骨」之端陷中。陰郄下五分。

主治　瘧疾心煩。欲得冷飲。惡寒則欲就溫。咽乾不嗜食。驚悸心痛。少氣身熱面赤。發狂喜笑上氣。嘔血吐血。遺溺失音。健忘。心積伏梁。大人小兒五癇。手臂攣掣。

摘要　此穴爲手少陰之脈所注爲俞土。「百症賦」發狂奔走。上脘同起於神門。「玉龍歌」，癡呆之症不堪親。不識尊卑枉罵人。神門獨治癡呆病。「雜病穴法歌」神門專治心癡呆。「勝玉歌」後谿鳩尾及神門。治療五癇立便痊。

取法　掌後鋭骨横紋端取之。

針灸　針三分。灸三壯。

八，少府

解剖　有指掌動脈。與尺骨神經指掌枝。

部位　在手小指本節後。骨縫陷中。

主治　痎瘧久不愈。振寒煩滿少氣。胸中痛悲恐畏人。背痠腋肘攣急。陰挺出。陰癢。陰

摘要　痛。遺尿。偏墜。小便不利。

此穴爲手少陰脈之所流爲滎火。主治心胸痛。「肘後歌」心胸有病少府瀉。

取法　以小次二指彎曲向掌心。適當二指端之間。

針灸　針二分。灸三壯。

九，少冲

解剖　有指掌動脈。與尺骨神經之指掌枝。

部位　在小指内廉之端。

主治　熱病煩滿上氣。心火炎上眼赤血少。嘔吐血沫及心痛。冷痰少氣。悲恐善驚。口熱咽酸。胸脇痛。乍寒乍熱。臂臑內後廉痛。手攣不伸。

摘要　此穴爲手少陰脈之所出爲井木。「百症賦」發熱仗少衝曲池之津。「玉龍歌」胆寒心虛病如何。少衝二穴最功多。凡初中風猝倒。暴厥昏沉。痰涎壅盛。不省人事。牙關緊閉。水藥不下。亟以三稜針刺少商。商陽。中衝。關冲。少冲。少澤。以流通氣血。乃起死回生之妙穴。

取法　小指內側端爪甲角分許取之。

針灸　針一分。灸三壯。

手太陽小腸經穴

本經穴起自小指外側端少澤穴起。上行過腕側。至肘尖直上抵肩胛後下側。繞肩髃。經頸側而至面部顴骨。斜抵耳前聽宮穴。凡一十九穴。左右共三十八穴。

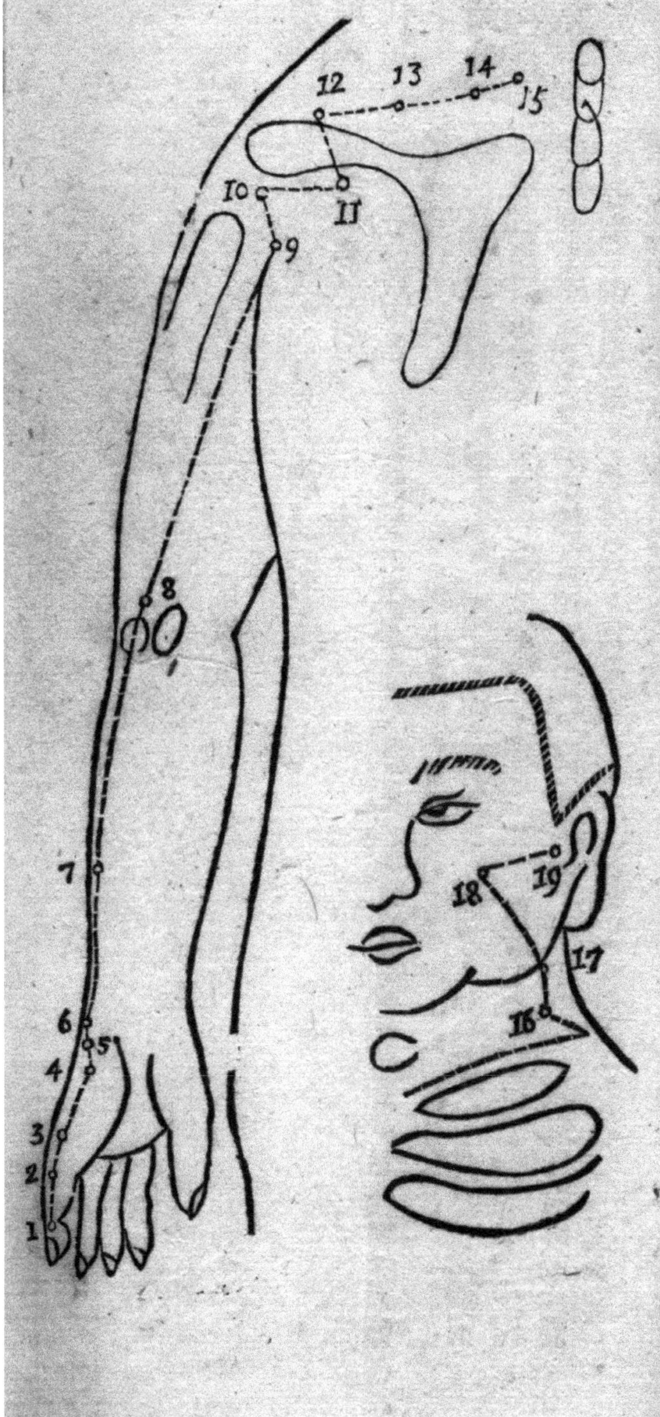

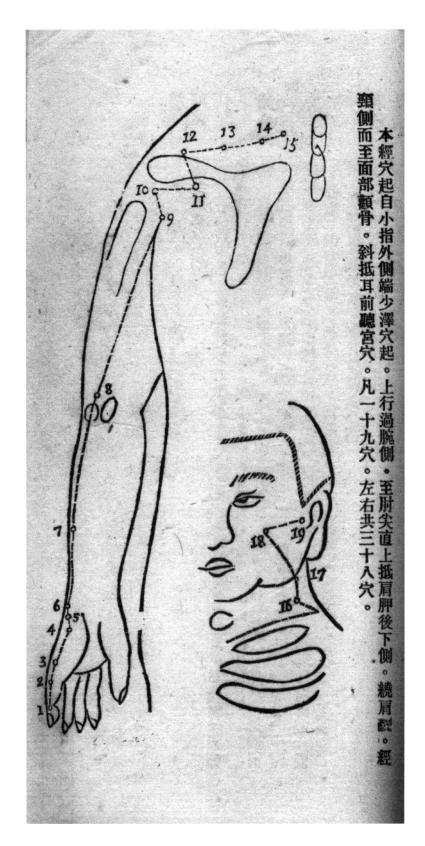

經穴學講義

一，少澤　二，前谷　三，後谿　四，腕骨　五，陽谷
六，養老　七，支正　八，小海　九，肩貞　十，臑俞
十一，天宗　十二，秉風　十三，曲垣　十四，肩外俞　十五，肩中俞
16天窗　17天容　18顴髎　16聽宮　2o大椎　21陶道

一，少澤

解剖 在手小指尖。有指背動脈。尺骨神經之分枝。

部位 在小指端爪甲側。

主治 痎瘧寒熱汗不出。喉痺舌强。心煩咳嗽。瘈瘲。臂痛項痛不可迴顧。目生翳。及療婦人無乳。

摘要 此穴爲手太陽脈所出爲井金。『千金』治耳聾不得眠補之。『玉龍歌』婦人吹乳痛難消。吐血風痰稠似膠。少澤穴內明補瀉。『百症賦』攀睛攻肝俞少澤之所。『靈光賦』少澤應除心下寒。『註』凡初中風。暴卒昏沉。痰涎壅盛。不省人事。急以三陵針刺少商。商陽。中衝少衝。少澤出血。使氣血流通。乃起死回生救急之妙穴。『雜病穴法歌』心痛翻胃刺勞宮。寒者少澤灸手指。

取法 小指外側端。去爪甲角分許取之。

針灸 針一分。灸三壯。

解剖　有外轉小指筋。指背動脈。尺骨神經枝。

部位　在小指外側本節前之陷凹處。

主治　熱病汗不出。痎瘧。癲疾。耳鳴喉痺。頸項頰腫引耳後。咳嗽。目翳。鼻塞吐乳。臂痛

摘要　此穴爲手太陽脈之所流爲滎水。主治熱病無汗補之。

取法　手握拳。於小指本節前骨邊陷中取之。

針灸　針一分。灸一壯。

三，後谿

解剖　此處爲外轉小指筋。有重要靜脈。指背動脈。尺骨神經枝。

部位　在小指外側本節後陷中。第五掌骨之前外端。

主治　痎瘧寒熱。目翳。鼻。耳聾。胸滿項强。癲癇。臂攣急五指盡痛。

摘要　此穴爲手太陽所注爲俞木。農龍經治項頸不得回顧。髀寒肘疼。灸七壯。『玉龍歌』時行瘧疾最難禁。穴法由來未審明。若把後谿穴尋得。多加艾火即時輕。『蘭江賦』後谿專治督脈病。癲狂此穴治還輕。『百症賦』陰郄後谿。治盜汗之多出。『又』後谿環跳。腿疼刺而即輕。『又』治疸消黃。諧後谿勞宮而看。通玄賦癇發癲狂兮。憑後谿

而療理。『千金』後谿列缺，治胸項之痛。『肘後歌』脇肋腿痛後谿妙。『勝玉歌』後谿鳩尾及神門，治療五癇立便痊。

取法　以手握拳。適當拳尖取之。

針灸　針三分。灸一壯。

四，腕骨

解剖　此處爲小指外轉筋。有腕骨背側動脈。與靜脈。尺骨神經。

部位　在腕豆骨側之旁側，即手外側腕前起骨下陷中。

主治　熱病汗不出。脅下痛不得息。頸項腫寒熱。耳鳴。目出冷淚，生翳。狂惕。偏枯臂肘不得屈伸。瘧疾煩悶頭痛。驚風瘈瘲，五指掣攣。

摘要　此穴爲手太陽脈之所過爲原。『通玄賦』固知腕骨祛黃。『玉龍歌』腕中無力痛艱難，握物難易體不安，腕骨一針雖見效，莫將補瀉等閒看。『又』脾疾之症有多般，致成翻胃吐食難。黃疸亦須尋腕骨，金針必定奪中脘。『雜病穴法歌』腰連腿疼腕骨升，三里降下隨拜跪。

取法　握拳。按取銳骨端之上外側陷中取之。

針灸　針二分。灸三壯。

五，陽谷

解剖　有迴前方筋。深屈指筋。腕骨背側動脈。內膊皮下神經，尺骨神經。

部位　在手腕側之兩顆間。

主治　癲疾發狂妄言左右顧。熱病汗不出。脇痛項腫寒熱。耳聾耳鳴。齒痛。臂不舉。小兒瘈瘲舌强。

摘要　此穴手太陽脈之所行爲經火「百症賦」陽谷俠谿，頷腫口噤並治。

取法　銳骨之下陷中。適當尺骨莖狀突起之下際。握拳取之。

針灸　針二分。灸三壯。

六，養老

解剖　當外尺骨筋腱之側。有尺骨動脈之背枝。及尺骨神經。

部位　腕後一寸。手顆骨上。

主治　肩骨痠疼。肩欲折。臂如拔。手不能自上下。目視不明。

摘要　此穴爲手太陽郄。「百症賦」目覺䀮䀮。急取養老天柱。「註」療腰重痛不可轉側。起坐艱難。及筋攣脚痺。不可屈伸。

取法　腕後高骨上陷中。屈手取之。

針灸　針二分。灸三壯。

七，支正

解剖　此處爲總指伸筋歧出前膊骨間動脈之分枝。

部位　去腕後五寸。

主治　五勞癲狂。驚風寒熱。頷腫項强。頭痛目眩。風虛驚恐悲愁。腰背痠，四肢乏力，肋臂不能屈伸，指痛不能握。

摘要　此穴爲手太陽之絡脉，別走少陰者。「百症賦」眩目兮，支正飛揚。

針灸　針三分。灸三壯。

八，小海

解剖　在三頭膊筋間。有下尺骨副動脈。橈骨神經枝。

部位　在尺骨鶯嘴突起之上端。去肘尖五分陷中。即肘內側大骨外。去肘端五分。

主治　肘臂肩臑頸項痛寒熱。齒根腫痛。風眩瘍腫。小腹痛。五癇瘈瘲。

摘要　此穴爲手太陽脈所入爲合土。主肘臂痛。

取法　以手屈向肩。按其肘尖外側兩骨窩中取之。

針灸　以手屈肘向頭取之。針三分。灸三壯。

九，肩貞

解剖　有小圓筋。迴旋肩胛動脈。腋下神經。肩胛上神經。

部位　在肩峯突起後側之下。

主活　傷寒寒熱頷腫。耳鳴耳聾。缺盆肩中熱痛。風痺手足不舉。

取法　肩背下腋縫上端取之。

針灸　針五分。灸三壯。

十，臑俞

解剖　有肩胛骨棘下筋。橫肩胛動脈。肩胛上神經。

部位　肩貞上一寸。

主治　臂痠無力。肩痛引胛。寒熱氣腫痠痛。

摘要　此穴爲手太陽陽維陽蹻三脈之會。

取法　肩端後側，肩胛骨端下陷中取之。

針灸　針五分至八分。鍼二壯

十一，天宗

解剖　有僧帽筋。肩胛骨棘下筋。肩胛動脈與神經。

部位　在肩貞斜上。

主治　肩骨痠痛。肩外後廉痛。頰頷腫。

取法　由臑俞沿肩胛骨下內行。當肩胛橫骨之中央部分取之。

針灸　針五分至八分深。灸三壯。

十二，秉風

解剖　有僧帽筋。肩胛骨動脈與神經。

部位　在肩顒骨後。

主治　肩痛不可舉。

取法　按取肩胛橫骨上側外端陷中取之。舉臂有空。

針灸　針五分。不灸

十三，曲垣

解剖　有僧帽筋。肩胛橫舉筋。頸動脈。肩胛骨神經。

部位　在肩之中央曲胛陷中。

主治　肩臂熱痛。拘急周痺。

取法　由秉風向內開。肩胛上際中央陷中取之。

針灸　針五分。灸十壯。

十四，肩外腧

解剖　有僧帽筋。肩胛橫舉筋。肩胛神經頸動脈。

部位　在肩胛上廉。去脊三寸。

主治　肩胛痛。發寒熱。引項攣急周痺寒至肘。

取法　肩胛上側。從陶道外開三寸取之。
針灸　針五分。灸三壯。

十五　肩中腧

解剖　有小方稜筋。肩胛動脈。肩胛神經。
部位　在項側肩外腧斜向上五分許。
主治　咳嗽上氣吐血。寒熱目視不明。
取法　從肩外腧斜上。大椎旁二寸取之。
針灸　針三分。灸十壯。

十六，天窗

解剖　此處當胸鎖乳頭筋之前。有內外頸之兩動脈。中頸皮下神經。
部位　在耳下頸側。大筋間。
主治　頸瘻腫痛。肩胛引項不得回顧。頰腫齒噤。耳聾喉痛暴瘖。
取法　以人迎扶突爲標準。向後開一寸取之。
針灸　針三分。灸三壯。

十七，天容

解剖　有耳下腺內頸動脈頸靜脈。顏面神經。

部位　在耳下頸筋間。

主治　癭氣頸腫不可回顧。不能言齒噤。耳鳴耳聾喉痺咽中如梗。寒熱胸滿。嘔逆吐沫。

取法　天容上一寸取之。

針灸　針五分至八分。灸三壯。

十八、顴髎

剖解　此處有下眼窩動脈。三叉神經第二枝之下眼窩神經。

部位　在面鳩骨下廉銳骨端。

主治　口喎。面赤目黃。眼瞤不止。頗腫齒痛。

摘要　「百症賦」目眩兮。顴髎大迎。

取法　按取顴骨下之陷凹處取之。

針灸　針三分。禁灸。

十九、聽宮

解剖　此處爲咀嚼筋。有上顎動脈。顏面神經。

部位　在耳前珠子傍。

主治　失音。癲疾。心腹痛。耳內蟬鳴耳聾。

摘要　「百症賦」聽宮脾俞。祛盡心下之悲悽。

取法　按耳珠前之陷中取之。

針灸　針三分。灸三壯。

七　足太陽膀胱經穴

本經始目內眥角睛明穴。直上過巔頂而下經項。至背而下過臀部。至膝膕而下循外踝之後側。出足小趾之端至陰穴止。凡六十七穴。左右共計一百三十四穴。

膀胱經穴圖

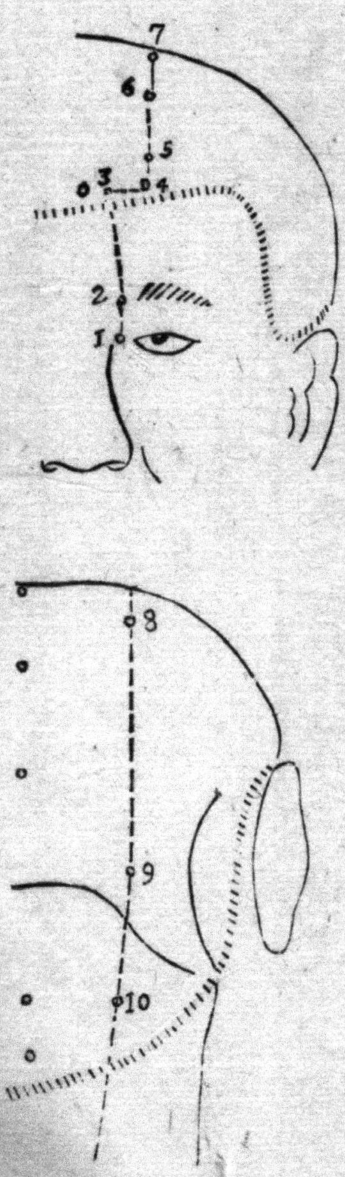

1 睛明　2 攢竹　3 眉冲　4 曲差　5 五處　6 承光　7 通天　8 絡却　9 玉枕　01 天柱

11大杼 12風門 13肺兪 14厥陰兪 15心兪 16督兪 17膈兪 18肝兪

19胆兪 20脾兪 21胃兪 22三焦兪 23腎兪 24氣海兪 25大腸兪 26關元兪

27小腸兪 28膀胱兪 29中膂兪 30白環兪 31上髎 32次髎 33中髎

34下髎

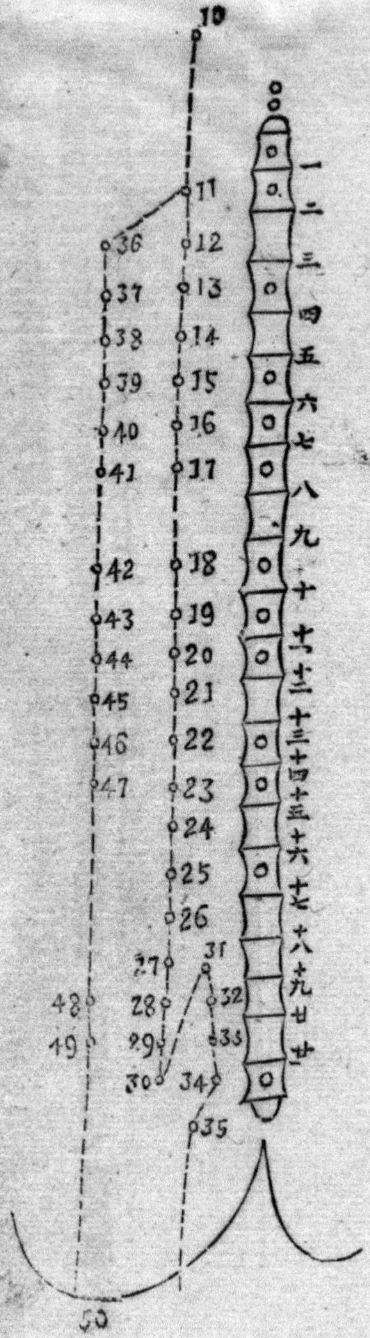

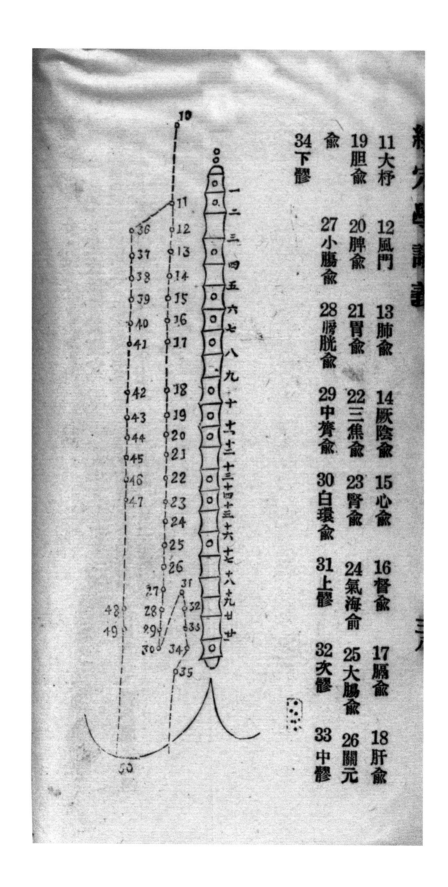

圖4.

35 會陽
36 附分
37 魄戶
38 膏肓俞
39 神堂
40 譩譆
41 膈關
42 魂門
43 陽綱
44 意舍
45 胃倉
46 肓門
47 志室
48 胞肓
49 秩邊
50 承扶
51 殷門
52 浮郄

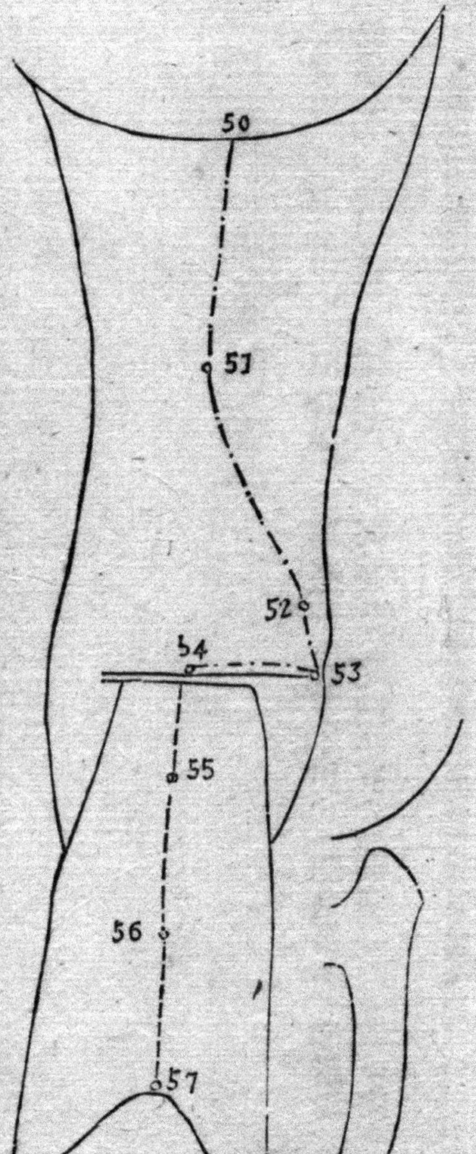

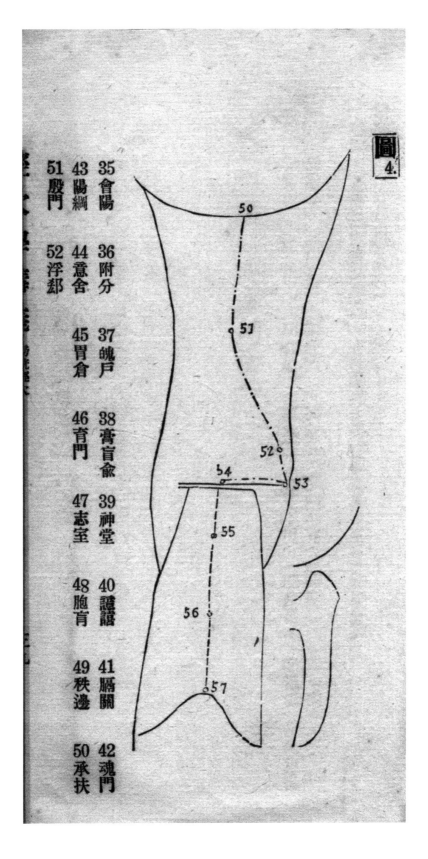

圖5.

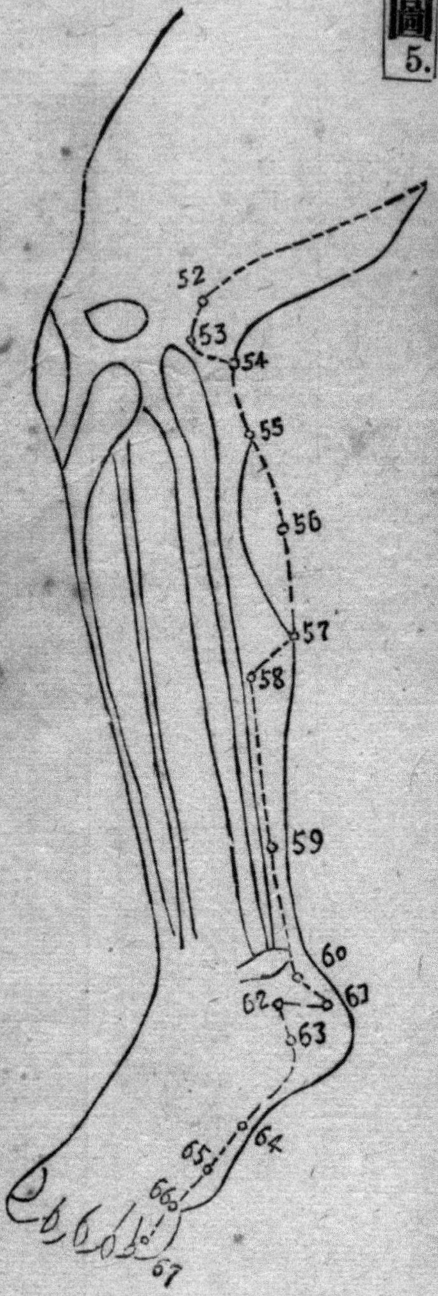

53委陽　54委中　55合陽　56承筋　57承山　58飛揚　59跗陽　90崑崙

61僕參　62申脈　63金門　64京骨　65束骨　66通谷　67至陰

一，睛明

解剖　爲前頭骨鼻上棘部。有鼻翼與上唇舉筋。鼻背動脈。滑車神經。

部位　在目內眥角內一分。宛宛中。

主治　目痛視不明。迎風流淚。胬肉攀睛・白翳眥癢・雀眼・頭痛目眩。」

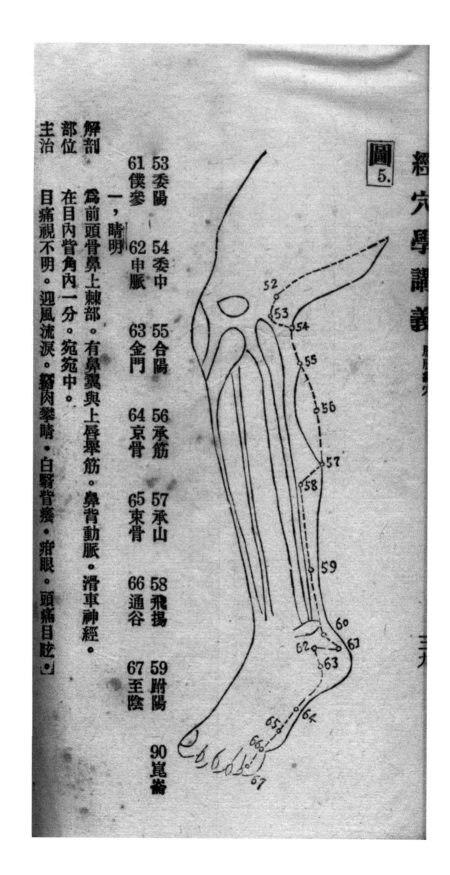

摘要　此穴爲手足太陽足陽明陰蹻陽蹻五脈之會。凡治雀目者可久留針而速出之。「百症賦」雀目肝氣。睛明行間而細推。「靈光賦」睛明治眼胬肉攀。「席弘賦」睛明治眼未效時。合谷光明安可缺。

取法　正坐合目。按取內眥角內約一分。鼻骨邊際取之

針灸　針一分半。不可灸。

二，攢竹

解剖　此處爲前頭骨部。有眉頭筋。前額動脈。

部位　在眉頭之陷凹中。

主治　目視䀮䀮。淚出目眩。瞳子癢。眼中赤痛。腮臉瞤動。不得臥煩熱面痛。

摘要　「玉龍歌」眉間疼痛苦難當。攢竹沿皮刺不妨。若是眼昏皆可治。更針頭維即安康。「通玄賦」腦昏目赤。瀉攢竹以偏宜「勝玉歌」目內紅腫苦皺眉。攢竹絲竹亦堪醫。「百症賦」目中漠漠。即尋攢竹三間。

取法　擠起眉部肌肉。從眉頭斜針入取之。

針灸　針一分至二分。禁灸。

三，眉沖

解剖　有前頭筋。前額動脈。顏面神經之顳顬枝。

部位　在攢竹直上髮際五分。

主治　頭痛目眩。目重鼻塞。不聞香臭。

取法　攢竹直上髮際五分取之。針頭向下。或向上取之。

針灸　鍼二分。灸二壯。

四，曲差

解剖　爲前頭額骨部。有前頭筋。前額動脈。顏面神經之顳顬枝。

部位　入髮際約五分。去神庭旁一寸五分。

主治　目不明。頭痛鼻塞。鼽衄臭涕。頂巔痛。心煩身熱汗不出。

取法　曲差外開一寸。針頭向下。或向上取之。

針灸　鍼二分。灸三壯。

五．五處

解剖　有前頭筋。前額動脈。額神經。

部位　在曲差後五分。上星旁一寸五分。

主治　脊强反折。瘈瘲癲疾。頭痛戴眼眩暈。目視不明。

取法　入髮際一寸。外開一寸五分取之。針頭向上或下。

針灸　鍼二三分。禁灸。

六，承光

解剖　為帽狀腱膜部有顱頂骨。顳顬神經。

部位　在五處後一寸五分。

主治　頭風風眩嘔吐心煩。鼻塞不利。目翳口喎。

取法　五處之後一寸五分取之。針尖向下。

針灸　鍼二三分。禁灸。

七，通天

解剖　為後頭筋之上部。有顱頂骨顳顬動脈。大後頭神經。

部位　在承光後一寸五分。

主治　頭旋項痛不能轉側。鼻塞。偏風口喎衄血。頭重耳鳴狂走。瘈瘲。恍惚。目青盲內障。

摘要　『百症賦』通天去鼻內無聞之苦。『千金』癭氣面腫。灸五十壯。

取法　承光後一寸五分取之。針頭向後面。

針灸　鍼三分。灸三壯。

八，絡却

解剖　此處為後頭骨部。有後頭筋。後頭動脈。大後神經。

經穴學講義

部位　在通天後一寸五分。
主治　頭旋。口喎鼻塞。項腫癭瘤。內障耳鳴。
取法　通天後一寸五分取之。針頭向後面。
針灸　鍼三分。灸三壯。

九，玉枕

解剖　有後頭筋。後頭動脈。大後頭神經。
部位　在絡却後。去腦戶傍一寸三分。
主治　目痛如脫。不能遠視。腦風頭項痛。鼻塞無聞。
摘要　『百症賦』顖會連於玉枕。頭風療以金鍼。
取法　通天後四寸微向內取之。針頭向下
針灸　鍼二三分。灸三壯

十，天柱

解剖　爲後頭骨項內側。有僧帽筋。有後頭動脈與神經。
部位　在項之後部髮際大筋外廉之陷凹中。去中行風府七分。
主治　頭旋腦痛。鼻塞淚出。項强肩背痛。足不任身。目瞑不欲視。
摘要　『百症賦』目覺䀮䀮。亟取養老天柱。『又』項强多惡風。束骨相連於天柱。

取法　大椎上四寸。風府穴旁七分取之。

針灸　針二分。灸三壯。

十一，大杼

解剖　有僧帽筋。大方稜筋。肩胛背側之動脈。脊髓神經之後枝。並第十二對神經。

部位　在第一椎之下。横開各一寸五分。（去脊）

主治　傷寒汗不出。腰脊項背强痛不得臥。喉痺煩滿。痎瘧頭痛。咳嗽身熱。目眩癲疾。筋攣瘛瘲。膝痛不可屈伸。

摘要　「席弘賦」大敦若連長强尋。小腸氣痛即行針。「勝玉歌」五瘧寒多熱更多。間使大杼眞妙穴。「肘後歌」風痺痿厥如何治。大杼曲泉眞是妙。

取法　正坐。從大椎下陶道穴去脊旁開一寸五分取之。

針灸　針三分。不宜灸。

十二，風門

解剖　有僧帽筋。背長筋。肩胛背神經。

部位　在第二椎下之旁一寸五分。大杼之下。

主治　傷寒頭痛項强：目瞑鼽嚏胸中熱。嘔逆上氣。喘臥不安。身熱黃疸。癰疽發背。

摘要　此穴能瀉一身熱氣。「神農經」傷風欬嗽頭痛。鼻流清涕。可灸十四壯。及治頭疼風眩鼻衄不止。

取法　正坐。從第二椎下去脊旁開一寸五分取之。

針灸　針五分。灸五壯。

十三，肺俞

解剖　有背長筋後上鋸筋。肩胛背神經。

部位　在第三椎之下。去脊旁一寸五分。風門之下。

主治　五勞傳尸骨蒸。肺風肺痿。咳嗽嘔吐。上氣喘滿。虛煩口乾。目眩支滿汗不出。腰脊强痛背傴如龜。寒熱癭氣黃疸。

摘要　此穴主瀉五臟之熱。「神農經」治欬嗽吐血。唾紅骨蒸。虛勞。可灸十四壯。「乾坤生意」同陶道身柱膏肓治五勞七傷虛損。「百症賦」欬嗽連聲。肺俞須臨天突穴。「玉龍歌」傷風不解嗽頻頻。久不醫時瘵便成。咳嗽須針肺俞穴。痰多宜向豐隆行。「勝玉歌」若是痰涎并咳嗽。治却須當灸肺俞。

取法　正坐。從第三椎下去脊旁開一寸五分取之。

針灸　針三分。灸三壯。至數十壯。

十四，厥陰俞

解剖　有背長筋後上鋸筋。

部位　在第四椎之下。去脊旁一寸五分。
主治　欬逆牙痛心痛結胸。嘔吐煩悶。
摘要　主治胸中膈氣、積聚好吐。
取法　正坐。從第四椎下。去脊旁開一寸五分取之。
針灸　針三分。灸七壯。

十五．心俞

解剖　有背長筋。後上鋸筋。
部位　在第五椎之下。各開一寸五分取之。
主治　偏風。半身不遂。食噎積結。寒熱心氣悶亂。煩滿恍惚」。心驚汗不出。中風偃臥不得。發癇悲泣。嘔吐欬血。發狂健忘。
摘要　此穴主瀉五臟之熱。「神農經」小兒氣不足者。數歲不能語。可灸五壯如麥粒。「勝玉歌」遺精白濁心俞治。「百症賦」風癇常發。神道還須心俞寧。「捷徑」治憂噎
取法　正坐。從第五椎下旁開一寸五分取之。
針灸　針三分。灸三壯。

十六，督俞

解剖　有背長筋。

部位　在第六椎之下。去脊一寸五分取之。

主治　寒熱心痛，腹痛雷鳴氣逆。

取法　正坐。從第六椎下旁開一寸五分取之。

針灸　針三分至五分深。灸三壯。

十七，膈俞

解剖　有背長筋。

部位　在第七椎之下去脊一寸五分取之。

主治　心痛周痺。膈胃寒痰。暴痛心滿。氣急吐食。翻胃痃癖。五積氣塊血塊。欬逆四肢腫痛。怠惰嗜臥。骨蒸喉痺。熱病汗不出。食不下。腹脇脹滿。

摘要　此穴血之會也。凡屬血病。均宜針之灸之。「千金」治吐逆翻胃灸百壯。

取法　正坐。從第七椎下去脊旁開一寸五分。取之。

針灸　針三分至五分。灸三壯。

十八，肝俞

解剖　有背長筋。

部位　在第九椎之下。去脊一寸五分取之

主治　氣短欬血。多怒脅肋滿悶。欬引兩脅。脊背急痛不得息。轉側難。反折上視。驚狂。鼽衄眩暈。痛循眉頭。黃疸鼻痠。熱病後目中出淚。眼目諸疾。熱痛生翳。或熱瘥後因食五辛患目。嘔血或疝氣。筋痙相引轉筋入腹。

摘要 此穴主瀉五臟之熱。「千金」胸滿心腹積聚疼痛。灸百壯。「又」氣短不語。灸百壯。「玉龍歌」肝家血少目昏花。宜補肝俞力便加。更把三里頻瀉動。還光益血自無差。「勝玉歌」肝血盛兮肝俞瀉。「標幽賦」取肝俞於命門。使瞽士視秋毫之末「百症賦」攀睛攻肝俞少澤之所。

取法 正坐。從第八椎下去脊旁開一寸五分取之。

針灸 針三分。灸三壯。

十九，胆俞

解剖 爲闊背筋部。有胸背動脈。

部位 在第十椎之下。去脊一寸五分。

主治 頭痛振寒。汗不出。腋下腫。心腹脹滿。口乾苦咽痛。嘔吐翻胃食不下。骨蒸勞熱。目黃胸脇不能轉側。

摘要 「百症賦」目黃兮。陽綱胆俞。「捷徑」胆俞膈俞可治勞噎。

取法 正坐。從十椎之下去脊旁開一寸五分取之。

針灸 針三分，灸三壯。

二十，脾俞

解剖　有濶背筋。胸背動脈。

部位　在第十一椎之下。去脊一寸五分。

主治　痃癖積聚脇下滿。痎瘧寒熱。黃疸腹脹痛。吐食不食。飲食不化。或食飲倍多。煩熱嗜臥。身體羸瘦。泄痢善欠體重。四肢不收。

摘要　此穴主瀉五臟之熱。「百症賦」聽宮脾俞祛殘心下之悲悽。「又」脾虛穀食不消。脾俞膀胱俞覓。「捷徑」治思噎食噎。「千金」治食不消化。洩痢。不作肌膚。脹滿水腫。灸隨年壯。

取法　正坐。從第十一椎之下去脊旁開一寸五分取之。

針灸　針三分。灸三壯。

二十一，胃俞

解剖　有闊背筋。

部位　在第十二椎之下去脊一寸五分。

主治　胃寒吐逆翻胃。霍亂腹脹支滿。肌膚羸瘦。腸鳴腹痛不嗜食。脊痛筋攣。小兒羸瘦。食少不生肌肉。小兒痢下赤白。秋末脫肛。肚疼不可忍。艾炷如大麥。

摘要　「百症賦」胃冷食不化。魂門胃俞堪責。

取法　正坐。從第十二椎之下去脊一寸五分取之。

針灸　針三分。灸三壯。

二十二，三焦兪

解剖　有關背筋。腰背筋膜。肋間動脈。脊椎神經之後枝。

部位　在第十三椎下去脊一寸五分。

主治　傷寒身熱。頭痛吐逆。肩背急。肩背强不得俛仰。藏府積聚脹滿。膈塞不通。飲食不化。羸瘦。水穀不分。腹痛下痢。腸鳴目眩。

摘要　『千金』少腹堅大如盤盂。胸腹脹滿。飲食不消。婦人癥聚。同氣海各灸百壯。

取法　正坐。從第十三椎下去脊旁開一寸五分取之。

針灸　針五分。灸三壯。

二十三，腎兪

解剖　有關背筋。腰背筋膜。長背筋。後下鋸筋。肋間動脈脊椎神經。

部位　在第十四椎下去脊一寸五分。

主治　虛勞羸瘦面目黃黑。耳聾腎虛。水臟久冷。腰痛夢遺。精滑精冷。膝脚拘急。身熱頭痛振寒。心腹膩脹。兩脇滿。痛引少腹。少氣溺血便濁。淫濼。赤白帶下。月經不調。陰中痛。五勞七傷、虛憊無力。足寒如冰。洞泄食不化。身腫如水。男女久積氣痛。變成癆疾。

摘要　此穴主瀉五臟之熱。「千金」夢遺失精。五臟虛勞。小腹强急。各灸百壯。「玉龍歌」腎敗腰虛小便頻。夜間起止苦勞神。命門若得金針助。腎兪艾灸起邅迍。「勝玉歌」腎敗腰疼小便頻。督脈兩旁腎兪治。「百症賦」胸膈停留瘀血。腎兪巨髎(當作闞淡安註)宜針。

取法　正坐。從第十四椎下去脊旁開一寸五分。適當臍眼平行線上取之。

針灸　針三分。灸三壯。

二十四，氣海兪

解剖　有長背筋。腰背筋膜。薦骨脊柱筋。

部位　在第十五椎之下。去脊一寸五分。

主治　腰痛痔漏。

取法　正坐從腎兪下一寸二分餘取之。

針灸　針三分。灸三壯。

二十五，大腸兪

解剖　有長背筋。腰背筋。薦骨脊柱筋。

部位　在第十六椎之下。去脊一寸五分。

主治　脊强不得俯仰。腰痛腹脹。繞臍切痛。腸鳴瀉痢。食不化。大小便不利。

摘要　『千金』脹滿雷鳴。灸百壯。『靈光賦』大小腸俞大小便。

取法　從腎俞下二寸五分餘，伏而取之。

針灸　針三分。灸三壯

二十六，關元俞

解剖　有長背筋。腰背筋。膜肋間動脈。薦骨神經之後枝。

部位　在十七椎之下。去脊一寸五分。

主治　風勞腰痛。泄痢虛脹。小便難。婦人癥瘕。

取法　從氣海俞下二寸五分餘。伏而取之。

針灸　針三分。灸三壯。

二十七，小腸俞

解剖　有腰背筋膜肋間動脈。薦骨神經枝。

部位　在薦骨上部(即十八椎之下)去脊一寸五分。

主治　膀胱三焦津液少。小便赤不利。淋瀝。遺尿。小腹脹滿。腹痛瀉痢濃血。脚腫心煩短氣。五痔疼痛。婦人帶下。

摘要　『千金』洩注。五痢。便膿血。腹痛。灸百壯。『靈光賦』大小腸俞大小便。

經穴學講義

取法　從腎俞下五寸餘。伏而取之。

針灸　針三分。灸三壯。

二十八，膀胱俞

解剖　有大臀筋。中臀筋。上臀動脈。上臀神經。

部位　在第十九椎下。去中行一寸五分。

主治　小便赤澀。遺尿洩痢。腰脊腹痛。陰瘡。脚膝寒無力。女子癥瘕。

摘要　『百症賦』脾虛穀食不消。脾俞膀胱愈覓。

取法　從腎俞下六寸三分。伏而取之。

針灸　針三分。灸三壯。

二十九，中膂俞

解剖　有大臀筋。上臀動脈。上臀神經。

部位　在第二十椎之下。去中行一寸五分。

主治　腎虛消渴。腰脊强痛不得俯仰。腸泄赤白痢。疝痛汗不出。脅腹脹腫。

摘要　『雜病穴法歌』痢疾合谷三里宜。甚者必須兼中膂。

取法　從腎俞下七寸六分。伏而取之。

針灸　針三分。灸三壯。

三十，白環兪

解剖　為尾閭骨部。有大臀筋。下臀動脈。陰部神經。下臀神經。

部位　在第二十一椎之下。去中行一寸五分。

主治　腰脊痛不得坐臥。疝痛。手足不仁。二便不利。溫瘧。筋攣痺縮。虛熱閉塞（大便）

摘要　『百症賦』背連腰痛。白環委中曾經。

取法　從尾閭骨旁開一寸五分。伏而取之。

針灸　針三分至五分。灸三壯。

三十一，上髎

解剖　是處有臀腰筋。肋間動脈。薦骨神經後枝。

部位　在第十八椎下。直小腸腧。去中行一寸。

主治　大小便不利。嘔逆。腰膝冷痛。寒熱瘧。鼻衄婦人絕嗣。陰中癢痛。陰挺出。赤白帶下。

取法　按取十八椎旁約寸餘。與小腸兪平之陷孔中。伏而取之。

針灸　針三分至八分。灸三壯。

三十二，次髎

解剖　有臀筋與中臀筋。上臀動脈。上臀神經。

經穴學講義 膀胱經穴

部位　在第十九椎下。直膀胱俞。去中行一寸少。

主治　大小便淋赤不利。心下堅脹。腰痛足腫。疝氣下墜。引陰痛不可忍。腸鳴洩瀉。赤白帶下。

取法　如上式。在上髎下寸餘。與膀胱俞平之第二陷孔中。

針灸　針三分。灸三壯。

三十三，中髎

解剖　有大臀筋。上臀動脈。上臀神經。

部位　在二十椎之下。直中膂俞。去中行一寸少。

主治　五勞七傷。二便不利。腹脹飧泄。婦人少子。白帶月經不調。

取法　如上式。按取第三陷孔中。伏而取之。此穴與中膂俞平。

針灸　針三分。灸三壯。

三十四，下髎

解部　有大臀筋。下臀動脈。陰部神經。下臀神經。

部位　在第二十一椎之下。俠骨脊陷中。

主治　腸鳴泄瀉。二便不利。下血。腰痛引小腹急痛。女子淋濁不禁。

摘要　「百症賦」溼寒溼熱下髎定。

取法　如上式。在中髎下寸餘近脊之昭孔中伏而取之。與白環俞平。

針灸　針三分。灸三壯。

三十五、會陽

解剖　有大臂筋。下臂動脈。陰部神經。下臂神經。

部位　在尾閭骨下部之旁側昭中。

主治　腹中寒。氣泄瀉。腸澼便血久痔。陽氣虛乏陰汗溼癢。

取法　按取尾閭骨脊旁開一寸部位。伏而取之。

針灸　針三分。灸三壯。

三十六　附分

解剖　有僧帽筋。後上鋸筋。小方陵筋。橫頸動脈。副神經。脊椎神經後枝、肩胛背神經。

部位　在第二椎之下去脊三寸。

主治　肘肩不仁肩背拘急。風客腠理。頸痛不得回顧。

取法　正坐、從風門穴旁開一寸五分取之。

針灸　針三分。灸三壯。

三十七、魄戶

解剖　有僧帽筋。大方陵筋。肩胛背神經。
部位　在第三椎下去脊三寸。
主治　虛勞肺痿。肩膊胸背痛。三尸走注。項强喘逆。煩滿嘔吐。
摘要　此穴主瀉五臟之熱。『神農經』。治虛勞發熱。灸十四壯。『百症賦』癆瘵傳尸取魄戶膏肓之路。『標幽賦』體熱勞嗽而瀉魄戶。
取法　正坐。從肺俞穴旁開一寸五分取之。
針灸　針三分至五分。灸五壯。

三十八，膏肓俞

解剖　有僧帽筋。大方陵筋。脊椎神經後技。肩胛背神經。
部位　在四椎下。五椎上。去脊中三寸。
主治　百病皆療。虛羸瘦損。五勞七傷。夢遺失精。上氣欬逆。痰火發狂。健忘。
摘要　「百症賦」勞瘵傳尸取膏肓之路。『靈光賦』膏肓穴灸治百病。『乾坤生意』膏肓陶道身柱肺俞爲治虛損五勞七傷緊要之穴。
取法　正坐。從厥陰俞旁開一五分取之。
針灸　針三分。灸三壯。

三十九，神堂

解剖　有僧帽筋。脊椎神經後枝。肩胛背神經。
部位　在第五椎下去脊三寸。
主治　腰脊強痛。不可俯仰。灑洒惡寒。胸腹滿逆。時噎。
取法　正坐從神道旁一寸五分取之。
針灸　針三分。灸三分。

四十，譩譆

解剖　有僧帽筋。脊椎神經後枝。肩胛背神經。
部位　在第六椎之下。去脊三寸。
主治　大風熱病汗不出。勞損不得臥。溫瘧久不愈。胸腹脹悶氣噎。肩背脇肋痛急。目痛·欬逆鼻衄。
摘要　『千金』多汗。瘧病。灸五十壯。
取法　正坐。從督俞穴旁開一寸五分取之。
針灸　針六分。灸五壯。

四十一，膈關

解剖　有僧帽筋。脊椎神經枝。
部位　在第七椎下。去脊三寸。

主治　背痛惡寒。脊强嘔吐。飲食不下。胸中噎悶。大小便不利。

摘要　此穴亦血會。治諸血病。

取法　正坐。從膈俞旁開一寸五分取之。

針灸　針五分。灸五壯。

四十二，魂門

解剖　有關背筋。胸背動脈。肩胛下神經。

部位　在第九椎下。去脊三寸。

主治　尸厥。胸背連心痛。食不下。腹中雷鳴。大便不節。小便黃赤。

摘要　此穴主瀉五臟之熱。「百症賦」胃冷食而難化。魂門胃俞堪責。「標幽賦」筋攣背痛。而補魂門。

取法　正坐從肝俞旁開一寸五分取之。

針灸　針五分。灸三壯。

四十三，陽綱

解剖　有關背筋胸背動脈。脊椎神經。

部位　在第十椎下。去脊三寸。

主治　腸鳴腹痛。食不下。小便澀。身熱消渴。目黃腹脹泄瀉。

要摘「百症賦」目黃兮。陽綱胆俞。

取法　正坐。從胆俞旁開一寸五分取之。

針灸　針五分。灸五壯。

四十四，意舍

解剖　有闊背筋。胸背動脈。脊椎神經。

部位　在十一椎下去脊三寸。

主治　背痛腹脹。大便泄。小便黃。嘔吐。惡風寒。飲食不下，消渴目黃。

摘要　此穴主瀉五臟之熱。「百症賦」胸滿更加噎塞。中府意舍所行。

取法　正坐。從脾俞旁開一寸分取之。

針灸　針五分。灸七壯。

四十五，胃倉

解剖　有胸背動脈。脊椎神經。

部位　在第十二椎下。去脊三寸。

主部　腹滿水腫。食不下惡寒。背脊痛不可俯仰。

取法　正坐。從胃俞旁開一寸五分取之。

針灸　針五分。灸五壯。

經穴學講義

四十六，肓門

解剖　有關背筋。方形腰筋。肋間動脈。肩胛下神經。脊髓神經。

部位　在第十三椎下去脊三寸。

主治　心下痛。大便堅。婦人乳痛。

取法　正坐。從三焦俞旁開一寸五分取之。

針灸　針五分。灸五壯。

四十七，志室

解剖　有關背筋。方形腰筋。肋間動脈。肩胛下神經。脊髓神經。

部位　在第十四椎下。去脊三寸。

主治　陰腫陰痛。失精。小便淋瀝。脊背强。腰脇痛。腹中堅滿。霍亂吐逆不食。大便難。

取法　正坐從腎俞旁開一寸五分取之。

針灸　針五分灸三壯。

四十八．胞肓

解剖　即腸骨部。有大臀筋。中臀筋。上臀動脈。下臀神經。

部位　在第十九椎下。去脊三寸。

主治　腰脊痛。惡寒。小腹堅。腸鳴大小便不利。
取法　正坐。從膀胱俞旁開一寸五分。伏而取之。
針灸　針五分。灸七壯。

四十九．秩邊

解剖　有大臀筋。中臀筋。上臀動脈。下臀神經。
部位　在二十椎下。去脊三寸。
主治　腰痛。五痔。小便赤澀。
取法　正坐。從中膂俞。旁開一寸五分。伏而取之。
針灸　針五分。灸三壯。

五十，承扶

解剖　大臀筋之下部。大肉轉股筋之間。有坐骨動脈。下臀神經。
部位　在臀部高肉下垂之橫紋中。
主治　腰脊相引如解。久痔臀腫。大便難。胞寒。小便不利。
取法　直立從臀肉下垂之橫紋中央取之。
針灸　針五分。不宜灸。

五十一，殷門

解剖　爲二頭股筋部。有股動脈。坐骨神經。
部位　在承扶下六寸
主治　腰脊不可俯仰。惡血流注。外股腫。
取法　直立。從承扶直下六寸取之。
針灸　針五分。不宜灸。

仝上

五十二、浮郄
解剖　爲二頭股筋腱部。有膝膕動脈。坐骨神經。
部位　在殷門下斜向外。委陽上一寸。
主治　霍亂轉筋。小腹膀胱熱。大腸結。股外急筋。髀樞不仁。
取法　先定委陽。從委陽上一寸取之。
針灸　針五分。灸三壯。

五十三、委陽
解剖　在膝膕窩之外側。二頭股筋腱之間。有膝膕動脈。腓骨神經。
部位　由委中向外之兩筋間。去承扶一尺二寸。
主治　腰脊腋下腫痛不可俯仰。引陰中不得小便。胸滿身熱　瘈瘲癲疾。小腹滿。飛尸遁注。痿厥不仁。

摘要 此穴爲足太陽之別絡。『百症賦』委陽天池。腋腫針而速散。

取法 正坐垂足。當膝膕外側筋外陷中取之。

針灸 針七分。灸三壯。

五十四，委中

解剖 有膝膕動靜脈。脛骨神經。

部位 當膝膕窩之正中。

主治 大風眉髮脫落。太陽瘧從背起。先寒後熱熇熇然汗出難已。頭重。轉筋腰脊背痛半身不遂。遺溺。小腹堅。髀樞風痛。膝痛。足軟無力。

摘要 此穴爲足太陽脈之所入爲合土。主瀉四肢之熱。委中者。血郄也。凡熱病汗不出。小便難。衄血不止。脊强反折。瘈瘲癲疾。足熱厥逆。不得屈伸。取其經出血立愈。『太乙歌』虛汗盜汗補委中。『玉龍歌』環跳能除腿股風。居髎二穴亦相同。委中毒血更出盡。愈見醫科神聖功『又』强痛脊背瀉人中。挫閃腰酸亦堪攻。更有委中之一穴。腰間諸疾任君攻。『百症賦』背連腰痛。白環委中曾經『勝玉歌』委中驅療脚風纏。『千金』委中崑崙治腰相連。『四總穴』腰背委中求。『馬丹陽十二訣』腰痛不能舉。沉沉引脊梁。酸疼筋莫轉。風痺復無常。膝頭難伸屈。針入即安康。『肘後歌』腰軟如何去得根。神妙委中立見效。『雜病穴法歌』腰痛環跳委中求。若連背痛崑崙試。

取法　正坐垂足。按取膝膕之正中取之。

針灸　針一寸五分。禁灸。

五十五，合陽

解剖　有腓腸筋。環行後脛骨動脈。脛骨神經。

部位　委中下二寸。

主治　腰脊强引腹痛。陰股熱。胻酸腫。寒疝偏墜。女子崩帶不止。

摘要　『百症賦』女子少氣漏血。不無交信合陽。

取法　正坐垂足。於委中下二寸取之。

針灸　針五分。灸五壯

五十六，承筋

解剖　有腓腸筋。環行後脛骨動脈。脛骨神經。

部位　在合陽與承山之中間。即腨腸之中央。

主治　寒痺腰背拘急。腋腫大便閉。五痔腨痠。腳跟痛引少腹。轉筋霍亂鼽衄。

摘要　霍亂轉筋。灸五十壯。

取法　正坐垂足。從腨腸之中央取之。

針灸　灸三壯。禁針。

五十七，承山

解剖　有腓腸筋，脛骨動脈。脛骨神經。

部位　在委中下八寸　腨肉之間。

主治　頭熱鼻衄。寒熱癲疾。疝氣腹痛。痔腫便血。腰背痛。膝腫脛痠。痞痛。霍亂轉筋。戰慄不能行立。

摘要　「千金」灸轉筋隨年壯神驗「玉龍歌」九般痔漏最傷人。必刺承山效若神。更有長强一穴刺。呻吟大痛穴爲貫。「勝玉歌」兩股轉筋承山刺「席弘賦」陰陵泉治心胸滿。針到承山飲食思。「又」轉筋目眩針魚際。承山崑崙立便消。「百證賦」針長强於承山。善治腸風新下血『靈光賦』承山轉筋并久痔。『天星祕訣』脚若轉筋并眼花。先針承山次內踝。『又』胸膈痞滿先陰交。針到承山飲食美。『馬丹陽十二訣』善治腰疼痛』。痔疾大便難。脚氣并膝腫。轉輾戰疼痠。霍亂及轉筋。穴中刺便安。『肘後歌』五痔原因熱血作。承山針下病無踪。『又』打撲傷損破傷風。須於痛處下針攻。又向承山立作效。『雜病穴法歌』心胸痞滿陰陵泉。鍼到承山飲食美。脚若轉筋並眼花。然谷承山法自古。

取法　以足尖着地。兩手按壁上。於腨腸下人字紋下取之。

針灸　鍼七分。灸五壯。

五十八·飛揚

經穴學講義

解剖　有脛骨動脈。脛骨神經。

部位　在外踝上七寸。骨後廉。

主治　痔痛不得起坐。脚痠腫不能立。歷節風不得屈伸。癲疾寒瘧。頭暈目眩。逆氣。

摘要　『百症賦』目眩兮。支正飛揚。

取法　正坐垂足。從外踝後直上七寸取之。

針灸　鍼三分灸三壯。

五十九，跗陽

解剖　有長腓筋。前腓骨動脈。淺腓骨神經。

部位　在外踝上三寸。

主治　霍亂轉筋。腰痛不能立。髀樞股胻痛。痿厥風痺不仁。頭重頻痛。時有寒熱。四肢不舉屈伸不能。

取法　正坐垂足。從外踝後直上三寸取之。

針灸　鍼三分。灸三壯。

六十，崑崙

解剖　此處爲長腓骨筋腱。有後腓骨動脈。脛骨神經。

部位　足外踝後五分。跟骨上陷中。

主治　腰尻脚氣。足踝腫痛。不能步立。頭痛鼽衄肩背拘急。咳喘目眩。陰腫痛產難。胞衣不下。小兒發癇瘈瘲。

摘要　此穴爲足太陽之脈所行爲經火「玉龍歌」紅腫腿足草鞋風。須把崑崙兩穴攻。申脈太谿如再刺。神醫妙訣起疲癃「靈光賦」住喘脚氣崐崙愈。「席弘賦」轉筋目眩針魚腹。承山崑崙立便消「千金」治瘧多汗。腰痛不能俯仰。目如脫項似拔。崐崙主之「又」胞衣不出。針入四分。「捷徑」治偏風『馬丹陽十二訣』轉筋腰尻痛暴喘滿中心。舉步行不得。一動即呻吟。若欲求安樂。須於此穴針。『肘後歌』脚膝經年痛不休。內外踝邊用意求。穴號崐崙并呂細『雜病穴法歌』腰痛環跳委中求。若連背痛崑崙試。

取法　正坐垂足。在外踝後取之。

針灸　針三分。灸三壯。孕婦禁鍼。

六十一，僕參

解剖　當外踝之下。有腓骨動脈。脛骨神經

部位　在崑崙直下。

主治　腰痛足痿不收。足跟痛。霍亂轉筋。吐逆膝痛

摘要　『靈光賦』後跟痛在僕參求。『雜病穴法歌』兩足痠麻補太谿。僕參內庭盤根楚。

取法　正坐垂足。從崑崙直下一寸五分。跟骨下陷中取之。

針灸　鍼三分不宜灸。

六十二，申脈

解剖　爲跟骨上部。有脛骨神經、腓骨動脈。

部位　在外踝下五分陷中。

主治　風眩癲疾。腰脚痛。膝胻寒痠不能坐立。如在舟車中。氣逆腿足不能屈伸。婦人氣血痛。腓部紅腫。

摘要　此穴爲陽蹻脈之所生。『神農經』治腰痛灸五壯。『玉龍歌』紅腫腿足草鞋風。須把崑崙二穴攻。申脈太谿如再刺。神醫妙訣起疲癃。『標幽賦』頭風頭痛。鍼申脈與金門。『瀾江賦』申脈能治寒與熱。頭痛偏正及心驚。耳鳴鼻衄胸中滿。但遇痲木虛即補。如逢疼痛瀉而迎。『靈光賦』陰蹻陽蹻兩踝邊。脚氣四穴先尋取。陰陽陵泉亦主之。『又』陰蹻陽蹻與三里。諸穴一般治脚氣。在腰玄機宜正取。『雜病穴法歌』頭風目眩項捩強。申脈金門手三里。『又』脚膝諸痛羨行間。三里申脈金門侈。

取法　外踝直下約四分之部陷中取之。

針灸　鍼三分。不宜灸。

六十三，金門

解剖　爲短總趾伸筋部。有腓骨動脈。脛骨神經。

部位　在申脈之前一寸少。骨下陷中。

主治　霍亂轉筋。尸厥。癲癎。疝氣。膝胻痠不能立。小兒張口搖頭。身反折。

摘要　此穴爲足太陽郄。『百症賦』轉筋兮。金門邱墟來醫『標幽賦』頭風頭痛。鍼申脈與金門『雜病穴法歌』頭風目眩項掁強。申脈金門手三里。「又」耳聾臨泣與金門。合谷鍼後聽人語。『又』脚氣諸痛羨行間。三里申脈金門侈。『肘後歌』瘧疾連日發不休。金門刺深七分是。

取法　從外踝之前方。即申脈穴之前方五分。灣形陷中。取之。

針灸　鍼三分。灸三壯。

六十四，京骨

解剖　爲小趾第一趾節骨之後部。即短腓筋腱部。有骨間背動脈。外小趾背神經。

部位　在足外側大骨下。赤白肉際。

主治　腰脊痛如折。髀不可曲。項强不能回顧。筋攣善驚。痎瘧寒熱。目眩內眥赤爛。頭痛鼽衄。癲病狂走。

摘要　此穴爲足太陽之脉所過爲原穴。

針灸　針三分。灸三壯。

六十五，束骨

經穴學講義

解剖　爲長總趾伸筋附着之部。有小趾背神經。骨間背動脈。

部位　在小趾外側。

主治　膓癖泄瀉。瘧痔癲癇。發背癰疔。頭痛目眩。內眥赤痛。耳聾腰膝痛。項强不可回顧。

摘要　此穴爲足太陽脉之所注爲俞木。『秦承祖』治風熱胎赤。兩目眥爛。『百症賦』項强多惡風。束骨相連於天柱。

取法　小趾本節後陷中取之。

針灸　鍼三分。灸三壯。

六十六，通谷

解剖　有長總趾伸筋附着部。外小趾背神經。

部位　在小趾本節前陷中。

主治　頭痛目眩項痛。鼽衄善驚。目矓䀮。留飲。食不化。

摘要　此穴爲足太陽脉之所流爲滎水。東垣曰胃氣不留。五臟氣亂。在於頭。取天柱大杼。不足深取通谷束骨。

取法　小趾本節前陷中取之。

針灸　鍼三分。灸三壯

六十七·至陰

解剖 有外小趾背神經。骨間背動脈。

部位 在足小趾端外側。去爪甲角如韮葉。

主治 風寒頭重。鼻塞目痛生翳。胸脇痛。轉筋寒瘧。汗不出。煩心足下熱。小便不利。

摘要 此穴爲足太陽之脉所出爲井金。『百症賦』至陰屋翳。療癢疾之疼多。『席弘賦』脚膝腫時尋至陰。『註』婦人横產手先出。諸符藥不效。爲灸右脚小指尖三壯。炷如小麥。下火立產。『肘後歌』頭面之疾鍼至陰。

取法 小趾外側端爪甲角分許取之。

針灸 針一分。灸三壯。

足少陰腎經穴

本經自足心湧泉起。斜上內踝之後。折而至踝骨之下。復循脛骨之後而上。過膝之內側。上行入腹，抵臍旁而上膈入胸。至俞府穴止。凡二十七穴。左右共計五十四穴。

1 湧泉	2 然谷	3 太谿	4 大鍾	5 水泉	6 照海	7 交信	8 復溜
9 築賓	10 陰谷	11 橫骨	12 大赫	13 氣穴	14 四滿	15 中注	16 肓俞
17 商曲	18 石關	19 陰都	20 通谷	21 幽門	22 步廊		

腎經穴圖

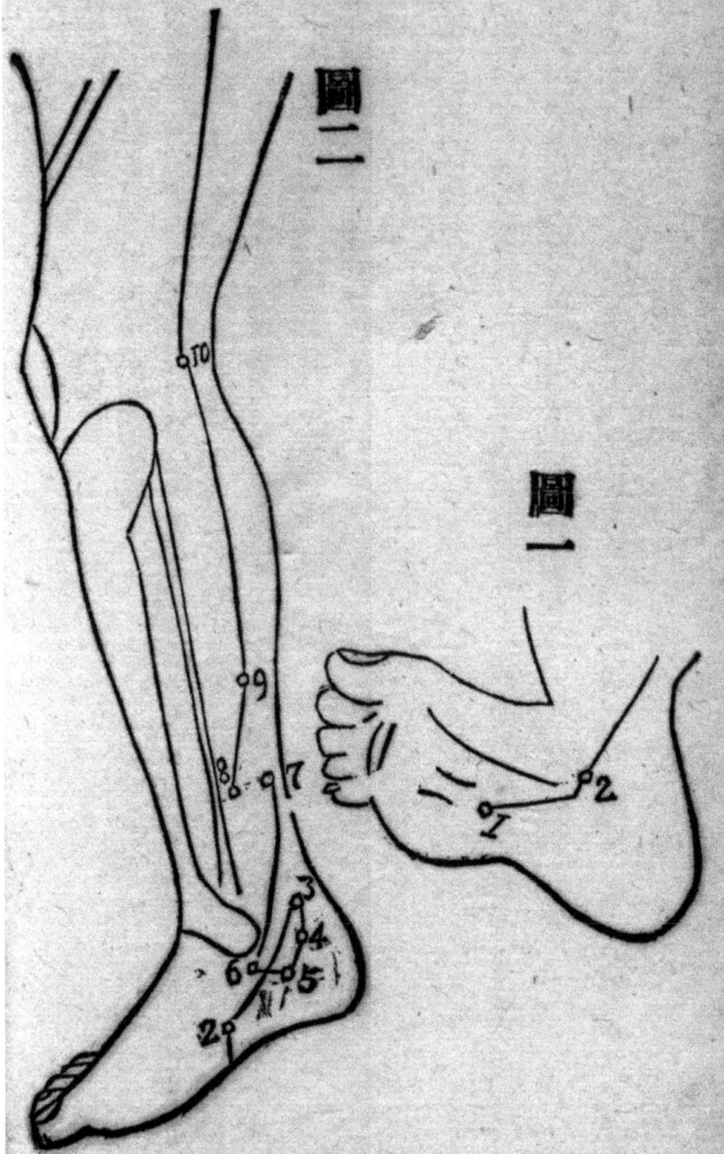

圖三

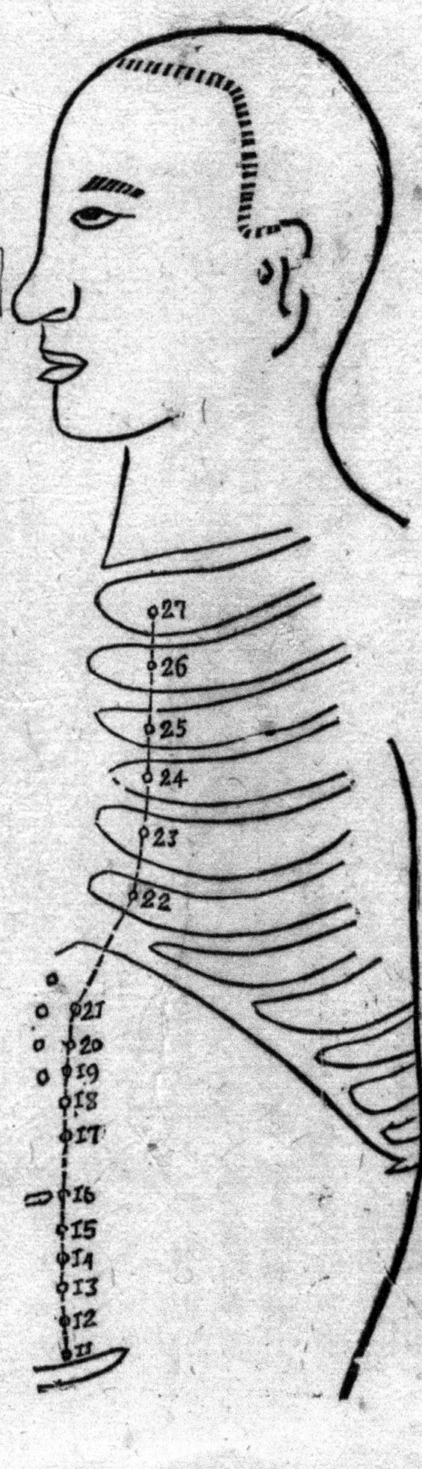

一，湧泉

解剖　爲轉拇筋部。有內足蹠動脈。內足蹠神經。

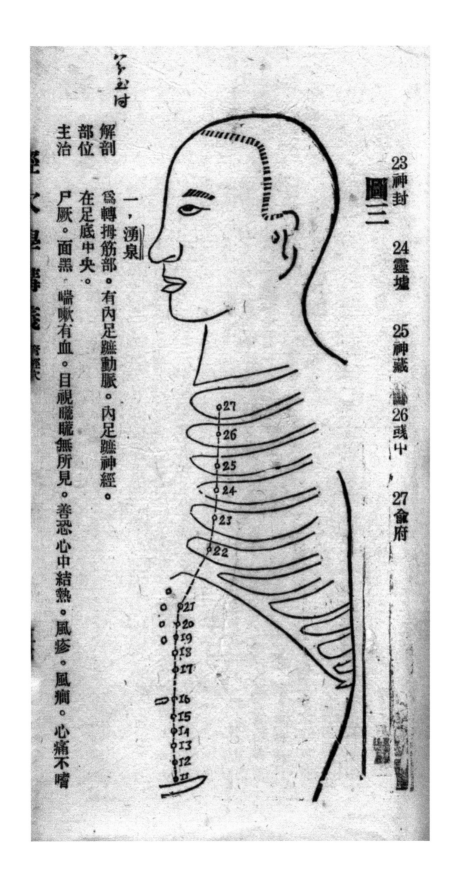

部位　在足底中央。

主治　尸厥。面黑。喘嗽有血。目視䀮䀮無所見。善恐心中結熱。風疹。風癇。心痛不嗜食。男子如蠱。女子如娠。咳嗽氣短身熱。喉痺目眩。頸痛胸脅滿。小便痛。腸癖泄瀉。霍亂轉胞不得尿。腰痛大便難。轉筋足脛寒痛。腎積奔豚。熱厥。五趾盡痛。足不踐地。

摘要　此穴爲足少陰脈之所出爲井木。足下熱喘滿。淳於意曰此熱厥也。針足心立愈『玉龍歌』傳尸癆病最難醫。湧泉出血免災危「席弘賦」鳩尾能治五般癇。若下湧泉人不死。『又』小腸氣結連臍痛。速瀉陰交莫再遲。良久湧泉針取氣。此中玄妙人少知『百症賦』厥寒厥熱湧泉清。「又」行間湧泉。去消渴之腎竭。『通玄賦』胸結身黃。取湧泉而即可。『靈光賦』足掌下去尋湧泉。此法千金莫忘傳。此穴多治婦人疾。男蠱女孕兩病痊。『天星祕訣』如是小腸連臍痛。先刺陰陵後湧泉。『雜病穴法歌』勞宮能治五般癇。更刺湧泉疾若挑。『又』小兒驚風刺少商。人中湧泉瀉莫深。『肘後歌』頂心頭痛眼不開。湧泉下針足安泰。『又』傷寒痞氣結胸中。兩目昏黃汗不通。湧泉妙穴三分許。速使遍身汗自通。

取法　足底去根。在足掌部之中央。試以足趾踡屈。於掌之中央發現凹陷形。穴即於此中取之。

針灸　針三分。灸三壯。

二，然谷

解剖　為長屈拇筋之附着部・有脛骨神經。

部位　在內踝前之高骨下・

主治　喘呼煩滿。欬血。喉痺。消渴。舌縱。心恐。少氣涎出。小腹脹。痿厥。寒疝。足跗腫。胻痠。足一寒一熱。不能久立。男子遺精。婦人陰挺出・月經不調不孕。初生小兒臍風撮口。痿厥洞泄。

摘要　此穴為足少陰脈之所流為滎水。主瀉腎藏之熱。『百症賦』臍風須然谷而易醒。『雜病穴法歌』脚若轉筋眼發花。然谷承山法自古。『註』然谷出血。能使立飢。

取法　足內踝之前下方。即足踝前高骨之下。當公孫穴後一寸位。取之。

針灸　針三分。灸三壯。

三，太谿

与崑崙相对

解剖　為長總趾屈筋腱部。有後脛骨動脈。脛骨神經。

部位　在內踝後五分

主治　熱病汗不出。傷寒手足逆冷。嗜臥。欬嗽咽腫。衄血。唾血。溺赤消癉。大便難。久瘧。欬逆煩心不眠。脈沉手足寒。嘔吐不嗜食。善噫腹疼瘠瘦。寒疝痃癖。

摘要　此穴為足少陰脈之所注為俞土。『神農經』牙疼紅腫者瀉之。『又』陰股內溼癢生瘡。便毒。先補而後瀉之。『又』腎瘧。嘔吐多寒。閉戶而處。其病難已。太谿大鍾主之

八分

。「又」腰脊痛。大便難。手足寒。針太谿與委中與大鍾。「玉龍歌」紅腫腿足草鞋風。須把崑崙兩穴攻。申脈太谿如再刺。神醫妙訣起疲癃。「百證歌」寒瘧兮商陽太谿驗。「雜病穴法歌」兩足痠麻補太谿。僕參內庭盤根楚。

取法 適當內踝後陷中取之。

針灸 針三分。灸三壯。

四．大鍾

解剖 有長總趾屈筋腱。脛骨神經。

部位 在足跟後踵中。

主治 氣逆煩悶。小便淋閉。洒洒腰脊强痛。大便秘澀。嗜臥。口中熱。虛則嘔逆多寒。」欲閉戶而處。少氣不足。胸脹喘息。舌乾。食噎不得下。善驚恐不樂。喉中鳴。欬吐血。

摘要 此穴為足少陰絡。別走太陽。「百症賦」倦言嗜臥。往通里大鍾而明。「標幽賦」大鐘治心內之癡呆。

取法 從太谿下五分取之。

針灸 針三分。灸三壯。

五，水泉

解剖　爲長總趾屈筋腱部。有後脛骨動脈。及脛骨神經。

部位　在內踝後。太谿下一寸。

主治　目䀮䀮不能遠視。女子月事不來。來即多。心下悶痛。小腹痛。小便淋。陰挺出。

摘要　此穴爲足少陰郄。『百症賦』月潮違限。天樞水泉須詳。

取法　從太谿之下向前寸餘。當跟骨之內側陷中取之。

針灸　針四分。灸四壯。

六，照海

解剖　爲外轉拇筋之上部。有後脛骨動脈。脛骨神經。

部位　在內踝下四分。

主治　咽乾嘔吐。四肢懈惰。嗜臥。善悲不樂。大風偏枯。半身不遂。久瘧。卒疝腹中氣痛。小腹淋痛。陰挺出。月水不調。

摘要　此穴爲陰蹻脈所出。「玉龍歌」大便秘結不能通。照海分明在足中。更把支溝來瀉動。方知妙穴有神功。『神農經』治月事不行。可灸七壯。『蘭江賦』噤口喉風針照海。『雜病穴法歌』胞衣照海內關尋。『百症賦』大敦照海患寒疝而善蠲。「席弘賦」若是七疝小腹痛。照海陰交曲泉針。『通玄賦』四肢之懈惰。憑照海以消除。

取法　坐穩。足底相對。於內踝骨下陷中取之。

經穴學講義

針灸　針三分。灸七壯。

七，交信

解剖　爲長總趾屈筋部。有後脛骨動脈。脛骨神經。

部位　在內踝上二寸。與復溜並立。在復溜之後。三陰交下一寸之微後。

主治　五淋㿉疝陰急。股膕內廉引痛。瀉痢赤白。大小便難。女子漏血不止。陰挺月事不調。小腹痛盜汗。

摘要　此穴爲陰蹻脈之郄。「百症賦」女子少氣漏血。不無交信合陽。「肘後歌」腰膝强痛交信憑。

取法　先取復溜然後向後開三分取之。

八，復溜

解剖　爲後脛骨部。有後脛骨動脈。脛骨神經。

部位　在內踝上二寸。

主治　腸澼痔疾腰脊內引痛不得俯仰。善怒多懈。舌乾。涎出。足痿胻寒不得履。目視䀮䀮。腸鳴腹痛。四支腫。十種水病。五淋。盜汗。齒齲脈微細。

摘要　此穴爲足少陰之脈所行爲經金。「神農經」治盜汗不收。面色痿黃。灸七壯。「玉龍歌」傷寒無汗瀉復溜。「雜病穴法歌」水腫水分與復溜。「勝玉歌」脚氣復溜不須疑。「肘後歌」

瘧疾寒多熱少取復溜。「又」傷寒四支厥逆冷。復溜二寸順骨行。「又」自汗發黃復溜憑「席弘賦」復溜氣滯便離腰。復溜治腫如神醫。

取法　正坐垂足。從太谿直上二寸取之。

針灸　針三分。灸五壯。

九，築賓

解剖　爲腓腸筋部。分布後脛骨動脈。脛骨神經。

部位　在內踝上五寸。

主治　小兒胎疝。癲疾吐舌。發狂罵詈。腹痛嘔吐涎沫。足腨痛。「註」此穴爲陰維之郄。

取法　正坐垂足。從太谿直上五寸。直對陰谷取之。

針灸　針三分。灸五壯。

十，陰谷

解剖　爲大股筋連附之部。有關節動脈與股神經。

部位　在膝內輔骨之後。

主治　舌縱涎下。腹脹煩滿。溺難。小腹疝急引陰。陰股內廉痛。爲痿爲痺。膝痛不可屈伸。女人漏下不止。少妊。

摘要　此穴爲足少陰脈之所入爲合水。「通玄賦」陰谷治腹臍痛。「太乙歌」利小便。消水腫。

陰谷水分與三里。「百症賦」中邪霍亂。尋陰谷三里之程。

取法　正坐垂足。從膕內橫紋端。小筋與大筋之中央。兩筋之間陷中取之。

針灸　針四分。灸三壯。

十一，橫骨

解剖　有腸骨下腹神經。三稜腹筋。

部位　在大赫下一寸。去中行五分。

主治　五淋小便不通。陰器下縱引痛。小腹滿。目眥赤痛。五臟虛。

摘要　此穴爲足少陰衝脈之會。「百症賦」肓俞橫骨。瀉五淋之久積『席弘賦』氣滯腰疼不能立。橫骨大都宜救急。

取法　仰臥從肓俞之直下五寸。曲骨旁五分取之。

針灸　針三分。灸三壯。

十二，大赫

解剖　有三稜腹筋。腸骨下腹神經。

部位　在氣穴下一寸。去中行五分。

主治　虛勞失精。陰萎下縮。莖中痛。目赤痛。女子赤帶。

取法　仰臥。橫骨上一寸取之。

針灸　針三分。灸五壯。

十三，氣穴

解剖　有膓骨下腹神經。直腹筋。

部位　在四滿下一寸。去中行五分。

主治　奔豚痛引腰脊。瀉痢。經不調。

取法　仰臥。橫骨上二寸取之。

針灸　針三分。灸五壯。

十四，四滿

解剖　有直腹筋。下腹動脈。

部位　在中注下一寸。去中行五分。

主治　積聚疝瘕膓癖。切痛。石水。奔豚。臍下痛。女人月經不調。惡血腹痛無子。

取法　仰臥。橫骨上三寸。肓俞下二寸取之。

針灸　針三分。灸三壯。

十五，中注

解剖　有直腹筋。下腹動脈。

部位　在肓俞下一寸。去中行五分。

主治　小腹熱。大便堅燥。腰脊痛。目眥痛。女子月事不調。

取法　仰臥。從肓兪下一寸取之。

針灸　針五分。灸五壯。

十六，肓兪

解剖　有下腹動脈。直腹筋。

部位　去臍旁五分。

主治　腹痛寒疝。大便燥。目赤痛從內眥始。

摘要　「百症賦」肓兪橫骨。瀉五淋之久積。

取法　仰臥。臍心旁五分取之。

針灸　針五分。灸五壯。

十七，商曲

解剖　有直腹筋。上腹動脈。肋間神經枝。

部位　在石關下一寸。

主治　腹中切痛。積聚不嗜食。目赤痛內眥始。

取法　仰臥。肓兪上二寸取之。去中行五分。

針灸　針五分。灸五壯。

十八．石關

解剖　有直腹筋。上腹動脈。肋間神經。

部位　在陰都下一寸。

主治　噦噫嘔逆。脊强腹痛。氣淋。小便不利。大便燥閉。目赤痛。婦人無子。或藏有惡血。上衝腹痛。不可忍。

摘要　「神農經」治積氣疝痛。可灸七壯。「千金」嘔噫嘔逆灸百壯。「百症賦」無子搜陰交石關之鄉。

取法　仰臥。商曲上一寸取之。

針灸　針一寸。灸三壯。孕婦禁灸。

十九．陰都

解剖　有直腹筋。上腹動脈。第十二肋間神經枝。

部位　在通谷下一寸。

主治　心煩滿。恍惚。氣逆。腸鳴。肺脹。氣喘。嘔沫。大便難。脇下熱痛。目痛。寒熱痎瘧。婦人無子。藏有惡血腹絞痛。

取法　仰臥。石關上一寸取之。

針灸　針五分。灸三壯。

二十，通谷

解剖 有直腹筋。上腹動脈。十二肋間神經枝。

部位 在幽門下一寸。

主治 口喎暴瘖。積聚痃癖。胸滿食不化。膈結嘔吐。目赤痛不明。淸涕。項似拔。不可回顧。

取法 仰臥。陰都上一寸取之。

針灸 針五分。灸三壯。

二十一，幽門

解剖 爲直腹筋部。其內左爲胃府。右爲肝葉。有上腹動脈十二肋間神經枝。

部位 在巨闕旁五分。

主治 胸中引痛。心下煩悶。逆氣。裏急支滿不嗜食。數欬乾噦。嘔吐涎沫。健忘。洩痢膿血少腹脹滿。女子心痛。逆氣善吐食不下。

摘要 「神農經」治心下痞脹。飲食不化。積聚疼痛。灸四十壯。「百症賦」煩心嘔吐。幽門開徹玉堂明。

取法 仰臥。肓兪上六寸。巨闕旁五分取之。

針灸 針五分。灸五壯。

二十二，步廊

解剖　有肋間動脈。內乳動脈。肋間神經。前胸神經。

部位　在神封下一寸六分。中庭旁二寸。

主治　胸脇滿痛。鼻塞少氣。欬逆不得息。嘔吐不食。臂不得舉。

取法　中庭旁二寸陷中。仰臥取之。

針灸　針三分。灸五壯。

二十三，神封

解剖　有大胸筋。肋間動脈。內乳動脈。肋間神經。前胸神經。

部位　靈墟下一寸六分。去中行二寸。

主治　胸脇滿痛。欬逆不得息。嘔吐不食。乳癰灑淅惡寒。

取法　膻中旁二寸陷中。仰臥取之。

針灸　針三分。灸五壯。

二十四，靈墟

解剖　有大胸筋。肋間動脈。肋間神經等。

部位　在神藏下一寸六分。當三肋間。

主治　胸滿不得息欬逆。乳癰嘔吐。洒淅惡寒不嗜食。

取法　玉堂旁二寸陷中。仰臥取之。

針灸　針三分。灸五壯。

二十四，靈墟

解剖　有大胸筋。肋間動脈。肋間神經等。

部位　在神藏下一寸六分。當三肋間。

主治　胸滿不得息欬逆。乳癰嘔吐洒淅惡寒不嗜食。

取法　玉堂旁二寸陷中仰臥取之。

針灸　針三分。灸三壯。

二十五，神藏

解剖　爲大胸筋部。中藏肺葉。分布肋間動脈。內乳動脈。肋間神經。前胸神筋。

部位　彧中下一寸六分。

主治　嘔吐欬逆。喘不得息。胸滿不嗜食。

摘要　「百症賦」胸滿項強。神藏璇璣宜試。

取法　紫宮旁二寸陷中。仰臥取之。

針灸　針三分。灸五壯。

二十六，彧中

解剖　爲大胸筋部。分布肋間動脈。內乳動脈。肋間神經。前胸神經。
部位　在兪府下一寸六分。
主治　欬逆不得喘息。胸脇支滿多吐。嘔吐不食。
摘要　「神灸經」治氣喘痰壅。灸十四壯。
取法　華蓋旁二寸陷中。仰臥取之。
針灸　針四分。灸五壯。

二十七，兪府

解剖　有大胸筋。及上鎖骨筋。鎖骨下動脈。胸廓神經。
部位　在璇璣旁二寸。
主治　欬逆上氣。嘔吐不食。胸中痛。
摘要　「玉龍歌」吼喘之症嗽痰多。若用金針疾自和。兪府乳根一樣刺。氣喘風痰漸漸磨。
取法　璇璣旁二寸陷中。仰臥取之。
針灸　針三分。灸五壯。

九　手厥陰心包絡經穴

本經起於胸中。自天池穴始。循腋下臑內。入肘中。下臂。行兩筋之間。入掌中。出中指之端中衝穴止。凡九穴。左右計一十八穴。

心包經穴圖

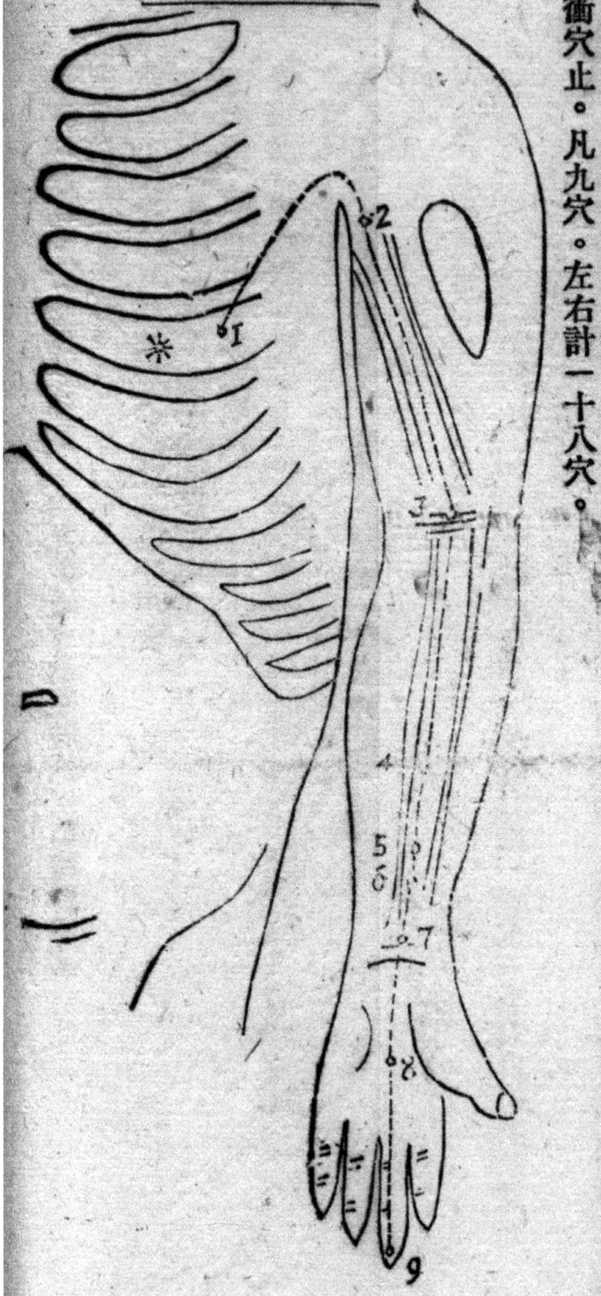

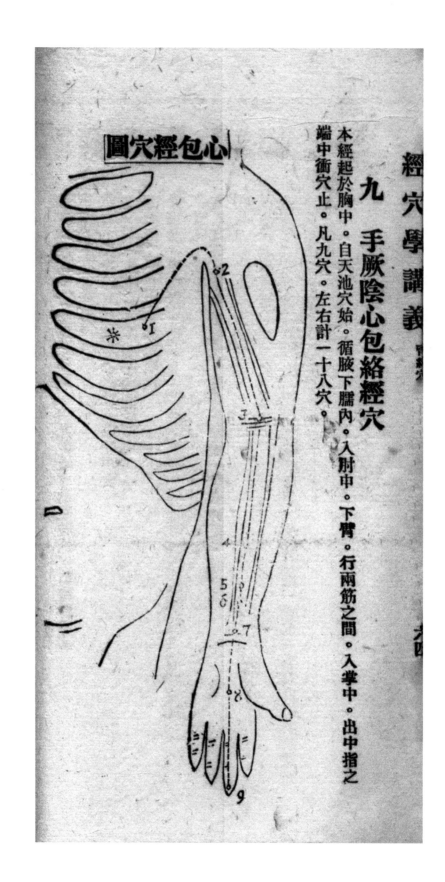

1天池　2天泉　3曲澤　4郄門　5間使　6內關　7大陵　8勞宮
9中衝

一，天池

解剖　有大胸筋。前大鋸筋。長胸動脈。長胸神經。前胸廓神經。

部位　在乳後一寸。去腋下三寸。第四肋間。

主治　目䀮䀮不明。頭痛胸脇煩滿。欬逆。臂腋腫痛。四肢不舉。上氣。寒熱瘧。熱病汗不出。

摘要　『千金』頸漏瘰癧灸百壯。『百症賦』委陽天池。腋腫針而速散。

取法　仰臥或正坐。從乳頭外開一寸取之。

針灸　針三分。灸三壯。

二，天泉

解剖　爲三頭膊筋部。有上膊動脈。內膊皮下神經。上膊尺骨神經。

部位　在手之內側腋下二寸。

主治　惡風寒。胸脇痛。支滿。欬逆。膺背胛臂間痛。

取法　曲腋之橫紋頭。向肘窩方下二寸。舉臂取之。

針灸　針六分。灸三壯。

三，曲澤

解剖　在二頭膊筋之腱間。有上膊動脈。重要靜脈。正中神經。

部位　在肘內廉下之陷凹中。即尺澤之內側。

主治　心痛善驚。身熱煩渴。臂肘搖動，掣痛不可伸。傷寒嘔吐氣逆。

摘要　此穴爲手厥陰心包脈之所入爲合水。「百症賦」少商曲澤。血虛口渴同施。

取法　肘窩橫紋正中筋之內側陷中。取之。

針灸　針三分。灸三壯。

四，郄門

解剖　有內橈骨筋。尺骨動脈。重要靜脈。正中神經。

部位　在大陵上五寸。即去腕五寸。

主治　嘔吐衄血。心痛嘔穢。驚恐。神氣不足。久痔。

取法　從腕橫紋正中直上五寸取之

針灸　針三分。灸五壯。

五，間使

解剖　有內橈骨筋。尺骨動脈。重要靜脈。正中神經。

部位　大陵上三寸。即掌後三寸。

主治　傷寒結胸。心懸如飢。嘔味。少氣。中風氣塞。昏危不語。卒狂。胸中澹澹惡風寒。霍亂乾嘔。腋腫肘攣。卒心痛。多驚。咽中如鯁。婦人月水不調。小兒客忤。久瘧。

摘要　此穴爲手厥陰心包脈之所行爲經金。「千金」乾嘔不止。所食即吐不停。灸三十壯。四肢脈絕不至者。灸之便通。「神農經」脾寒寒熱往來。渾身瘡疥。灸毛壯。「百症賦」天鼎間使。失音囁嚅而休遲。『靈光賦』水溝間使治邪顛。『捷經』熱病頻磯針間使。『肘後歌』狂言盜汗如見鬼。惺惺間使便下針。『又』瘧疾熱多寒少用間使。『勝玉歌』五瘧寒多熱更多。間使大杼眞妙穴。『雜病穴法歌』人中間使去癲妖。

取法　從腕橫紋正中。直上三寸。兩筋間取之。

針灸　針三分。灸五壯。

六，內關

解剖　有尺骨動脈與靜脈。正中神經。

部位　大陵上二寸。兩腕間。

主治　中風失志。實則心暴痛。虛則心煩惕惕。面熱目昏。支滿。肘攣。久瘧不已。胸滿脹痛。

摘要 此穴爲手厥陰心包脈之絡脈。別走少陽者。『神農經』心痛腹脹。腹內諸疾。灸七壯。『玉龍歌』腹中氣塊痛難當。穴法宜向內關防。『雜病穴法歌』舌裂出血尋內關。太冲陰交走上部。『又』腹痛公孫內關爾。「又」一切內傷內關穴。痰火積塊退煩潮。「又」死胎陰交不可緩。胞衣照海內關尋。「席弘賦」肚疼須是公孫妙。內關相應必然瘳。「百症賦」建里內關。掃盡胸中之苦悶。「標幽賦」胸滿腹痛針內關。「蘭光賦」傷寒四日太陰辨。公孫照海一同行。再用內關施絕法。

取法 從腕橫紋正中直上二寸。兩筋間陷中取之。

針灸 針五分。灸五壯。

七，大陵

解剖 占橈骨尺骨之間。有橫腕韌帶動脈與靜脈。

部位 在手腕橫紋之陷中。即兩骨『橈骨尺骨』之間。

主治 熱病汗不出。舌本痛。喘欬嘔血。心懸如飢。善笑不休。頭痛氣短。胸脅痛。驚恐悲泣。嘔逆喉痺。目乾目赤。肘臂攣痛。小便如血。

摘要 此穴爲心包脈之所注爲俞土「神農經」治胸中疼痛。胸前瘡疥。灸三壯。『千金』吐血嘔逆。灸五十壯。「又」凡卒患腰腫。附骨癰疽。節腫遊風熱毒。此等疾。但初覺有異。即急灸五壯立愈。「玉龍歌」口臭之疾最可憎。大陵穴內人中瀉。「又」勞宮穴在掌中

尋。滿手生瘡痛不禁。心胸之病大陵瀉。氣攻胸腹一般針。「勝玉歌」心熱驅口臭大陵。「註」此穴爲十三鬼穴之四

取法　腕橫紋正中。兩筋間陷中取之。

針灸　針三分。灸三壯。

八，勞宮

解剖　有淺伸屈指筋。有尺骨動脈之動脈弓。手掌部之正中神經。

部位　在掌心

主治　中風悲笑不休。熱病汗不出。脅痛不可轉側。吐衄噫逆。煩渴食不下。胸脇支滿。口中腥氣。黃疸。手痺。大小便血。熱痔。

摘要　此穴爲手厥陰心包絡之脈所流爲滎水。「千金」心中懊憹痛鍼入五分補之。「玉龍歌」勞宮穴在掌中尋。滿手生瘡痛不禁。「雜病穴法歌」勞宮能治五般癇。更刺湧泉疾若挑。「靈光賦」勞宮醫得身勞倦。「百症賦」治疸消黃。諧後谿勞宮而看。「通玄賦」勞宮退胃翻心痛以何疑。

取法　以中指無名指屈拳掌中。在二指之尖之間是穴取之。

針灸　針二分。灸三壯。

九、中衝

解剖　有指掌動脈。正中神經。

部位　在中指之端。去爪甲如韮葉。

主治　熱病汗不出。頭痛如破。身熱如火。心痛煩滿。舌强痛。中風不省人事。

摘要　此穴爲手厥陰心包脈之所出爲井木。「神農經」治小兒夜啼多哭灸一壯如麥炷。「百症賦」廉泉中衝。舌下腫疼堪取。「乾坤生意」凡初中風。暴仆昏沉。痰涎壅盛。不省人事。牙關緊閉。藥水不入。急以三稜針刺十井穴。使氣血流通。乃起死回生之妙訣也。

取法　於中指之端取之。

針灸　針一分。灸一壯。

十　手少陽三焦經穴

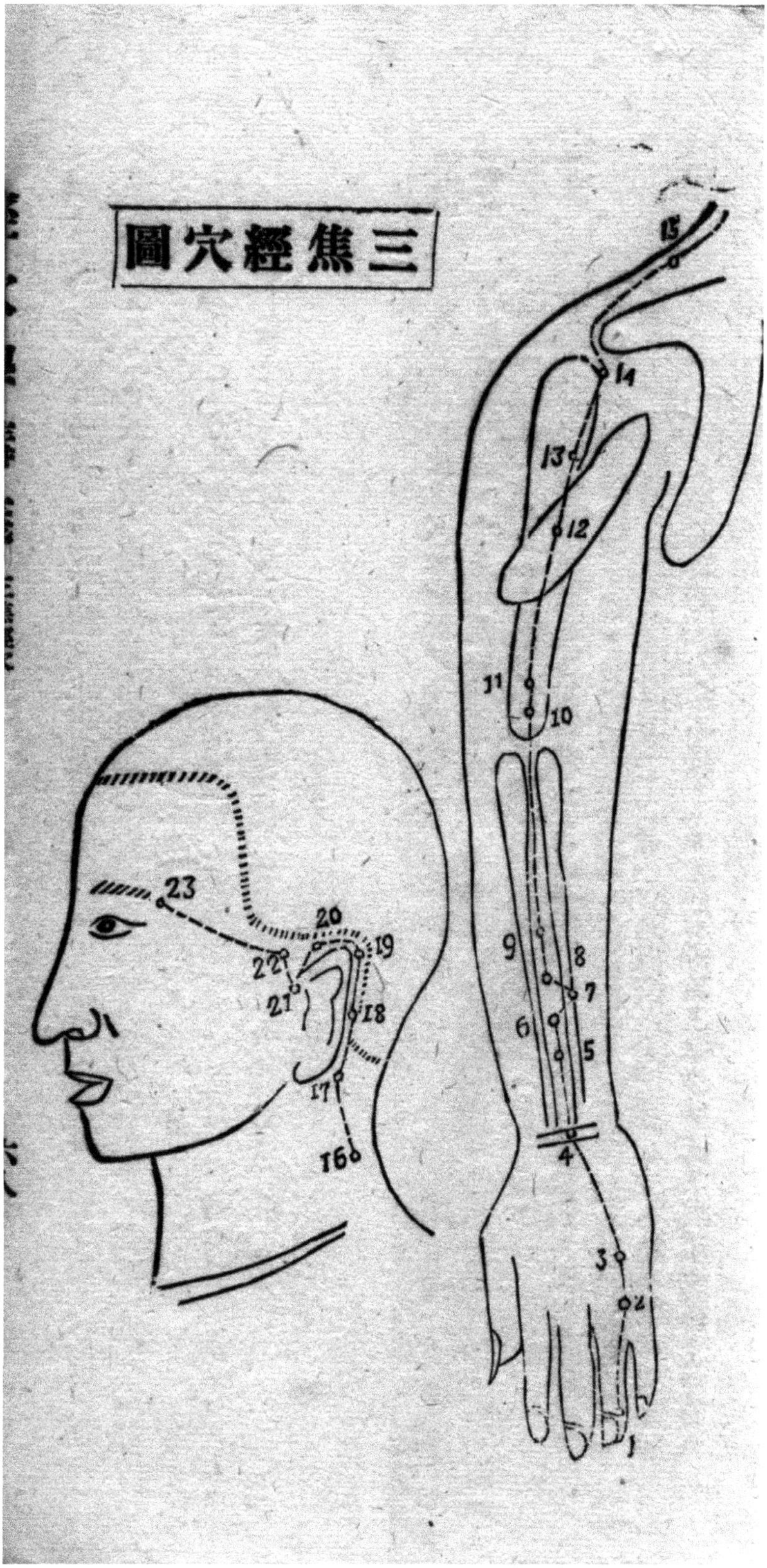

三焦經穴圖
23
20
19
22
21
18
17
16
15
14
13
12
11
10
9
8
7
6
5
4
3
2
1

經穴學講義

本經起於小指次指之端。關冲穴起。上出兩指之間。循手表腕。出臂外兩骨之間。上貫・肘循臑外上肩。上項挾耳後。直上出耳上角・以下屈頰至眉端・絲竹空穴止。凡二十三穴。計左右四十六穴。

1 關衝　2 液門　3 中渚　4 陽池　5 外關　6 支溝　7 會宗
8 三陽絡　9 四瀆　10 天井　11 清冷淵　12 消濼　13 臑會　14 肩髎
15 天髎　16 天牖　17 醫風　18 瘛脈　19 顱息　20 角孫　21 耳門
22 和髎　23 絲竹空

一，關衝

解剖　有骨間背動脈。尺骨神經之手背枝。

部位　在無名指外側。去爪甲角如韭葉。

主治　頭痛口乾喉痺。霍亂。胸中氣噎不食。肘臂痛。不能舉。目昏昏。

摘要　此穴爲手少陽三焦經脈之所出爲井金。主三焦邪熱。口渴唇焦口氣。瀉此出血。「玉龍歌」三焦熱氣壅上焦。口苦舌乾豈易調。針刺關衝出毒血。口生津液病俱消。「百證賦」啞門關冲。舌緩不語而要緊。「捷徑」治熱病煩心[illegible]滿悶。汗不出。掌中大熱如火。舌本痛。口乾消渴。久熱不去。「註」凡初中風。卒仆昏沉・痰涎壅盛。不省人事。牙關緊閉。藥水不下。急以三稜針刺各井穴出血。使氣血流通。乃起死回生之急救妙法。

取法　無名指外側端。去爪甲角一分許取之。

針灸　針一分，灸三壯。

二，液門

解剖　有總指伸筋。骨間背動脈。尺骨神經之手背枝。

部位　在小指次指之間。合縫處陷中。

主治　驚悸妄言。寒厥臂痛。不得上下。痎瘧寒熱。頭痛目眩。赤澀淚出。耳暴聾。咽外腫。牙齦痛。

摘要　此穴爲手少陽脈之所流爲滎水。手臂紅腫出血瀉之。『千金』耳聾不得眠。針入三分補之。「玉龍歌」手臂紅腫連腕疼。液門穴內用針明。「百症賦」喉痛兮。液門魚際可療。

取法　握拳於小指無名指之歧縫上取之。

針灸　針三分。灸三壯。

三，中渚

解剖　有總指伸筋腱。第四骨間背動脈。尺骨神經手背枝。

部位　在無名指小指本節後間陷中。

主治　熱病汗不出。臂指痛不得屈伸。頭痛目眩生翳。目不明。耳聾。咽腫。久瘧。手臂

經穴學講義

摘要　紅腫。

此穴爲手少陽脈之所注爲兪木。手臂紅腫。瀉之出血。「太乙歌」針久患腰疼背痛。「玉龍歌」手臂紅腫連腕疼。液門穴內用針明。更將一穴名中渚。多瀉中間疾自輕。「席弘賦」久患傷寒肩背痛。但針中渚得其宜。「肘後歌」肩背諸疾中渚下「勝玉歌」髀疼背痛中渚瀉。「雜病穴法歌」脊肩心痛鍼中渚。「通玄賦」脊間心後痛。針中渚而立痊。「靈光賦」五指不伸取中渚。

取法　握拳於第四五掌骨之間取之。

針灸　針三分。灸三壯。

四，陽池

解剖　有小指筋腱。有後下膊皮下神經。尺骨神經。

部位　在手表腕上横紋陷中。

主治　消渴。口乾。煩悶。寒熱瘧。或因折傷手腕。捉物不得。臂不能舉。

摘要　此穴爲手少陽脈之所過爲原。

取法　第四掌骨之上端。手腕横紋中。稍偏外些陷中取之。

針灸　鍼三分。不宜灸。

五，外關

解剖　有總指伸筋。骨間動脈。後下膊皮下神經。撓骨神經。

部位　在陽池後二寸兩筋間。

主治　耳聾渾渾無聞。肘臂不得曲伸。五指痛不能握。

摘要　此穴爲手少陽脈絡。別走心主厥陰脈。「雜病穴法歌」一切風寒暑濕邪。頭疼發熱外關起。

取法　陽池上二寸。兩骨縫際取之。

針灸　鍼三分。灸三壯。

六，支溝

解剖　有總指伸筋。骨間動脈。後下膊皮下神經。撓骨神經。

部位　在陽池後三寸。兩筋骨間陷中。

主治　熱病汗在出。肩臂痠重。脅腋痛。四肢不舉。霍亂嘔吐。口噤暴瘖。產後血暈。不省人事。

摘要　此穴爲手少陽脈之所行爲經火。三焦相火熾盛。及大便不通。脇肋疼痛瀉之。「千金」治頸漏馬刀灸百壯。「雜病穴法歌」大便虛祕補支溝。瀉足三里效可擬。「勝玉歌」腹疼祕結支溝穴。「肘後歌」飛虎「即本穴」一穴通痞氣。「又」兩足兩脇滿難伸。飛虎神灸七分到。

取法　外關上一寸。兩骨罅間取之。

針灸　鍼三分。灸七壯。

七、會宗

解剖　有總指伸筋部。骨間動脈。撓骨神經。

部位　在支溝外傍。

主治　五癇耳聾肌膚痛。

取法　支溝向外開一寸。骨邊取之。

針灸　此穴禁鍼。灸三壯。

八、三陽絡

解剖　爲固有小指伸筋部。有骨間動脈。後下膊皮下神經。撓骨神經後枝。

部位　去支溝一寸。

主治　暴瘖不能言。耳聾齒齲。嗜臥身不欲動。

取法　支溝直上一寸。骨罅間取之。

針灸　此穴禁鍼。灸三壯。

九、四瀆

解剖　有骨間動脈。撓骨神經之後枝。

部位　在三陽絡上一寸五分。微前五分。
主治　暴氣耳聾。下齒齲痛。
取法　陽池與肘尖之中間。當骨之外側取之。
針灸　鍼五分。灸三壯。

十，天井

解剖　爲三頭膊筋腱之間。有尺骨副動脈。撓骨神經枝。
部位　在肘尖上二寸陷凹中。
主治　咳嗽上氣。胸痛不得語。唾膿不嗜食。寒熱淒淒不得臥。驚悸悲傷。瘈瘲。癲疾。五癇。風痺頭頸肩背痛。耳聾目銳眥頰肘腫痛。臂腕不得捉物。及瀉一切瘰癧瘡腫瘮。
摘要　此穴爲手少陽三焦脈之所入爲合土。「勝玉歌」瘰癧少海天井邊。
取法　屈肘按取肘尖上側向上一二寸間之陷中取之。
針灸　鍼三分。灸三壯。

十一，清冷淵

解剖　有三頭膊筋。下尺骨副動脈。撓骨神經後枝。上膊皮下神經。
部位　去天井一寸。

主治　諸痺痛。肩臂肘臑不能舉。

摘要　「勝玉歌」眼痛須覓清冷淵。

取法　天井上一寸取之。

針灸　鍼三分。灸三壯。

十二，消濼

解剖　有三角筋。頭靜脈。後迴旋上膊動脈枝。後膊皮下神經。

部位　在臑會下二寸。

主治　風痺。頸項强急腫痛。寒熱頭痛。肩背急。

取法　正坐從肩後側端下五寸。直對天井取之。

針灸　鍼五分。灸三壯。

十三，臑會

解剖　有三角筋。後迴旋上膊動脈。頭靜脈。後膊皮下神經。腋下神經等。

部位　在肩頭下三寸。

主治　肘臂氣腫。痠痛無力不能舉。項癭氣瘤。寒熱瘰癧。

取法　正坐。肩後側端下三寸取之。

針灸　鍼五分。灸五壯。

十四，肩髎

解剖　有橫肩胛動脈。外膊皮下神經。鎖骨上神經。

部位　在鎖骨與肩胛骨之陷凹處是也。

主治　臂重肩痛不能舉。

取法　正坐從肩顒後一寸餘。當肩後側端取之。試將臂膊上舉。當其陷凹處是也。

針灸　鍼七分灸三壯。

十五，天髎

解剖　有橫肩胛動脈。頸靜脈。肩胛背神經。

部位　在鎖骨上窩之上部。

主治　肩臂痠痛。缺盆痛。汗不出。胸中煩滿。頸項急。寒熱。

取法　從肩胛骨之上部。曲垣之前一寸取之。

針灸　鍼五分。灸三壯。「註」此穴爲手足少陽陽維之會

十六，天牖

解剖　有後耳靜脈。後耳動脈副神經。頸椎神經。

部位　在風池下一寸微外些。即完骨下髮際上。天容後天柱前。

主治　面腫頭風。項强不得回顧。

附註 不宜補。不宜灸。若灸之即面腫眼合。先取譩譆。後針天牖風池。其病即瘥。

取法 正坐。從天柱與天容之中間。當乳嘴突起之下部取之。

針灸 針一寸。

十七，翳風

解剖 此處爲耳下腺部。有耳後動脈。顏面神經之耳後枝。

部位 在耳根後。距耳約五分之陷凹處。

主治 耳聾。口眼喎斜。口噤不開。脫頷頰腫。牙車急痛。暴瘖不能言。

摘要 耳紅腫痛瀉之。耳虛鳴補之。『百症賦』耳聾氣閉。全憑聽會翳風。

取法 正坐。從耳翼根之後下部。當完骨之下邊取之。

針灸 針三分灸三壯。

十八，瘈脈

解剖 有顳顬筋。耳後動脈。顏面神經之耳後枝。

部位 在翳風上寸。稍近耳根青絡上。

主治 頭風耳鳴。小兒驚癇瘈瘲。嘔吐瀉痢無時。驚恐目澀多眵。

取法 從翳風上一寸取之。

針灸 針一分。出血如豆汁。禁灸。

十九，顱息

解剖　有顳顬筋。耳後動脈。顏面神經之耳後枝。

部位　在瘈脈上一寸餘。有青絡。

主治　耳鳴喘息。小兒嘔吐瘈瘲。驚恐發癇。身熱頭痛不得臥。

取法　從瘈脈上一寸取之。

針灸　針此穴絡脈微出血。禁灸。

二十，角孫

解剖　有顳顬筋。顳顬動脈。顳顬神經。

部位　當耳殼上角之陷凹處。以指按之。口開闔時指下覺牽動。

主治　目生翳。齒齦腫不能嚼。唇吻燥。頸項强。

取法　以耳翼摺疊。當摺疊之尖處取之。

針灸　灸三壯。不宜針。

二十一，耳門

解剖　有咀嚼筋。顳顬筋。顳顬動脈。顳顬神經。

部位　在耳前肉峯上缺口外。

主治　耳聾聤耳膿汁。耳生瘡。齲齒唇吻强。

摘要　『席弘賦』但患傷寒兩耳聾。『百症賦』耳門絲竹空。住牙疼於頃刻。『天星祕訣』耳鳴腰痛先五會。次針耳門三里內

取法　從耳翼前方。耳珠之上缺口部份前陷中。取之。

針灸　針三分。灸三壯。

二十二，和髎

解剖　有顳顬筋。顳顬動脈。顏面神經。

部位　在耳前髮銳尖下。

主治　頭痛耳鳴。牙車引急。頸項腫。口癖瘈瘲。

取法　從耳門之前微上方。髮銳角之部份取之。

針灸　針三分。禁灸。

二十三，絲竹空

解剖　有前頭筋。顳顬動脈枝。顏面神經。

部位　眉毛稍外端陷中。

主治　頭痛。目赤目眩。視物䀮䀮。拳毛倒睫。風癇戴眼。發狂吐涎沫。偏正頭風。

摘要　治頭風宜出血。『勝玉歌』目內紅腫苦皺眉。絲竹攢竹亦堪醫。「百症賦」耳門絲竹空。治耳疼於頃刻。「通玄賦」絲竹療頭痛難忍。

取法　從眉毛稍外端陷中。取之。

針灸　針三分。禁灸。

十二　足少陽胆經穴

本經起於目外眥角瞳子髎。上抵頭角。下耳後。復反至前額。經頭部下頸。入缺盆。循脇過季脇。下入髀厭中。出循髀陽。下外輔骨之前。直下抵絕骨之端。下出外踝之前。循足跗上。入小趾次趾之間。出其端之竅陰穴止。凡四十四穴。左右計八十八穴。

1 瞳子髎　2 聽會　3 上關　4 頷厭　5 懸顱　9 懸厘　7 曲鬢

胆經穴圖

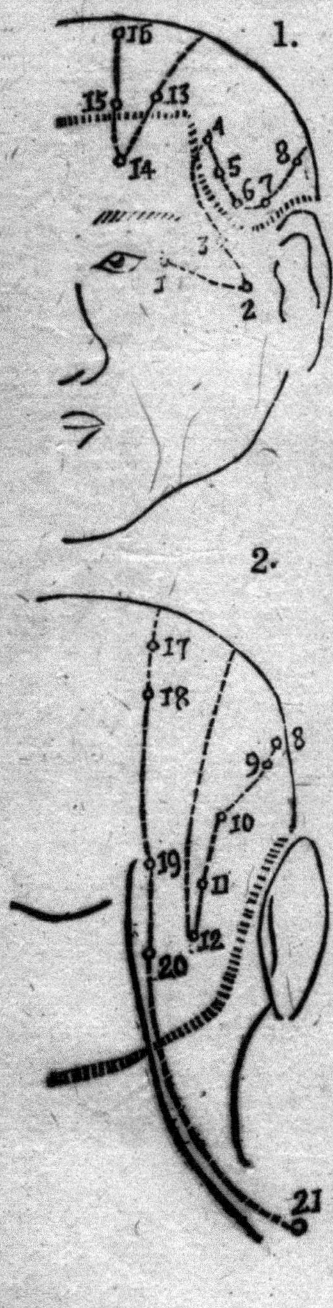

經穴學講義

8 率谷　6 天衝　10 浮白　11 竅陰（首）　12 完骨　13 本神　14 陽白

15 臨泣　16 目窗　17 正營　18 承靈　19 腦空　20 風池　21 肩井

22 淵液　23 輒筋　24 日月　25 京門　26 帶脈　27 五樞　28 維道

29 居髎　30 環跳

3.

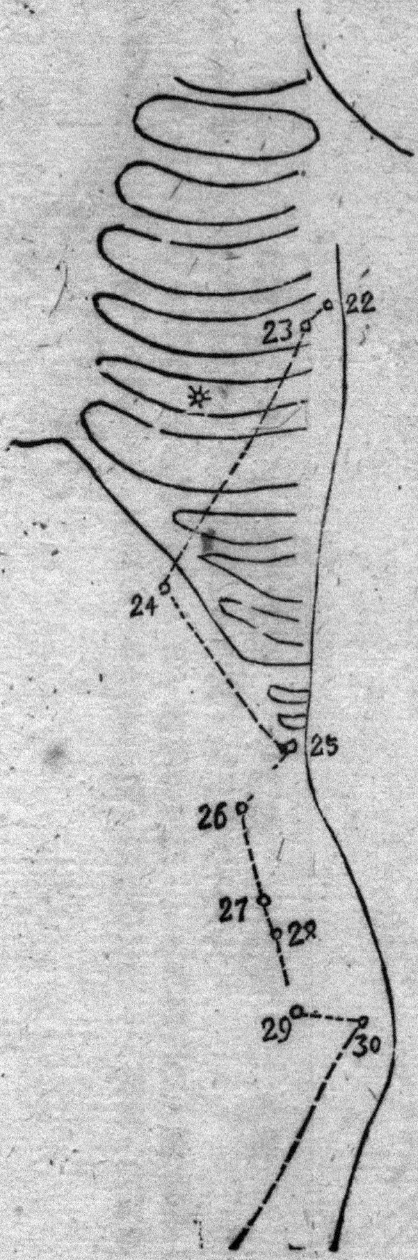

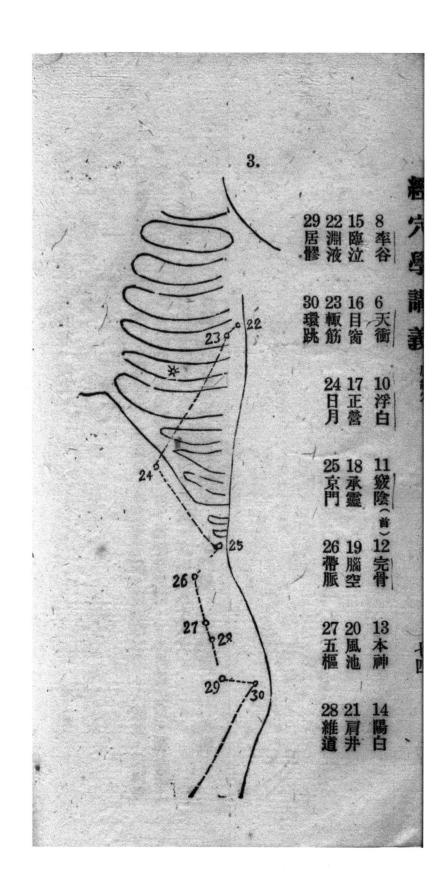

4.

31 風市　32 中瀆　33 陽關　34 陽陵泉　35 陽交　36 外邱　37 光明

38 陽輔　39 懸鐘　40 邱墟　41 臨泣　42 地五會　43 俠谿　44 足竅陰

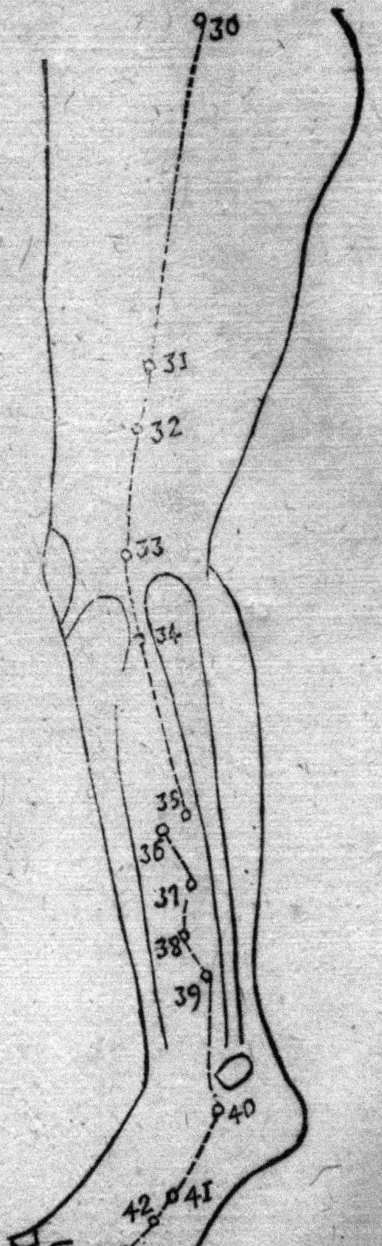

一　瞳子髎

解剖　有眼輪匝筋。顴骨眼窠動脈。顔面神經。三叉神經。

部位　目外眥之五分。

主治　頭痛目癢。外眥赤痛。翳膜青盲。遠視䀮䀮。淚出多眵。

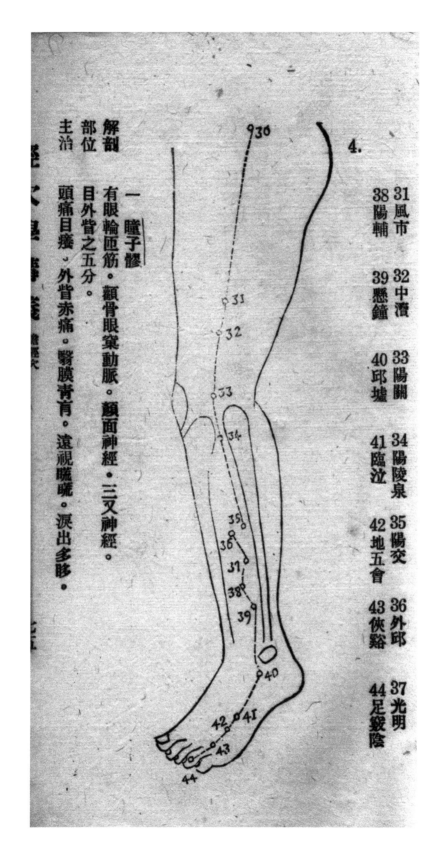

取法　於目眥角五分部份。目眶骨邊陷中取之。

針灸　針三分，不宜灸。

二　聽會

解剖　爲耳下腺之上部。分布顳顬枝。內顎動脈。顏面神經。

部位　耳珠微前陷中。

主治　耳聾耳鳴。牙車脫臼。齒痛。中風瘈瘲喎斜。

摘要　「玉龍歌」耳聾腮腫聽會針。「席弘賦」但患傷寒兩耳聾。金門聽會疾如風。「勝玉歌」耳閉聽會莫遲延。

取法　耳珠微前五分部份。當顴骨橋之下陷中。開口有孔。取之。

針灸　針三分。灸三壯。

三　上關

解剖　有內顎動脈。顏面神經。

部位　在耳前起骨上廉。

取法　從聽會斜上。當顴骨橋之上口。開口有孔之處是穴。

四　頷厭

此穴禁針灸。故不錄主治與針灸。

解剖　有顳顬筋。顳顬動脉。顏面神經。
部位　曲周下顳顬上廉。
主治　頭風。偏頭頸項俱痛。目眩耳鳴。多嚏。驚癇。歷節風。汗出。
摘要　『百證賦』懸顱頷厭之中。偏頭痛止。
取法　髮際曲角。入三分。當頭維之下一寸取之。
針灸　針一二分。不可太深刺。灸三壯。

五　懸顱

解剖　爲前頭骨之顳顬窩部。有顳顬筋。顳顬動脉。顳顬神神。
部位　曲周下顳顬中廉。
主治　頭痛齒痛。偏頭痛。引目。熱病汗不出。
摘要　『百證賦』懸顱頷厭之中。偏頭痛止。
取法　頷厭下六分。微後一分取之。

六　懸厘

解剖　有顳顬筋。顳顬動脉。顳顬神經。
部位　曲周下。顳顬下廉。距懸顱下半寸。
主治　偏頭痛。面腫目銳眥痛。熱病煩心汗不出。

取法　從懸顱下半寸微後些。與上耳根並行處取之。

針灸　針二三分。灸三壯。

七　曲鬢

解剖　有顳顬筋與神經。

部位　在耳上入髮際一寸前些。

主治　頷頰腫引牙車不得開。口噤不得言。項强不得顧。頭角痛。巔風目眇。

取法　從耳上髮際前些。曲隅之陷際。即上耳翼根之微前。取之。

針灸　針二分。灸三壯。

八　率谷

解剖　有顳顬筋。耳上掣筋。耳後動脈。

部位　在耳上入髮際一寸五分。

主治　腦痛。兩頭角痛。胃脘寒痰。煩悶嘔吐。酒後皮風膚腫。

取法　從耳上入髮際一寸五分取之。

針灸　針三分。灸三壯。

九　天衝

解剖　有耳上掣筋。耳後動脈。

部位　在率谷之後約三分。「查在耳上者有三穴。最上爲率谷其次爲天衝最下爲角孫」

主治　癲疾風痓。牙齦腫。驚恐頭痛。

摘要　「百證賦」反張悲哭。仗天衝大横須精。

取法　從率谷之後三分取之。

針灸　針三分。灸三壯。

十　浮白

解剖　有耳上掣筋。耳後動脉。

部位　在耳後入髮際一寸。

主治　欬逆。胸滿。喉痺。耳聾齒痛。項癭痰沫不得喘息。肩臂不舉。足不能行。

摘要　「百證賦」癭氣須求浮白。

取法　天衝之後一寸。耳後入髮際一寸取之。

針灸　針三分。灸三壯。

十一　竅陰（首）

解剖　有耳後動脉。耳後神經。

部位　在浮白下一寸。

主治　四肢轉筋。目痛。頭項痛。耳鳴。癰疽發熱。手足煩熱。汗不出。欬逆喉痺。舌强。脇痛。口苦。

取法　從浮白直下一寸取之。

針灸　針三分。灸三壯。

十二　完骨

解剖　在胸鎖乳嘴筋附著之上部。有耳後動脉與神經。

部位　在竅陰下七分。

主治　頭痛頭風。耳鳴。齒齲。牙車急。口眼喎斜。喉痺頰腫。瘻氣便赤。足痿不收。

取法　竅陰之下七分。入髮際四分。當乳嘴突起之後下陷中取之。

針灸　針三分灸三壯。

十三　本神

解剖　是處爲前頭骨部。有顳顬動脉。與神經。

部位　在曲差旁一寸五分。入髮際五分。

主治　驚癎吐沫。目眩。項强急痛。胸脇相引不得轉側。偏風癲疾。

取法　從曲差旁一寸五分。入髮際五分取之。

針灸　針三分。灸三壯。

十四　陽白

解剖　有前頭筋。顳顬動脈。顏面神經。

部位　在眉毛上直一寸。

主治　頭痛目昏多眵。背寒慄。重衣不得温。

取法　從眉之中部直上一寸取之。直對瞳子。

針灸　針三分。灸三壯。

十五　臨泣（首）

解剖　有前頭筋，顳顬動脈。顏面神經。

部位　在目上直入髮際五分。

主治　鼻塞。目眩生翳。眵䁾冷淚。眼目諸疾。驚癇反視。卒暴中風。不識人。脇下痛。瘧疾日再發。

摘要　『百證賦』淚出刺臨泣頭維之處。

取法　從瞳子直上。入髮際五分取之。

針灸　針三分。禁灸。

十六　目窗

解剖　有前頭筋。前額動脈。前額神經。

部位　在臨泣後一寸五分。

主治　頭目眩痛引外眥。遠視不明。面腫。寒熱汗不出。

取法　從臨泣後一寸五分取之。

針灸　針三分灸三壯。

十七　正營

解剖　皮下有頭蓋之帽狀腱膜。其下爲顱頂骨。有顳顬動脉枝。顏面神經枝。

部位　在目窗後一寸五分。

主治　頭痛目眩。齒齲痛。唇吻强急。

取法　從臨泣後三寸取之。

針灸　針三分。灸三壯。

十八　承靈

解剖　爲後頭骨部。有後頭筋。後頭動脉。與神經。

部位　在正營後一寸五分。

主治　腦風頭痛。鼻塞不通。惡風。

取法　從臨泣後四寸五分取之。

針灸　此穴禁針。灸五壯。

十九　腦空

解剖 當後頭骨外。後頭結節之下面。即僧帽筋附著之上部。是處有後頭筋。後頭動脉。大後頭神經。

部位 在承靈後四寸五分。玉枕骨之下陷中。

主治 癆瘵身熱羸瘦。腦風頭痛不可忍。項强不得顧。目瞑鼻衄。耳聾驚悸。癲風引目鼻痛。

取法 承靈後四寸五分左右。當腦戶旁二寸取之。

針灸 針四五分。灸五壯。

二十 風池

解剖 當後頭骨下部之陷凹處。僧帽筋之外側。有後頭神經與動脉。

部位 在胸空之後部。髮際之陷凹處。

主治 中風偏正頭痛。傷寒熱病汗不出。痎瘧頸項如拔。痛不得回。目眩赤痛。淚出。鼽衄。耳聾。腰背俱痛。傴僂引項。肘力不收。脚弱無力。

摘要 「玉龍歌」凡患傴者補風池。瀉絕骨。「勝玉歌」頭痛頭風灸風池。「席弘賦」風府風池尋得到。寒傷百病一時消。「通玄賦」頭暈目眩覓風池。「捷徑」治温病煩滿汗不出。

取法 空空之下。項筋之旁。陷中取之。「常天柱完骨之中間」

針灸 針四五分。灸三壯。

二一　肩井

解剖　有橫頸動脉。外頸靜脉。上肩胛骨神經。

部位　在肩上陷解中。

主治　中風氣塞涎上。不語。氣逆。五勞七傷。頭項頸痛。臂不能舉。或因樸傷腰痛，脚氣上攻。若婦人難產墜胎後。手足厥冷。針之立愈。

摘要　「席弘賦」若針肩井須三里。不刺之時氣未調。「百症賦」肩井乳癰而極效。「通玄賦」肩井除兩臂難任。「標幽賦」肩井曲池。甄權針臂痛而復射。「天星祕訣」脚氣痠疼肩井先。次尋三里陽陵泉。

取法　從缺盆上大骨前一寸半部位。以三指按取之。當中指之下是穴。正坐取之。

針灸　針四五分。不可太深。孕婦禁針。灸三壯。

二二　淵液

解剖　有肋間筋。肩胛下神經。肋間神經。

部位　在腋下三寸。

取法　腋窩正中直下三寸。肋罅間取之。

此穴禁針灸。故不錄其主治與針灸。

二三　輒筋

期门直巨阙旁开3寸日月直巨阙旁开3寸

解剖　有大胸筋。小胸筋。深部有內外肋間筋。分布長胸動脉。側胸皮下神經。長胸神經。

部位　在脇下三寸。復前向乳房一寸。

主治　太息多唾。善悲。言語不正。四肢不收。嘔吐宿汁呑酸胸中暴滿不得臥。

取法　淵腋前行一寸。肋間陷中取之。

針灸　針六分。灸三壯。

二四　日月

解剖　當附着第八肋軟骨部之下寸許。介於直腹筋與外斜腹筋之間。有上腹動脉。肋間神經。

部位　在期門下五分微外開些。

主治　太息善唾。小腹熱。欲走多吐。言語不正。四肢不收。

取法　巨闕旁三寸五分。再下五分取之。當第八肋軟骨之下。

針灸　針六分。灸七壯。「註此穴爲胆之募穴。」

二五　京門

解剖　爲外斜腹筋端部。分布上腹動脉。及長胸神經。

部位　在俠脊季脇之端。即臍上五分旁開九寸五分也。

主治　腸鳴洞泄。水道不利。少腹急痛。寒熱臏脹。肩背腰髀引痛不得俛仰久立。

取法　按取季脇之端。即臍上五分旁開九寸五分部位。側臥屈上足。伸下足。舉臂取之。

針灸　針三分。灸三壯。「註」此穴爲腎之募穴。

二六　帶脈

解剖　爲外斜腹筋部。有上腹動脈。長胸神經。肋間神經枝。

部位　去臍旁八寸。

主治　腰腹腫溶溶如坐水中狀。婦人小腹痛急瘈瘲。月經不調。赤白帶下。兩脇氣引痛背。

取法　側臥臍旁八寸取之。

針灸　針六分。灸五壯。

二七　五樞

解剖　有下腹動脈。長胸神經。肋間神經枝。

部位　在帶脈下三寸。

主治　痃癖。小腸膀胱氣攻兩脇。小腹痛。腰腿痛。陰疝睪丸上入腹。婦人赤白帶下。

摘要　「玉龍歌」肩背風氣連臂疼。背縫二穴用針明。五樞亦治腰間痛。得穴方知病頓輕。

取法　側臥。帶脈下三寸微斜向內側取之。

針灸　針五分。至一寸。灸五壯。

二八　維道

解剖　有內外斜腹筋。下腹動脈。

部位　章門直下五分寸三分。

主治　嘔逆不止。三焦不調。不食。水腫。

取法　五樞下五分取之。針內內

針灸　針八分。灸三壯。

二九　居髎

解剖　有內外斜腹筋。下腹動脈。

部位　維道下三寸。

主治　痛引胸臂。攣急不得舉。腰引小腹痛。

摘要　「玉龍歌」環跳能治腿股風。居髎二穴認眞攻。

取法　維道下三寸。外開五分。橫直環跳。相間一關節。

針灸　針三分。灸三壯。

三十　環跳

解剖　在臀股部。有大臀筋。上臀神經。

經穴學講義

部位　在髀樞中。通京門之下。並兩足而立。腰下部有陷凹處。

主治　冷風濕痺不仁。胸脇相引。半身不遂。腰胯痠痛。膝不得伸。遍身風疹。

摘要　「玉龍歌」環跳能除腿股風。「天星祕訣」冷風溼痺針何處。先取環跳次陽陵。「百證賦」後谿環跳。腿疼刺而即輕。「標幽賦」懸鐘環跳。華陀針躄足而能行。「席弘賦」冷風冷痺疾難愈。環跳腰俞針與燒。「勝玉歌」腿股轉痠難移步。妙穴說與後人知。環跳風市及陰市。瀉却金針病自除。「雜病穴法歌」腰痛環跳委中求。「又」腰連腳痛怎生醫。環跳風市與行間。「又」冷風溼痺針環跳。「又」腳連脇腋痛難當。環跳陽陵泉內杵。「馬丹陽十二訣」折腰莫能顧。冷風并濕痺。腿胯連腨痛。轉側重歔欷。若人針灸後。頃刻病消除。

取法　側臥。伸下足。屈上足。於大腿關節間陷中取之。

針灸　針一寸五分至二三寸，灸十壯。

三一　風市

解剖　有外大股筋。上膝關節動脈。前股皮下神經。

部位　膝上外廉兩筋中。

主治　腿膝無力。腳氣。渾身搔痒麻痺。厲風症。

摘要　「勝玉歌」腿股轉痠難移步。妙穴說與後人知。環跳風市及陰市。瀉却金針病自除「雜

「病穴法歌」腰連脚痛怎生醫。環跳風市與行間。

取法　大腿外側之正中線上之中部。約當中瀆之上二寸。兩手下垂。中指盡處取之。

針灸　針五分。灸五壯。

三二　中瀆

解剖　有外大股筋。股動脉分枝。

部位　在髀骨外膝上五寸。

主治　寒氣客於分肉間。攻痛上下。筋痺不仁。

取法　屈膝橫紋外角。直上五寸。與環跳成一直線。

針灸　針五分。灸三壯。

三三　陽關

解剖　有外大股筋。外關節動脉。股神經。

部位　在陽陵泉上三寸。

主治　風痺不仁。股膝冷痺痛。不可屈伸。

取法　膝關節之旁。當陽陵上三寸部分取之。

針灸　針五分。禁灸。

三四　陽陵泉

解剖　當脛骨之外側。有膝關節動脉。淺腓骨神經。

部位　在膝下外側。尖骨前之陷凹處。

主治　偏風半身不遂。足膝冷痺不仁。無血色。脚氣筋攣。

摘要　此穴爲足少陽胆經脉之所入爲合土。「玉龍歌」膝蓋紅腫鶴膝風。陽陵二穴亦堪攻。『席弘賦』最是陽陵泉一穴。膝間疼痛用針燒。「又」脚痛膝腫針三里。懸鍾二陵三陰交。「百證賦」半身不遂，陽陵遠達於曲池。「雜病穴法歌」脅痛只須陽陵泉。「又」脚連腰脇痛難當。環跳陽陵泉內杵。「又」冷風溼痺針環跳。陽陵三里燒針尾。「又」熱閉氣閉先長强。大敦陽陵堪調護。『通玄賦』脇下肋痛者。刺陽陵而即止。「天星秘訣」冷風溼痺針何處。先取環跳次陽陵。「又」脚氣酸疼肩井先。次尋三里陽陵泉。「馬丹陽十二訣」膝腫幷麻木。冷痺及偏風。舉足不能起。坐臥似衰翁。針入六分止。神功妙不同。

取法　正坐垂足。膝外側關節之下陷中。取之。

針灸　針六分。灸七壯。

三五　陽交

解剖　有長總趾伸筋。前脛骨動脉。深腓骨神經。

部位　在外踝上七寸。沿太陽經一面。崐崙之直上。

仝上

主治 胸滿喉痺。足不仁。膝痛寒厥。驚狂面腫。

取法 正坐垂足。從崑崙直上。外踝邊量上七寸取之。

針灸 針六分。灸三壯。

三六 外邱

解剖 有長腓筋。前脛骨動脈。淺腓骨神經。

部位 外踝上七寸。與陽交相並。陽交在後。外邱在前。相去五分。

主治 頸項痛。胸滿。痿痺。癲風。悪犬傷毒不出。

取法 正坐垂足。從外踝直上七寸取之。（去髁計）

針灸 針三分。灸三壯。

三七 光明

解剖 有長總趾伸筋。前腓骨動脈。深腓骨神經。

部位 外踝上五寸。

主治 熱病汗不出。卒狂嚼頰。淫濼脛胻痛不能久立。虛則痿痺。偏細。坐不能起。實則足胻熱膝痛。身體不仁。

摘要 此穴為足少陽絡別走厥陰。「席弘賦」睛明治眼未效時。合谷光明不可缺。「標幽賦」眼癢眼疼。瀉光明於地五。

取法　正坐垂足。外踝上去踝五寸取之。

針灸　針六分。灸五壯。

三八　陽輔

解剖　有長總趾伸筋。前腓骨動脉。深腓骨神經。

部位　在外踝上四寸。微向前三分

主治　腰溶溶如水浸。膝下膚腫。筋攣。百節痠疼。痿痺。馬刀頸項痛。喉痺汗不出。及汗出振寒。痎瘧腰胻痠痛不能行立。

摘要　此穴爲足少陽胆脉所行爲經火。

取法　外踝上四寸微前三分取之（去踝計）

針灸　針三分。灸三壯。

三九　懸鍾

解剖　爲短腓筋部。有前腓骨動脉。與神經。

部位　在外踝上三寸。

主治　心腹脹滿。胃熱不食。喉痺。欬逆頭痛。中風虚勞。頸項痛。手足不收。腰膝痛。腳氣筋骨攣。

摘要　『玉龍歌』凡患傴者補風池。瀉絕骨。「又」寒溼腳氣不可熬。先針三里及陰交。再將絕骨穴兼刺。腫痛頓時立見消。『席弘賦』腳氣膝腫針三里。懸鍾三陵三陰交。「標幽賦」環跳懸鍾。華佗鍼躄足而立行「天星祕訣」。足緩難行先絕骨。次針條口及衝陽。「肘後歌」傷寒須補絕骨是。熱則絕骨瀉無憂。『勝玉歌』踝跟骨痛灸崑崙。更有絕骨共坵墟。「針病穴法歌」兩足難移先懸鍾。條口復針能步履。

取法　從外踝上（去踝）三寸取之。

針灸　針五分。灸五壯。

四十　丘墟

解剖　當長總趾伸筋腱之後部。有前外踝動脈。淺腓骨神經。

部位　在外踝下微前陷中。

主治　胸脇滿痛不得息。寒熱。目生翳膜。頸腫。久瘧振寒。痿厥腰腿痠痛。髀樞中痛。轉筋足脛偏細。小腹堅卒疝。

摘要　此穴為足少陽脉之原。「玉龍歌」腳背疼起坵墟穴。「靈光賦」髀樞疼痛瀉坵墟。「百證賦」轉筋兮金門坵墟來醫。「勝玉歌」踝跟骨痛灸崑崙。更有絕骨共坵墟。

取法　第四趾直上。外踝骨前橫紋陷中。

針灸　針五分。灸五壯。

四一　足臨泣

解剖　有蹠骨動脈。中足背皮神經。
部位　在足小趾次趾本節後。
主治　胸滿氣喘。目眩心痛。缺盆中及腋下馬刀瘍。痺痛無常。厥逆。痎瘧日西發者。胻痠洒洒振寒。婦人月經不調。季脇支滿乳癰。
摘要　此穴爲足少陽脉之所注爲兪木。「玉龍歌」小腹脹滿氣攻心。內庭二穴要先針。兩足有水臨泣瀉。「雜病穴法歌」赤眼迎香出血奇。臨泣太冲合谷侶。
取法　小次趾本節後歧骨間陷中取之。
針灸　針二分。灸三壯。

四二　地五會

解剖　有骨間背動脉。中足背皮神經。
部位　去俠谿一寸。
主治　腋痛內損吐血。足外無膏澤。乳癰。
摘要　「席弘賦」耳內蟬鳴腰欲折。膝下明存三里穴。後再補瀉五會間。「標幽賦」眼癢眼疼。針光明於地五。「天星秘訣」耳內蟬鳴先五會。次針耳門三里內。
取法　小次趾本節後陷中。臨泣前五分位取之。
針灸　針二三分。禁灸。

四三　俠谿

解剖　有趾背動脉與神經。

部位　在小次趾本節前陷中。

主治　胸脅支滿。寒熱病。汗不出。目赤頷腫。胸痛耳聾。

摘要　此穴爲足少陽脉之所流爲滎水。「百症賦」陽谷俠谿。頷腫口噤並治。

取法　小次趾本節前陷中取之。

針法　針二分。灸三壯。

四四　足竅陰

解剖　有趾背動脉。趾背神經。

部位　在第四趾外側爪甲角。

主治　脅痛欬逆不得息。手足煩熱。汗不出。癰疽。口乾口痛。喉痺舌强。耳聾。轉筋肘不可舉。

摘要　此穴爲足少陽脉之所出爲井金。

取法　第四趾外側爪甲角一分許取之。

針灸　針一分。灸三壯。

十二　足厥陰肝經穴

本經起於足大趾之端。大敦穴起。上循足跗上廉。上踝。抵膕內廉。循股陰入毛中。抵少腹。上挾胃。至期門穴。計一十四穴。左右共二十八穴。

1 大敦　2 行間　3 太冲　4 中封　5 蠡溝　6 中都　7 膝關

8 曲泉　9 陰包　10 五里　11 陰廉

肝經穴圖

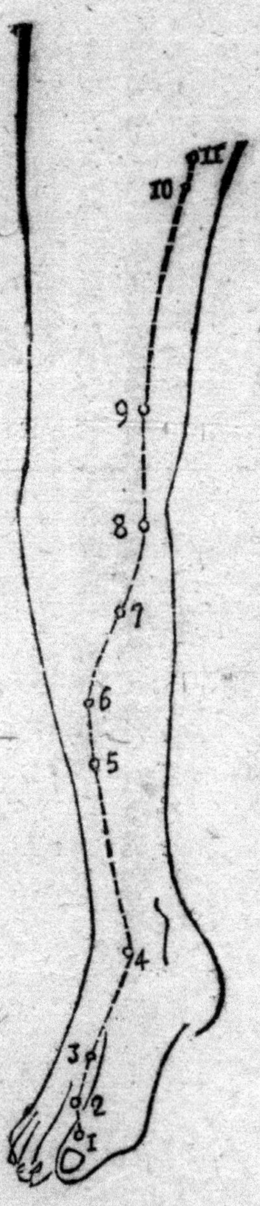

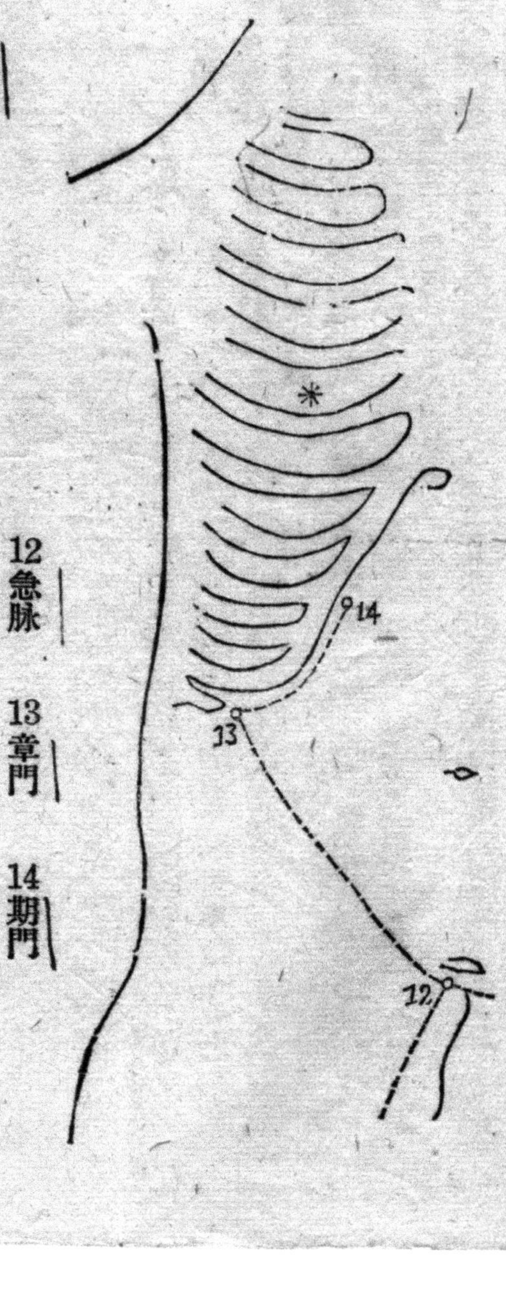

大指去甲正中

一 大敦

解剖 有長大趾伸筋。趾背神經。淺腓骨神經。

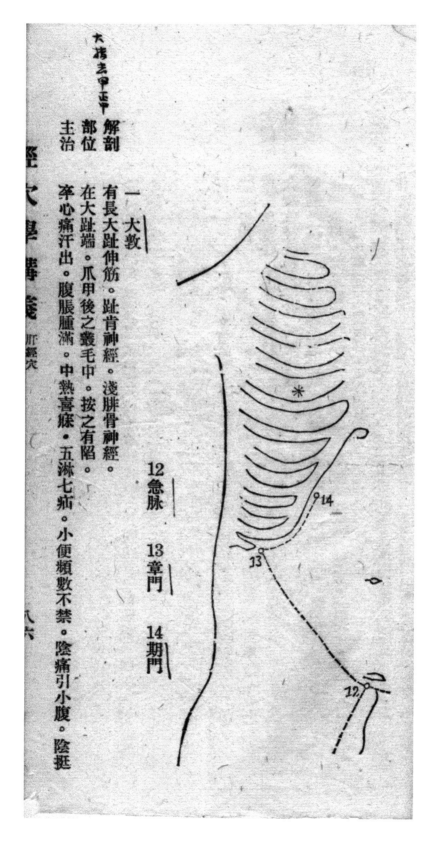

部位 在大趾端。爪甲後之叢毛中。按之有陷。

主治 卒心痛汗出。腹脹腫滿。中熱喜寐。五淋七疝。小便頻數不禁。陰痛引小腹。陰挺出。血崩。尸厥如死。

摘要 此穴爲足厥陰脉之所出爲井木。凡疝氣腹脹足腫者。皆宜灸之。以洩肝木之氣。而安脾胃。「玉龍歌」七般疝氣取大敦。「席弘賦」大便祕結大敦燒。「百症賦」大敦照海。患寒疝而善蠲。「通玄賦」大敦能治七疝之偏墜。「雜病穴法歌」七疝大敦與太冲。「天星祕訣」小腸氣痛先長强。後刺大敦不用忙。「勝玉歌」灸罷大敦除疝氣。「雜病穴法歌」熱閉氣閉先長强。大敦陽陵堪調護。

取法 足大趾外側爪甲根部。去爪甲分許微內些。再上分許。當關節之前陷中。

針灸 針一分。灸三壯。主針二分

二 行間

解剖 有趾背動脉。淺在腓骨神經。

部位 大趾次趾合縫後五分。動脉陷中。

主治 嘔逆。咳血。心胸痛。腹脅脹。色蒼蒼如死狀。中風口喎。嗌乾煩渴。瞑不欲視。目中淚出。太息癲疾短氣。肝積肥氣。痎瘧。洞泄。遺尿。癃閉。崩漏。白濁。寒疝少腹腫。腰痛不可俯仰。小兒驚風。

摘要 此穴爲足厥陰肝脉所溜爲滎火。「百證歌」雀目肝氣。睛明行間而細推。「又」行間湧泉。治消渴之腎竭。「通玄賦」行間治膝腫目疾。「雜病穴法歌」脚膝諸痛羨行間。「勝玉歌」

針灸

行間可治膝腫病。

取法　足大趾本節後外側。離縫約五分。

針灸　針三分。灸二壯。

三　太衝

解剖　在第一蹠骨之部。有前脛骨筋。淺腓骨神經枝。

部位　在行間後。

主治　虛勞嘔血。恐懼氣不足。嘔逆發寒。肝癉令人腰痛。嗌乾胸脇支滿。太息。浮腫小腹滿。腰引少腹痛。足寒。或大小便難。陰痛遺溺。溏泄。小便淋癃。小腹疝氣。腋下馬刀瘍瘻。胻痠踝痛。女子月水不通。或漏血不止。小兒卒疝。

摘要　此穴為肝脈所注為俞土。產後出汗不止針太沖亟補之。「席弘賦」手連肩脊痛難忍。合谷針時要太沖。「又」腳痛膝腫針三里。懸鍾二陵三陰交。更向太沖須引氣。指頭麻木自輕飄。「又」咽喉最急先百會。太沖照海及陰交。「標幽賦」心脹咽痛。針太沖而必除。「通玄賦」行步難移。太沖最奇。「勝玉歌」若人行步苦艱難。中封太沖針便痊。「肘後歌」股膝腫起瀉太沖。「雜病穴法歌」赤眼迎香出血奇。臨泣太沖合谷侶。「又」鼻塞鼻痔及鼻淵。合谷太沖隨手取。「又」舌裂出血尋內關。太沖陰交走上部。「又」手指連肩相引疼。合谷太沖能救苦。「又」七疝大敦與太沖。「馬丹陽十二訣」動脈知生死。能醫驚癎風。咽喉并心脹。兩足不能行。七疝偏墜腫。眼目似雲蒙。亦能療腰痛。針下有神功。

取法　足大趾外側歧骨之間。當一二蹠骨接濟部微前。

針灸　針三分。灸三壯。

四　中封

解剖　有前脛骨筋。內踝動脉。大薔薇神經。

部位　在內踝前一寸微下些。屈足見踝前下面有陷凹處便是。

主治　痎瘧。色蒼蒼如死狀。善太息。振寒。溲白。大便難小便腫痛。五淋。足厥冷。不嗜食。身體不仁。寒疝痿厥。筋攣。失精。陰縮入腹引痛。或身微熱。

摘要　此穴爲足厥陰肝脉所行爲經金。「勝玉歌」若人行步苦艱難。中封太冲針便痊。「玉龍歌」行步艱難疾轉加。太冲二穴效堪誇。更針三里中封穴。去病如同用手抓。

取法　內踝之前陷中。當解谿內開四五分相平。

針灸　針四分。灸三壯。

五　蠡溝

解剖　脛骨之內側。有比目魚筋。脛骨動脉。脛骨神經。

部位　在內踝前上五寸。

主治　疝痛小腹滿痛癃閉。臍下積氣如杯。數噫。恐悸。少氣。足脛寒痠。屈伸難。腰背拘急不可俯仰。月經不調。溺下赤白。

摘要　此穴爲足厥陰絡別走少陽者。

取法　內踝之上五寸。即脛骨前面內側之中央陷中。

針灸　針二分。灸三壯。

六　中都

解剖　有比目魚筋。脛骨動脉。脛骨神經。

部位　在蠡溝上一寸。

主治　腸澼㿉疝。少腹痛。溼熱足脛寒。不能行立。婦人崩中。產後惡露不絕。

取法　內踝之上七寸。脛骨內面之陷中。約當脛前內側三分之一之部。

針灸　針二分。灸五壯。

七　膝關

解剖　爲腓腸筋部。有內下膝關節動脉。脛骨神經。

部位　在內犢鼻下二寸。向裏橫開寸半之間陷中。

主治　風痺。膝內腫痛。引臏不可屈伸。及寒溼走注。白虎歷節。風寒不能舉動。咽喉中痛。

取法　內犢鼻下二寸。再向內開一寸五分陷中。即膝關節之內側。曲泉之下約二寸。正坐屈膝垂足取之

針灸　針四分。灸三壯。

八　曲泉

解剖　有膝關節動脈。腓骨神經。半膜狀筋。

部位　在膝內輔骨邊。屈膝橫紋上陷中。

主位　㿗疝。陰股痛。小便難。少氣。洩痢膿血。胸脇支滿。膝痛筋攣。四支不舉。不可屈伸。風勞失精。身體極痛。膝脛冷。陰莖痛實則身熱。目痛。汗不出。目䀮䀮。發狂衄血。喘吁。痛引咽喉。女子陰挺出少腹痛。陰癢血瘕。

摘要　此穴爲足厥陰肝脉所入爲合水。「席弘賦」男子七疝小腹痛。照海陰交曲泉針。更不應時求氣海。關元同瀉效如神。「肘後歌」風痺痿厥如何治。大杼曲泉眞是妙。

取法　正坐垂足。於膝部內緣之中央部份。當膝橫紋之上陷中取之。

針灸　針七分。灸三壯。

九　陰包

解剖　有內大股筋。外廻旋股動脈。股神經。

部位　在膝上四寸。股內廉兩筋間。

主治　腰尻引小腹痛。小便難。遺尿。月水不調。

摘要　「肘後歌」中滿如何去得根。陰包如刺效如神。

取法　膝上四寸。股之內廉。當大腿內側二分之一部。正坐垂足取之。

針灸　針六分。灸三壯。

一〇　五里

解剖　有長內轉股筋。循行股動脈。閉鎖神經。

部位　氣冲之下三寸。

主治　膓風。熱閉不得溺。風勞嗜臥。四肢不能舉。

取法　仰臥伸足。從氣冲之旁五分。再下三寸部位取之。

針灸　針六分。灸三壯。

一一　陰廉

解剖　在鼠蹊部之下。有恥骨筋。外陰部動脉。股伸筋閉鎖神經。

部位　在陰部之旁。皮肉之下。有如核者名曰羊矢骨。穴在其下。去氣冲二寸。

主治　婦人不孕。若經不調未有孕者。灸三壯。

取法　氣冲之旁五分。再下二寸。仰臥取之。

針灸　針六分。灸三壯。

經穴學講義

一二 急脈

解剖 有三稜腹筋。下腹神經。

部位 在陰器之旁開二寸五分。

主治 癩疝小腹痛。

取法 仰臥氣沖之旁五分取之。

針灸 灸三壯禁針。

十三 章門

解剖 爲內外斜腹筋部。即胃府之外側。貫通上腹動脉。有第八至第十二肋間之神經枝。

部位 在季肋之端。

主治 兩脇積氣如卵石。膨脹腸鳴。食不化。胸脇痛煩熱。支滿。嘔吐。欬喘不得臥。股脊冷痛不得轉側。肩臂不舉。傷飽身黃瘦弱。洩瀉。四支懶。善恐。少氣厥逆。

摘要 此穴爲脾之募穴。「百證賦」胸脇支滿何療。章門不用細尋。「勝玉歌」經年或患勞怯者。痞滿臍旁章門決。

取法 仰臥臍上二寸。外開六寸。取之。

一四 期門

解剖 有內外斜腹筋。循行上腹動脉。第八至十二肋間神經。

部位 在不容旁一寸五分。乳下第二肋端。

主治 傷寒胸中煩熱。奔豚上下。目青而嘔。霍亂。瀉痢。腹硬胸脇積痛。支滿。嘔酸。善噫。食不下。喘不得臥。

摘要 「席弘賦」期門穴主傷寒患。六日過經猶未汗。但向乳根二肋間。又治女人生產難。「百證賦」項强傷寒。溫溜期門而主之。「通玄賦」期門退胸滿血膨而可止。「天星秘訣」傷寒過經不出汗。期門通里先後灸。「肘後歌」傷寒痞結脇積痛。宜向期門見深功。

取法 仰臥從巨闕旁三寸五分取之。

針灸 針四分。灸五壯。

一三 任脈穴

本脈起於兩陰之間會陰穴。上行經腹。過胸入咽。絡唇下。承漿穴止。計中行凡二十四穴。

1 會陰	2 曲骨	3 中極	4 關元	5 石門	6 氣海	7 陰交
8 神闕	9 水分	10 下脘	11 建里	12 中脘	13 上脘	14 巨闕
15 鳩尾	16 中庭	17 膻中	18 玉堂	19 紫宮	20 華蓋	21 璇璣
22 天突	23 廉泉	24 承漿				

任脈穴圖

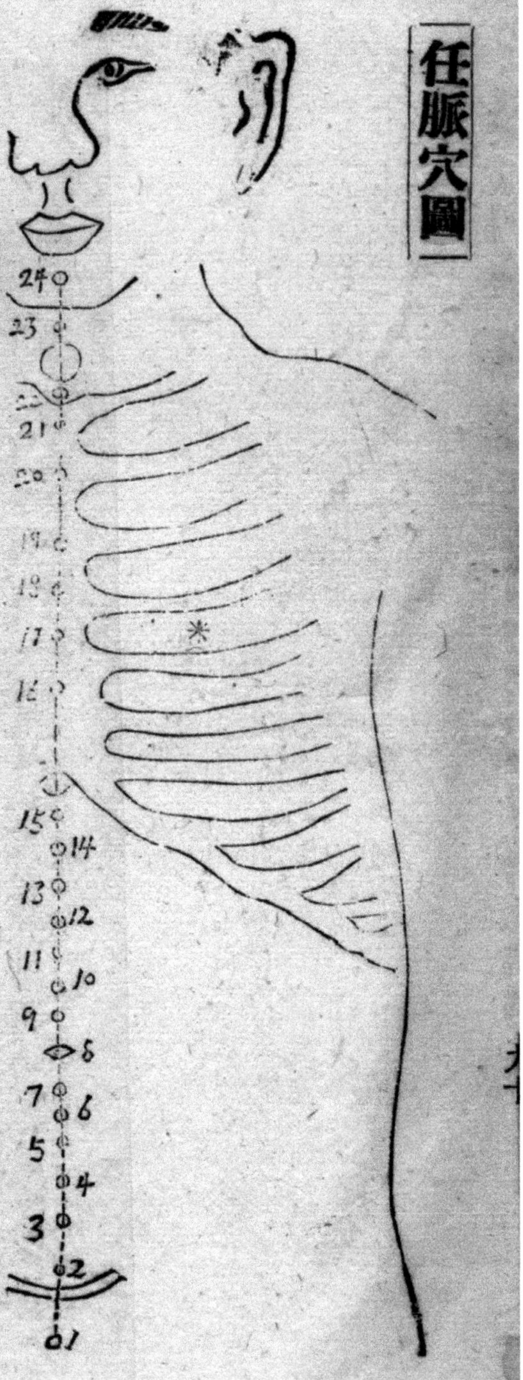

一 會陰

解剖 有海棉體球筋。外痔動脈。內陰部神經。

部位 在兩陰之間。

主治 陰汗。陰中諸病。前後相引痛。不得大小便。穀道病久痔不通。男子飲寒冲心。女子陰門痛。月經不通。卒死溺死。

取法 俯伏兩陰之間。縫中取之。

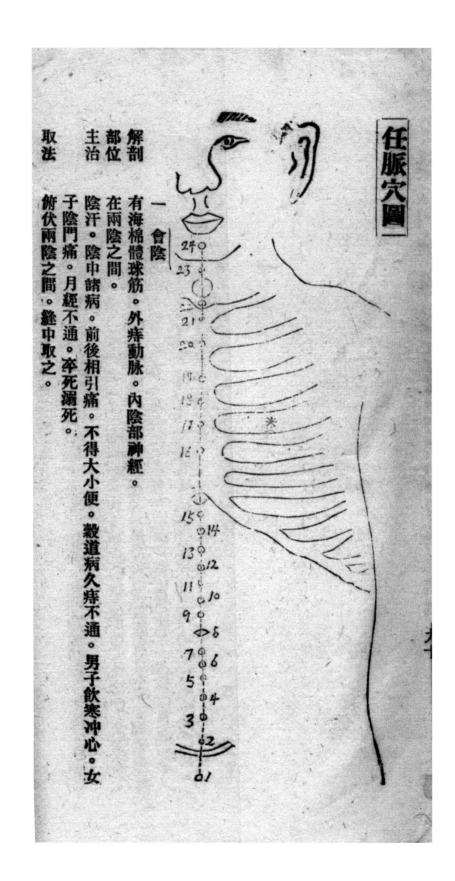

针灸　針一寸不灸。

二　曲骨

解剖　爲恥骨軟骨之合縫部。有外陰動脈。腸骨下腹神經。

部位　在中極下一寸陰毛中。

主治　小便脹滿。小便淋澀。血癃。㿗疝。小腹痛。失精。虛冷。婦人赤白帶下。

取法　仰臥於橫骨邊上際取之。

針灸　針八分至一寸二分。灸五壯。

三　中極

解剖　有表在深在之下腹動脈。腸骨下腹神經。

部位　在關元下一寸。

主治　陽氣虛憊。冷氣時上衝心。尸厥恍惚。失精。無子。腹中臍下結塊。水腫。奔豚疝瘕。五淋。小便赤澀不利。婦人下元虛冷。血崩白濁。因產惡露不行。胎衣不下。經閉不通。血積成塊。子門腫痛。轉脬不得小便。

取法　仰臥曲骨上一寸取之。

針灸　針八分至一寸二分。灸五壯。

四　關元

解剖　有下腹動脈。下腹神經。

部位　石門下一寸。

主治　積冷。諸虛百損。臍下絞痛。漸入陰中。冷氣入腹。少腹奔豚。夜夢遺精。白濁。五淋。七疝。溲血。小便赤澀。遺瀝。轉胞不得溺。婦人帶下瘕聚。經水不通。不姙。或姙娠下血。或產後惡露不止。或血冷。月經斷絕。

摘要　「玉龍歌」傳尸癆病最難醫。湧泉出血免災危。痰多須向豐隆瀉。氣喘丹田亦可施。『席弘賦』小便不禁關元妙。『又』若是七疝小腹痛。照海陰交曲泉針。關元同瀉效如神。「玉龍歌」腎氣冲心得幾時。若得關元幷帶脈。「又」腎強疝氣發甚頻。關元兼刺大敦穴。

取法　仰臥中極上一寸取之。

針灸　針一寸二分。灸五壯。

五　石門

解剖　有下腹動脈與神經。

部位　在氣海下半寸。

主治　腹脹堅硬。水腫。支滿。氣淋。小便黃赤不利。小腹痛。泄瀉不止。身寒熱。欬逆上氣。嘔血。卒疝疼痛。婦人因產惡露不止。遂結成塊。崩中漏下血淋。

取法　仰臥。關元上一寸取之。

針灸　針六分。灸三壯。婦人不宜針灸。

六　氣海

解剖　有小腸動脉。交感神經叢枝。

部位　陰交下半寸。

主治　下焦虛冷。上冲心腹。或爲嘔吐不止。或陽虛不足。驚恐不臥。奔豚。七疝。小腸膀胱癖瘕結塊狀如覆杯。臍下冷氣。陽脫欲死。陰症傷寒。卵縮。四肢厥冷。小便赤澀。羸瘦。白濁。婦人赤白帶下。月事不調。產後惡露不止。繞臍腹痛。小兒遺尿。

摘要　「席弘賦」氣海專能治五淋。更針三里隨呼吸。「百證賦」針三陰於氣海。專司白濁從遺精。「靈光賦」氣海血海療五淋。「勝玉歌」諸般氣症從何治。氣海針之灸亦宜。

取法　石門上五分。仰臥取之。

針灸　針一寸。灸百壯。

七　陰交

解剖　有小腸動脉與神經。

部位　臍下一寸。

主治　衝脉生病。從少腹冲心而痛。不得小便。疝痛。陰汗溼癢奔豚。腰膝拘攣。婦人月事不調。崩中帶下。產後惡露不止。繞臍冷痛。

摘要　「玉龍歌」水病之疾最難熬。腹滿虛脹不肯消。先灸水分并水道。後針三里及陰交。「席弘賦」若是七疝小腹痛。照海陰交曲泉針。「又」小腸氣塞痛連臍。速瀉陰交莫再遲。「又」咽喉最急先百會。照海太冲及陰交。「百症賦」無子搜陰交石關之鄉。

取法　仰臥臍下一寸取之。

針灸　針八分。灸五壯。

八　神闕

解剖　當臍中央。中有小腸。

部位　臍中。

主治　陰證傷寒。中風不省人事。腹中虛冷。陽憊腸鳴泄瀉不止。水腫鼓脹。小兒乳痢不止。腹大風癇。角弓反張。脫肛。婦人血冷不受胎者。灸此永不脫肛。

摘要　灸此穴須納鹽填臍中灸之。灸百壯以上。并可灸霍亂。

取法　臍之正中。仰臥取之。

針灸　可灸不可針。

九　水分

解剖　有上腹動脈。肋間神經。

部位　在臍上一寸。下脘下一寸。

主治　水病腹堅。黃腫如鼓。氣衝胸不得息。繞臍痛。腸鳴泄瀉。小便不通。小兒陷顖。

摘要　「玉龍歌」水病之疾最難熬。腹滿虛脹不肯消。先灸水分并水道。「百證賦」陰陵水分。去水腫之臍盈。「天星祕訣」肚腹浮腫脹膨膨。先灸水分瀉建里。「靈光賦」水腫水分灸即安。

取法　臍上一寸。仰臥取之。

針灸　宜灸不宜針。

十　下脘

解剖　有上腹動脈。肋間神經。

部位　在建里下一寸。

主治　臍上厥氣堅痛。腹脹滿。完穀不化。虛腫癖塊。瘦弱少食。翻胃小便赤。

摘要　「靈光賦」中脘下脘治腹堅。「百證賦」腹內腸鳴。下脘陷谷能平。「勝玉歌」胃冷下脘却為良。

取法　臍上二寸。仰臥取之。

針灸　針八分。灸五壯。孕婦忌灸。

經穴學講義

十一　建里

解剖　有上腹動脉。肋間神經。

部位　在中脘下一寸。

主治　腹脹身腫。心痛上氣。腸鳴嘔逆不食。

摘要　『百證賦』建里內關。掃盡胸中之苦悶。『天星秘訣』肚腹浮腫脹膨膨。先灸水分并建里。

取法　臍上三寸。仰臥取之。

針灸　針五分。灸五壯。孕婦忌灸。　仝上

十二　中脘

解剖　中藏胃府。有上腹動脉。肋間神經。

部位　在上脘下一寸。

主治　心下脹滿。傷飽食不化。噎膈翻胃不食。心脾煩熱疼痛。積聚痰飲面黃。傷寒飲水過多。腹脹氣喘。温瘧。霍亂吐瀉。寒熱不已。或因讀書得奔豚。氣上攻。伏梁心下。寒癖結氣。凡脾冷不可忍。心下脹滿。飲食不進不化。氣結疼痛雷鳴者。皆宜灸之。

摘要　『玉龍歌』九種心痛及脾疼。上脘穴內用神針。若還脾敗中脘補。『又』脾家之症有多般。致成翻胃吐舌難。黃疸亦須尋脘骨。金針必定奪中脘。『肘後歌』中脘回還胃氣痛。「雜病穴法歌」霍亂中脘可入深。「靈光賦」中胃下脘治腹堅。

取法　臍上四寸仰臥取之。

針灸　針八分至一二寸深。灸七壯。

十三　上脘

解剖　有上腹動脈。與肋間神經。

部位　在臍上五寸。

主治　心中煩熱。痛不可忍。腹中雷鳴。飲食不化。霍亂翻胃嘔吐。三焦多涎。奔豚伏梁。氣脹積聚。黃疸。驚風。心悸。嘔血身熱汗不出。

摘要　「玉龍歌」九種心痛及脾疼。上脘穴內用神針。「百症賦」發狂奔走。上脘同起於神門。「勝玉歌」心疼脾痛上脘先。

取法　臍上五寸。仰臥取之。

針灸　針八分。灸五壯。

十四　巨闕

解剖　有上腹動脈與神經。

部位　去鳩尾一寸。

主治　上氣欬逆。胸滿氣疼。九種心痛。冷痛。少腹蚘痛。痰飲咳嗽。霍亂腹脹。恍惚發

任經穴

狂。黃疸。膈中不利。煩悶。卒心痛。尸厥。蠱毒。息賁。嘔血。吐痢不止。

摘要　【百證賦】膈痛飲蓄難禁。膈中巨闕便針。

取法　臍上六寸。仰臥取之。

針灸　針六分。灸七壯。

十五　鳩尾

解剖　胸骨劍狀突起端。有上腹動脈。肋間神經。

部位　在歧骨下一寸。

主治　心驚悸。神氣耗散。癲癇狂病。

摘要　鳩尾能治五般癇。若下湧泉人不死。

取法　歧骨下一寸。仰臥或正坐取之。

針灸　不可輕針。必欲針。須使其兩手高舉。而後進針。針三分。灸三壯。針三分針尖向下微進

十六　中庭

解剖　有內乳動脈之分枝。肋間神經。

部位　在膈中下一寸六分。正中胸骨边上

主治　胸脇支滿。噎塞吐逆。食入還出。小兒吐乳。

取法　膻中下一寸六分。正坐或仰臥取之。

針灸　針三分。灸三壯。」

十七　膻中

解剖　有內乳動脉之分枝。肋間神經。」

部位　在玉堂下一寸六分。兩乳之間。」 正中

主治　一切上氣短氣。痰喘哮嗽。欬逆。噎氣。膈食翻胃。喉鳴氣喘。肺癰。嘔吐涎沫膿血。婦人乳汁少。」

摘要　「百證賦」膈痛飲蓄難禁。膻中巨闕便針。「勝玉歌」膻中七壯除膈熱。

取法　正坐或仰臥於兩乳之中間取之。

針灸　禁鍼。灸七壯。」 沿皮向下針

十八　玉堂

解剖　有內乳動脉。肋間神經。」

部位　在紫宮下一寸六分。

主治　胸膺滿痛。心煩欬逆。上氣喘急。不得息。喉痺咽壅。水漿不入。」嘔吐寒痰。

摘要　「百證賦」煩心嘔吐。幽門開徹玉堂明。」

取法　膻中上一寸六分取之。」

針灸　針三分灸五壯。

十九 紫宮

解剖 有內乳動脈。肋間神經。

部位 在華蓋下一寸六分。

主治 胸脇支滿膺痛。喉痺咽塞。水漿不入。欬逆上氣。吐血煩心。

取法 膻中上三寸二分取之。

針灸 針三分。灸五壯。

二十 華蓋

解剖 有內乳動脈。肋間神經。

部位 在璇璣下一寸六分。

主治 欬逆喘急上氣。哮嗽。喉痺。胸脇滿痛。水飲不下。

摘要 『百証賦』脇肋疼痛。氣戶華蓋有靈。

取法 膻中上四寸八分取之。

針灸 針三分。灸五壯。

二一 璇璣

解剖 有內乳動脈。肋間神經。

部位 在天突下一寸。

主治　胸脇滿。咳逆上氣。喘不能言。喉痺咽腫。水飲不下。

摘要　「席弘賦」胃中有積刺璇璣。三里功多人不知。「雜病穴法歌」內傷食積鍼三里。璇璣相應塊亦消。

取法　天突下一寸取之。

針灸　針三分。灸五壯。

二二　天突

解剖　即胸骨半月狀切痕部。依上甲狀腺動脈。上喉頭神經。

部位　在結喉之下凹陷中。

主治　上氣。哮喘。咳嗽。喉痺。噎氣。肺癰咯吐膿血。咽腫暴瘖。身寒熱。咽乾。舌下急不得食。

摘要　「玉龍歌」天突膻中醫喘嗽。「靈光賦」天突膻中治痰喘。「百證賦」欬嗽連聲：肺俞須迎天突穴。

取法　結喉下。胸骨上。凹陷中取之。

針灸　針五分。灸二壯。

二三　廉泉

解剖　有甲狀腺動脈。上喉頭神經。

經穴學講義

部位　在頷下。舌本之下結喉之上。

主治　欬嗽喘息上氣吐沫。舌縱。舌下腫。舌根急縮。

摘要　「百證賦」廉泉中衝。舌下腫疼可取。

取法　結喉上方。頸橫紋之上。仰而取之。

針法　針三分。灸三壯。針五分

二四　承漿

解剖　爲下顎骨部。分布頤上掣筋。口冠狀動脉。顏面神經。三叉神經。

部位　在下唇下之陷凹中。

主治　偏風。半身不遂。口眼喎斜。口禁不開。暴瘖不能言。

摘要　「百證賦」承漿瀉牙疼而即移。「通玄賦」頭項強。承漿可保。

取法　下唇之陷凹中。開口取之。

針灸　針三分。灸七壯。

齦交　在下唇內上中牙齦交界處能治牙齦腫痛之症用三陵針刺出血

十四 督脈穴

本脉起於尾閭端之長强。循脊直上。過項入巔頂。而前經額鼻而至齒之齦交穴止。中行凡二十八穴。

1長强 2腰俞 3陽關 4命門 5懸樞 6脊中 7中樞

8筋縮 9至陽 10靈台 11神道 12身柱

督經穴圖

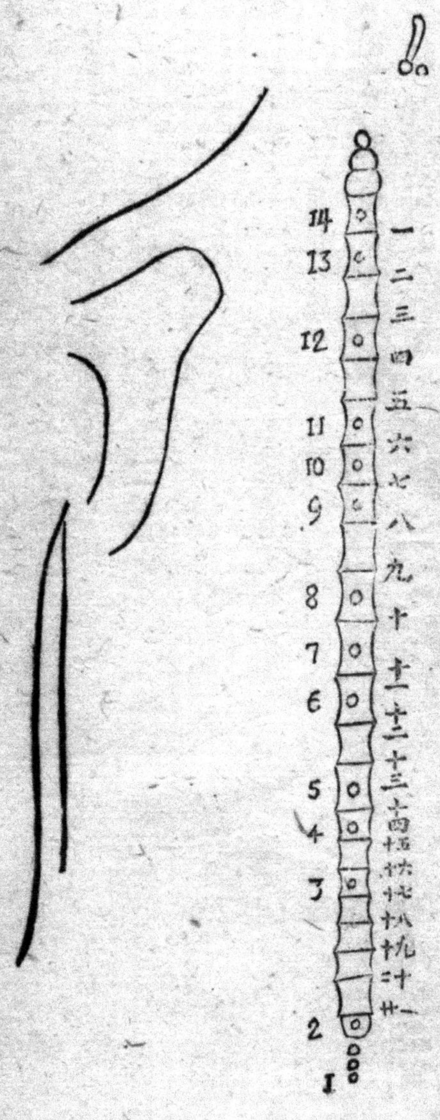

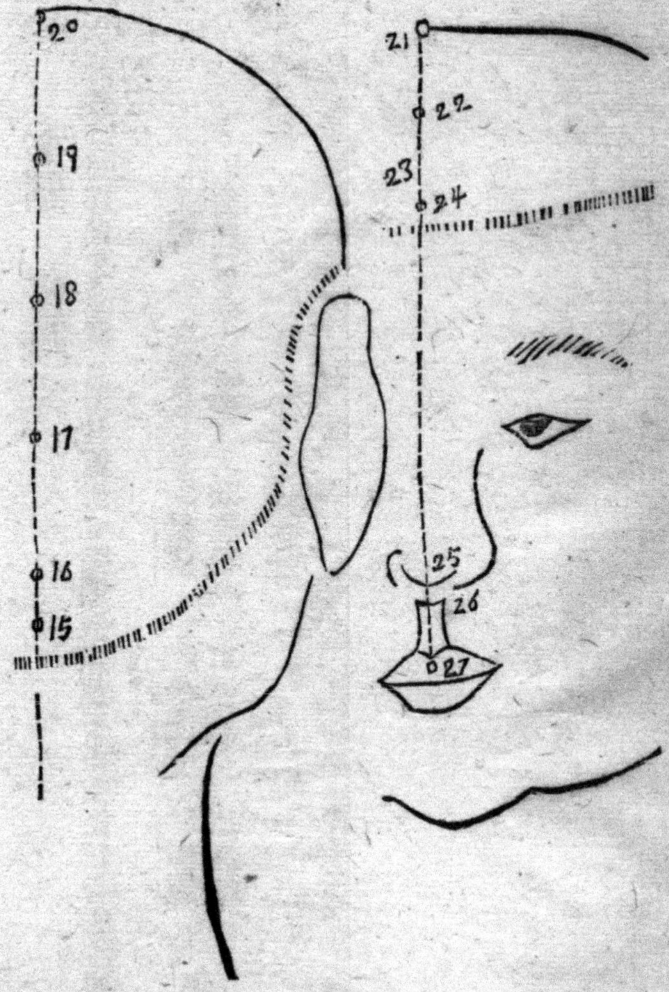

13 陶道 14 大椎
15 啞門 16 風府
17 腦戶 18 強間
19 後頂 20 百會
21 前頂 22 顖會
23 上星 24 神庭
25 素髎 26 人中
27 兌端 28 齗會

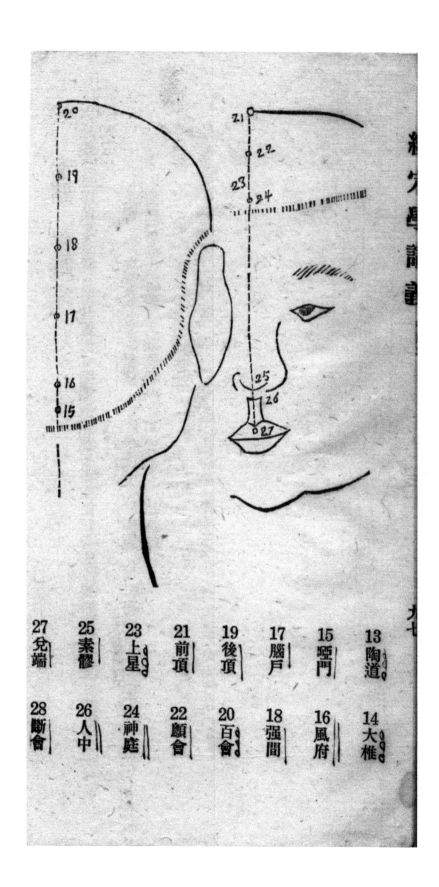

一 長強

解剖 有大臀筋。下臀動脈。尾閭骨神經。

部位 尾閭骨端五分之處。肛門之上。

主治 腰脊強急不可俯仰。狂病。大小便難。腸風下血。五痔五淋。下部疳蝕。洞泄。失精。嘔血。小兒顖陷。驚癎瘈瘲。脫肛瀉血。

摘要 「玉龍賦」長強承山。灸痔最妙。「席弘賦」大敦若連長強尋。小腸氣痛即行針。「又」小兒脫肛患多時。先灸百會後尾閭。「百證賦」針長強與承山。善主腸風新下血。「又」脫肛趨百會尾閭之所。「靈光賦」百會龜尾治痢疾。「天星祕訣」小腹氣痛先長強。後刺大敦不用忙。

取法 尾骶之端。肛門之後陷中。伏而取之。

灸針 針五分。灸二三十壯。

二 腰俞

解剖 大臀筋之起始部。有下臀動脈。薦骨神經。

部位 在尾閭骨之上部。二十一椎之下。

主治 腰脊重痛。不得俯仰。腰以下至足冷痺不仁。強急不能坐臥。灸隨年壯。

摘要 「席弘賦」冷風冷痺疾難愈。環跳腰俞針與燒。（燒針尾）

經穴學講義

督脈穴

取法　二十一椎之下。伏而取之。

針灸　針三分。灸五壯。

三　陽關

解剖　爲第四腰椎部。有下臀動脈。薦骨神經枝。

部位　在第十六椎下。

主治　膝痛不可屈伸。風痺不仁。筋攣不行。

取法　十六椎下。伏而取之。

針灸　針五分。灸五壯。

四　命門

解剖　當第二腰椎部。有肋間動脈。脊椎神經。

部位　第十四椎下。

主治　腎虛腰痛。赤白帶下。男子洩精。耳鳴。手足冷痺攣急。驚恐頭眩。頭痛如破。身熱如火。骨蒸汗不出。痎瘧瘛瘲。裏急腹痛。

摘要　「標幽賦」取肝兪與命門。能使瞽士視秋毫之末。痔漏下血。脫肛不食。洩痢。血崩。帶下。淋濁。皆宜灸之。惟年滿二十四者。灸之有絕子之患。

取法　十四椎下。正對臍中。伏而取之。

針灸　針三分。灸三至數十壯。

五　懸樞

解剖　爲第一腰椎部。有脊椎神經。

部位　在第十三椎下。

主治　腰脊强不得屈伸。腹中積氣。上下疼痛。水穀不化。瀉痢不止。

取法　十三椎下。伏而取之。

針灸　針三分。灸三壯。

六　脊中

解剖　有胸背動脈。肩胛下神經。

部位　在第十一椎下。

主治　風癇癲邪。腹滿不食。五痔。積聚下痢。小兒痢下赤白。秋末脫肛。每圊則肛痛不可忍。灸之。

取法　十一椎下。伏而取之。

針灸　針三分。灸三壯。

七　中樞

解剖　有胸背動脈。肩胛下神經。

部位　第十椎之下。

取法　第十椎之下。俯而取之。

此穴不針灸。

八　筋縮

解剖　在胸背動脈。肩胛下神經。

部位　在第九椎下。

主治　癲疾驚狂。脊强風癇目下視。

摘要　脊强兮，水道筋縮。

取法　第九椎下。俯而取之。

針灸　針五分。灸三壯。

九　至陽

解剖　有胸背動脈。肩胛下神經區。

部位　在第七椎下。

主治　腰脊强痛。胃中寒不食。少氣難言。胸脅支滿。羸瘦身黃。脛痠四肢重痛。寒熱解㑊。

摘要　「勝玉歌」黃疸至陽便能離。「玉龍賦」至陽卻疸。善治神疲。「一云」灸三壯。喘氣立

已

取法　第七椎下，俯而取之。

針灸　針五分。灸三壯。

十　靈台

解剖　在胸背動脈。肩胛下神經。

部位　有第六椎之下。

主治　今俗以灸氣喘不能臥。及風冷久嗽。火到便愈。

取法　第六椎下。俯而取之

針灸　針三分。灸三壯。

十一　神道

解剖　有橫頸動脈之下行枝。肩胛背神經。

部位　在第五椎之下。

主治　傷寒頭痛。寒熱往來。痎瘧悲愁。健忘驚悸。牙車急。口張不合。小兒風癇瘛瘲。

摘要　風癇常發。神道還須心俞寧。

取法　第五椎下。俯而取之。

針灸　灸五壯。不宜鍼

十二 身柱

解剖 有横頸動脈之下行枝。肩胛背神經。

部位 在第三椎之下。

主治 腰背痛。癲癎狂走。怒欲殺人。瘈瘲身熱。忘見忘言。小兒驚癎。

摘要 「玉龍賦」身柱蠲嗽。能除脊痛。「百證賦」癲疾仗身柱本神之合。同陶道。肺俞。膏肓。爲治肺癆要穴。

取法 第三椎下。俯而取之。

針灸 針三分。灸五壯。

十三 陶道

解剖 有横頸動脈。肩胛背神經。

部治 在第一椎之下。

主治 痎瘧寒熱 洒淅脊强。煩滿汗不出。頭重目瞑。瘈瘲。恍惚不樂。

摘要 「百證賦」歲熱時行。陶道復求肺俞理。「又」兼身柱。肺俞。膏肓。爲治療肺癆之要穴。「一云」此穴善退骨蒸之熱。

取法 第一椎下。俯而取之。

針灸 針五分。灸五壯。

十四　大椎

解剖　有横頸動脈。及肩胛背神經。

部位　在第一椎上之陷凹中。

主治　五勞七傷乏力。風勞食氣。痎瘧久不愈。肺脹脅滿。嘔吐上氣。背膊拘急。項頸强。不得回顧。

摘要　能瀉胸中熱。及諸熱氣。一云治身痛寒熱。風氣痛。又能治氣短不語。

取法　第一椎上陷中。正坐取之。

針灸　針五分。灸三壯。

十五　啞門

解剖　有項靱帶横頸動脈。肩胛背神經。

部位　入髮際五分。

主治　頸項强急不語。諸陽熱盛。衄血不止。脊强反折。瘈瘲癲疾頭風疼痛汗不出。寒熱風痙。中風。尸厥暴死。不省人事。

摘要　【百症賦】啞門關冲。舌緩不語而要緊。

取法　正坐。入髮際五分。當兩筋之間取之。

針灸　針二三分。不宜深。深則令人失音。不宜灸。灸之令人啞。

十六　風府

解剖　有後頭筋。後頭動脉。大後頭神經。

部位　在項後入髮際一寸。腦戶後一寸五分。

主治　中風舌緩，暴瘖不語，振寒汗出身重。偏風。半身不遂。傷風頭痛。項急不得回顧。目眩反視。鼻衄咽痛。狂走悲恐驚悸。

摘要　主瀉胸中之熱。『席弘賦』風府風池尋得到。寒傷百病一時消。「又」陽明二日尋風府『通玄賦』風傷項急求風府。『肘後歌』腿脚有疾風府尋。

取法　瘂門上五分。正坐取之。

針灸　針三分。禁灸。

十七　腦戶

解剖　爲後頭結節之下部。

部位　在枕骨下。强間後一寸五分。

取法　正坐。風府直上一寸五分取之。

針灸　此穴禁針灸。

十八　强間

解剖　爲後頭顱頂之縫合部。

部位　在後頂後一寸五分。
主治　頭痛項强。目眩腦旋。煩心嘔吐涎沫。狂走。
摘要　「百證賦」强間豊隆之際。頭痛難禁。
取法　腦戶上一寸五分。百會後三寸。正坐取之。
針灸　針二分。禁灸。

十九　後頂

解剖　有顳顬動脉後枝。後頭神經。
部位　在百會後一寸半。
主治　頸項强急。額顱上痛。偏頭痛。惡風目眩不明。
取法　正坐。百會後一寸五分取之。
灸針　針二分。灸五壯。

二十　百會

解剖　有帽狀腱膜。顳顬動脉後枝。後頭神經。
部位　當頭正中。
主治　頭風頭痛。耳聾鼻塞。鼻衄。中風語言蹇澀。口噤不開。或多悲哭。偏風。半身不遂。風癇。卒厥。角弓反張。吐沫。心神恍惚。驚悸健忘。痎瘧。女人血風。胎前

摘要　產後風疾。小兒癎風驚風。脫肛久不瘥。「靈光賦」百會龜尾治痢疾。「席弘賦」小兒脫肛患多時。先灸百會後尾骶。「又」咽喉最急先百會。「玉龍賦」中風不語最難醫。髮際頂門穴要知。更向百會明補瀉。即時甦醒免災危。「勝玉歌」頭疼眩暈百會好。「雜病穴法歌」尸厥百會一穴美。

取法　正坐。從耳尖之直上。當頭之正中取之。

針灸　針二三分。灸宜多壯。沿皮針五分向前後左右

二一　前頂

解剖　有顖會動脉後枝。及前額神經。

部位　在顖會後後一寸五分。

主治　頭風目眩。面赤腫。小兒驚癎。瘛瘲。鼻多清涕。頸項腫痛。

摘要　「百證賦」面腫虛浮。須仗水溝前頂。

取法　正坐。百會前一寸五分取之。

針灸　針三分。灸五壯。三五分 沿皮

二三　顖會

解剖　爲前頭骨。顱頂骨之縫合部。

部位　在上星上一寸。

主治　腦虚冷痛。頭風腫痛。項痛目眩。鼻塞不聞香臭。驚癇戴目。

摘要　「百證賦」顖會玉枕。頭風療以金鍼。「玉龍賦」卒暴中風。顖門百會。

取法　百會前三寸取之。針三五分沿皮

二三　上星

解剖　有前頭筋。前頭神經。三叉神經之第一枝。

部位　在鼻之直上。入髮際一寸。

主治　頭風頭痛。頭皮腫。面虚。惡寒。痎瘧。寒熱汗不出。鼻衄鼻涕。鼻塞不聞香臭。目眩睛痛。不能遠視。以三稜針刺之

摘要　「勝玉歌」頭風眼痛上星專。「玉龍賦」頭風鼻淵。上星可用。

取法　正坐。前髮際入髮一寸取之。

針灸　針三分。不宜多灸。五分沿皮

二四　神庭

解剖　有前頭筋。前頭神經。三叉神經。

部位　入髮際半寸。

主治　發狂。登高妄走。風癇癲狂。角弓反張。目上視。不識人。頭風鼻淵。流涕不止。頭痛目淚。煩滿喘咳。驚悸不得安臥。

摘要　「玉龍賦」頭風鼻淵。上星可用。「又」神庭理乎頭風。

取法　正坐。前髮際入髮五分取之。

針灸　此穴禁針。灸三壯。沿皮向下針三五分

二五　素髎

解剖　有外鼻神經。分歧口角動脈。

部位　鼻端準頭。

主治　鼻中瘜肉不消。喘息不利多涕。衄血。霍亂。

取法　於鼻端取之。

針灸　此穴禁灸。針一分。

二六　水溝

解剖　上顎骨部。有口輪匝筋。鼻中隔動脈。下眼窠神經。

部位　鼻下溝之正中。

主治　中風口噤。牙關不開。卒中惡邪。不省人事。癲癇卒倒。消渴多飲水。口眼喎斜。俱宜針之。若風水面腫。針此一穴出水盡立愈。

摘要　「玉龍賦」人中委中。除腰脊痛閃之難制。「又」大陵人中頻瀉。口氣全除。「百證賦」面腫虛浮。須仗水溝前頂。「靈光賦」水溝間使治邪癲。

取法　正坐。於鼻下水溝上端取之。

針灸　針三分。不宜灸。向上針三五分

二七　兌端

解剖　為口輪匝筋部。循行上唇冠狀動脈。

部位　在上唇之端。

主治　癲癇吐沫。齒齦痛。消渴。衄血。口噤。口瘡。

摘要　「百證賦」小便赤澀。兌端獨瀉太陽經。

取法　於上唇尖端取之。

針灸　針三分。不灸。

二八　齦交

解剖　上顎骨齒槽突起之粘膜部。有口冠狀動脈。三叉顏面神經。

部位　在唇內齒上齦縫中。

主治　面赤心煩痛。鼻生瘜肉不消。頸額中痛。頭項强。目淚多眵赤痛。牙疳腫痛。小兒面瘡。

摘要　「百證賦」鼻痔必取齦交

取法　上唇之內。上齒之上。齦縫之中取之。

針灸　針三分。逆鍼之。不灸。刺出血

十四經穴終

第三章　附錄篇

一　帶脈穴　六穴

一　帶脈　見足少陽胆經　二　五樞　仝上　三　維道　仝上

二　陽蹻脈穴　二十穴

一　申脈　膀胱　二　僕參　仝上　三　跗陽　仝上　四　居髎　胆

五　肩髃　大腸　六　巨骨　仝上　七　臑俞　小腸　八　地倉　胃

九　巨髎　胃　十　承泣　胃

三　陰蹻脈穴　四穴

一　照海　腎　二　交信　仝上

四　陽維脈穴　三十二穴

一　金門　膀胱　二　陽交　胆　三　臑俞　小腸　四　天髎　三焦

五　肩井　胆　六　陽白　胆　七　本神　胆　八　臨泣　胆

九　目窗　胆　十　正營　胆　十一　承靈　胆　十二　腦空　胆

十三 風池膽　十四 日月膽　十五 風府督　十六 瘂門督

五 陰維脈穴 十四

一 築賓腎　二 腹哀脾　三 大橫脾　四 府舍脾

五 期門肝　六 天突任　七 廉泉任

六 衝脈穴 二十二

一 幽門腎　二 通谷腎　三 陰都腎　四 石關腎

五 商曲腎　六 肓俞腎　七 中注腎　八 四滿腎

九 氣衝腎　十 大赫腎　十一 橫骨腎

任督二脉穴見第二章 一四二 至 一六〇 頁

經外奇穴摘穴

1. 患門穴

主少年陰陽俱虛。面黃體瘦。飲食無味。咳嗽遺精。潮熱盜汗。心胸背引痛。五勞七傷等證無不效。先用臘繩一條。以病人男左女右脚板。從足大蹈趾頭齊量起·向後隨脚板當心貼肉直上。至膝灣大橫紋中截斷。次令病人解髮勻分兩邊。平身正立。取前繩子。從鼻端齊引繩向上。循頭縫下腦後貼肉。隨脊骨直下至繩盡處。以墨點記。別用桿心。接於口上。兩頭至吻。却鈎起桿心。中心至鼻端根。如人字樣。齊兩吻截斷。將此桿展直。於先點墨處。取中橫量。勿令高下。於桿心兩頭盡處。以墨記之。此是灸穴。初灸七壯。累灸至百壯。

又法

治虛勞羸瘦。令病人平身正直。用草於男左女右自脚中趾尖量過脚心。而上至膕紋大處截切斷。却將此草自鼻尖量。從頭正中至脊。以草盡處。用墨點記。別用草一條。令病人自然合口。量闊狹切斷。却將此草於墨點上平摺。兩頭盡處是穴。灸時隨年多一壯。

2. 四花穴

治病同患門。令病人平身正立。稍縮臂膊。取臘繩繞項向前平結喉骨。後大杼骨。俱墨點記。向前雙垂與鳩尾穴齊即切斷。却翻繩向後。以繩原點大杼墨。放結喉墨上。結喉墨放大杼骨上。從背脊中雙繩頭貼肉垂下。至繩頭盡處。以墨點記。別取桿心令病人合口勿動。橫量齊兩吻切斷。還於背上墨記處。摺中橫量。兩頭盡處點之。此是灸穴又將循脊直量上下點之。此是灸穴初灸七壯。累灸百壯。但瘡愈病未愈依前法復灸。故云累灸百壯。

注意灸此等穴。初只可三五壯。並須灸足三里以瀉火氣。

附 崔知悌四花穴法

以草桿心量口吻切斷。以如此長裁紙成四方形。當中剪小孔。別用長桿踏脚下。與脚大指爲齊。後取至曲脷横紋中爲止。斷了。却以之環在結喉下。垂向背後。看桿止處。即以前小孔紙當中安停。紙之四角。即灸穴也。

又法

先横量口吻取長短。以所量草。就背上三椎骨下。直量至草盡處。兩頭用筆點記。再量中指長短爲準。却將量中指草横直量兩頭。用草圈四角。其圈者是穴。不圈者不是穴。可灸七七壯。

按此灸法皆陽虛所宜。華陀云。風虛冷熱。惟有虛者亦不宜灸。但方書云。虛損癆瘵只宜早灸膏肓四花。乃虛損未成之際。如瘦弱兼火。雖灸亦宜灸內關足三里。以散其痰火。早年陰虛不宜灸。

三 騎竹馬灸法

專主癰疽發背。腫毒瘡瘍。瘰癧癘風。諸風。一切無名腫毒。灸之散毒。瀉心火。先從男左女右臂腕中横紋起。用薄篾條量至中指盡肉處切斷。却令病人脫去上下衣裳。以大竹扛一條跨定。兩人徐徐扛起足要離地五寸許。兩傍更以兩人扶定。勿使動搖不穩。却以前量竹篾貼定竹扛豎起。從尾骶骨貼脊量至篾盡處。以墨點記。却比病人同身指寸篾二寸平摺。於前點墨上。自中橫量兩傍各開一寸是穴。可灸三七壯

四　腰眼穴　陽關外開三分由中行開算

此穴一名遇仙穴。又名鬼眼穴。治癆瘵已深之難治者。點此穴令病解去上體衣服。於腰上兩旁微陷處謂之腰眼穴。直身平立。用筆點定。然後上床合面而臥。每灼小艾炷七壯。灸之。能九壯十一壯最妙。瘵虫或吐出或瀉下即安。或令病人去衣舉手向上。略轉後些。則腰間兩旁自有微陷可見。灸時必須癸亥日子時前一刻並不能令人知。

五　太陽

此穴治頭風頭痛赤眼在兩額角眉後青筋上。須刺出血。

六　海泉

治消渴。在舌下中央脉上。須刺出血。

七　左金津右玉液

治消渴·口瘡舌腫。在舌下兩邊紫脉上。須刺出血。

經穴學講義

八 機關

凡卒中風口噤不開。灸之。在耳下八分微前。灸五壯立愈。

九 百勞

治瘰癧聯珠瘡在大椎向髮際二寸點記。各開一寸。灸七壯神效。

附 灸瘰癧法

百勞灸三七壯或百壯。肘尖百壯。又問明初出核以針貫核中。即以石雄黃末和熟艾作炷。灸核上針孔三七壯。諸核從此消矣。

十 肘尖

治腸癰瘰癧。屈兩肘尖骨頭。各灸百壯。

十一 通關

左燃能進飲食。右燃能和脾胃。專治噎膈。此穴在中脘穴旁各五分。針有四效。下針良久。後覺脾磨食。又覺針動爲一效。次覺病根腹中作聲爲第二效。次覺流入膀胱爲三效。四覺氣流爲四效。

十二 直骨

治遠年咳嗽。炷如小豆大。灸三壯。男左女右。不可差誤。其咳即愈。不愈不可治。穴在乳下。大約離一指頭。看其低陷之處。與乳直對不偏者是穴。婦人按其乳直向下。看乳頭所到之處是正穴。

十三　夾脊

治霍亂轉筋。令病者合面臥。伸兩手着身。以繩橫牽兩肘尖。當脊間繩下兩旁。各開一寸半。灸百壯。無不瘥者。此華陀法也。

十四　精宮

專治夢遺。灸七壯。有神效。在背第十四椎下。各開三寸。

十五　足太陰太陽穴

治婦人逆產。足先出。刺太陰入三分。足入。乃出針。穴在內踝後白肉際。骨陷宛宛中。胞衣不出。刺足太陽入四分。在外踝後一寸宛宛中。

十六　鶴頂

主兩足癱瘓無力。灸七壯。穴在膝蓋骨尖上。

十七　足小趾尖

治婦人難產不下。灸足小趾尖即下云。

十八 中魁

中魁穴。在中指上第二節骨尖。屈指得之。治五噎翻胃吐食。灸七壯。

十九 大小骨空

大骨空在手大指中節上。屈指當骨尖陷中。小骨空在手小指第二節尖。統治目久病。生翳膜。內障。流淚眼癬等。灸七壯。

二十 痞根

痞根在背十一椎旁開三寸五分。治痞塊有神效。左患灸左。右患灸右。灸每次須二七壯。

經穴異名表

1. 同名異穴

頭之臨泣	足之臨泣	頭之竅陰	足之竅陰
手之三里	足之三里	背之陽關	足之陽關
之通谷	足之通谷	手之五里	足之五里

2. 一穴二名

神庭　髮際
腦空　顳顬
瘈脈　資脈
地倉　會維
人迎　天五會
中膂　脊內俞
三陽絡　通間
前谷　手太陽
漏谷　太陰絡
血海　百虫窠
五里　尺之五間
厥陰俞　闕俞
少商　鬼信
少衝　經始
合谷　虎口

曲差　鼻衝
強間　大羽
竅陰　枕骨
大迎　髓孔
水突　水門
缺盆　天蓋
心俞　背俞
魄戶　魂戶
乳中　當乳
幽門　上門
大巨　腋門
大橫　腎氣
太淵　鬼心
少海　曲節
陽谿　中魁

後頂　交衝
目窗　至榮
素髎　面王
顴髎　兌骨
扶突　水穴
肩井　膊井
腎俞　高蓋
志室　精宮
乳根　薜息
石關　石闕
歸來　谿穴
淵腋　液門
列缺　童玄
商陽　絕陽
肘髎　肘尖

通天　天白
顱息　顱顖
迎香　衝陽
懸顱　髓孔
天鼎　天頂
大椎　百勞
中髎　中空
玉堂　玉英
巨闕　心募
商曲　高曲
氣衝　氣街
天池　天會
間使　鬼路
二間　間谷
陽池　別陽

天窗　窗籠
神道　臟俞
會陽　利機
俞府　輸府
下脘　幽門
四滿　髓府
期門　肝募
維道　外樞
天泉　天溫
三間　少谷
支溝　飛虎

少澤 小吉
湧泉 地衝
金門 梁關
地機 脾舍
梁丘 跨骨
附陽 跗陽
中封 懸泉
陰市 陰鼎
飛揚 厥陽
鑫溝 交儀
僕參 安邪
承扶 肉郄
陰包 陰胞
懸鍾 絕骨

3. 一穴三名

絲竹空 巨髎 目髎
聽宮 多所聞 衛籠
衝門 慈宮 上慈宮
下巨虛 下廉 巨谷
巨虛 上廉 上巨虛
水分 中守 分水
大赫 陰維 陰關
尺澤 鬼受 鬼堂
曲池 鬼臣 陽澤
大敦 水泉 大順
衝陽 會原 會湧
陽交 別陽 足髎
絡却 強陽 腦蓋
禾髎 禾窌 長頻
承泣 鼷穴 面髎
脊中 神宗 脊俞
天突 玉戶 天瞿
神闕 臍中 氣舍
橫骨 下極 屈骨
大陵 心主 鬼心
臂顬 頭衝 頸衝
中都 中郄 太陰
伏兎 外勾 外丘
跳環 髖骨 分中
睛明 泪孔 淚空
廉泉 本池 舌本
臑會 臑髎 臑交
命門 屬累 竹杖
中脘 太倉 胃募
氣穴 胞門 子戶
日月 胆募 神光
溫溜 逆注 蛇頭
隱白 鬼壘 鬼眼
然谷 龍淵 然骨
陽輔 絕骨 分肉
申脈 鬼路 陽蹻

承筋　腨腸　直腸

足三里　下陵　鬼邪

三陰交　承命　太陰

4. 一穴四名

中府　膺中俞　肺募　府中俞

膻中　元兒　上氣海　元見

中樞　氣原　玉泉　膀胱募

曲骨　胞尿　屈骨　屈骨端

瞳子髎　太陽　前關　後曲

陰交　少關　橫戶　丹田

京門　氣府　氣俞　腎募

復溜　伏白　昌陽　外命

陽關　關陵　陽陵　關陽

上星　鬼堂　神堂　明堂

勞宮　五里　鬼路　掌中

腦戶　匝風　會額　合顱

頰車　機關　鬼床　曲牙

顖會　顖上　顖門　鬼門

氣海　脖胦　下肓　丹田

神門　兌沖　中都　銳中

太谿　呂細　照膽　陰海

承山　魚腹　肉柱　傷山

5. 一穴五名

風府　舌本　鬼枕　鬼穴　曹谿

瘂門　舌立　舌厭　瘖門　舌腫

承漿　天地　鬼市　懸漿　垂漿

上關　客主人　客主　容主　太陽
肩顒　扁骨　肩尖　偏骨　中肩井
鳩尾　尾翳　髑骬　神府　骬骭
上脘　胃脘　上紀　胃管　上管
會陰　屏翳　金門　下極　平翳
腹結　腹屈　腸結　腸窟　陽窟
章門　長平　脅窌　脾募　肋髎
委中　郄中　委中央　血郄　腿凹

6. 一穴五名與數名

水溝　人中　鼻人中　鬼宮　鬼客廳　鬼市
攢竹　員在　始光　夜光　明光　元柱
石門　利機　精露　丹田　命門　三焦募
關元　下紀　次門　丹田　大中極　小腸募
天樞　長谿　谷門　大腸募　循際　長谷
百會　鬼門　泥丸宮　巔上　天滿　三陽　五會　維會
腰俞　背解　髓空　腰戶　髓孔　腰柱　髓俞　髓府

長強 窮骨 橛骨 骶上 尾閭 骨骶 脊端 龜尾 陽始 龍虎穴 河車路 上天梯

經穴學 終

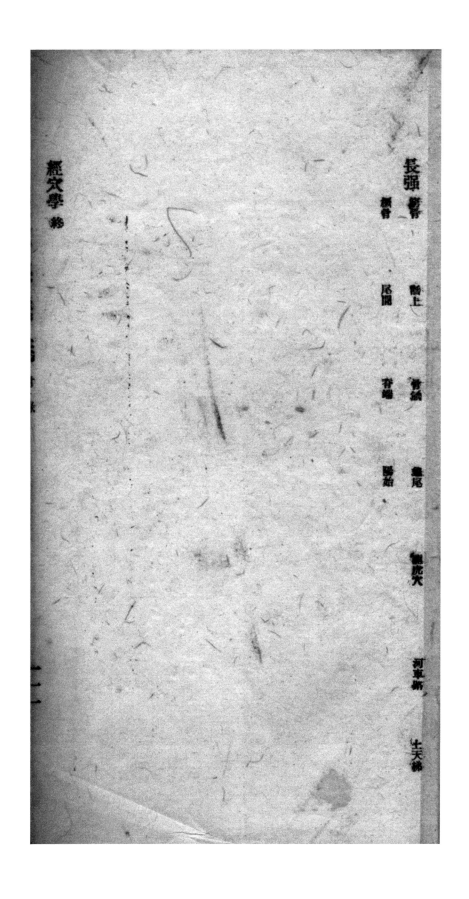

經穴學講義

经穴学（抄本）

提 要

一、作者小传

陆思安，生卒年不详，中央国医馆四川省分馆国医学院学生。

二、版本说明

《经穴学》（抄本）存1册，为陆思安于民国三十二年（1943年，据书末抄写时间判定）古仲冬下旬三日抄于蓉外西银桂桥国医学院第九宿舍。

三、内容与特色

《经穴学》（抄本）书例中载：该书从承淡安《针灸讲义》之《经穴学》中摘录而来；每经只撰抄解剖、部位、取法、针灸四端，主治见《治疗学》；每经之后或前附绘一图，依穴数循经线而取之；图中有穴是白圈者，即不为本经之穴也；每经之中或遇有无针灸者，因此穴禁针灸也；此书中有时某经书有方括符者为经穴书中原有之注释；书内之顶批或旁批或用圆括符者乃王友印章得承师之指授而抄批于后也。

现将该书特色介绍如下。

（一）取穴简便，实用性强

该书顶批记载了承淡安的取穴经验，多为简便取穴之法。例如，缺盆，此穴部位在结喉旁横骨上部之陷凹中，顶批为锁骨上窝之陷中；阴市，此穴部位在膝上三寸，顶批为膝盖骨上三寸微偏内侧；梁丘，此穴部位在膝上二寸，阴市下一寸，两筋间，顶批为膝盖骨上二寸微偏外侧。

（二）用穴严谨，贴近临床

该书记载了诸多穴位的针灸禁忌。例如，云门针太深能令气短促；经渠禁灸，灸则伤神明；中枢不可针灸，针则腰不可仰或残疾；四白针两分，深则目成乌黑色，禁灸；颅息，针此穴络脉微出血，禁灸；睛明刺激泪腺，泪腺会影响眼球，储泪太多眼球即出现红肿痛，少则干涩模糊，不可灸；天枢穴孕妇禁针；肩井穴孕妇禁针；建里穴孕妇忌灸。

（三）孤本存世，意义非凡

书例中提到承淡安之《针灸讲义》《治疗学》《经穴学》等书，然其确切为何书，仍然存疑。笔者所见民国时期针灸书籍中亦有与承淡安的《经穴学》内容相似者。如《中国针灸经穴学》三卷（抄本，藏于成都市图书馆），据《中国针灸经穴学》三卷（抄本）目录部分可知，其涵盖了《经穴学》（抄本）中十四经脉的内容。另一本与《经穴学》内容相似者为《中国针灸学讲义》（笔者所见为1938年及1941年版本）之“经穴学”部分。《治疗学》疑为《针灸治疗学》（1938年，白纸本）或《中国针灸学讲义》（1941年）之针灸治疗部分。综上所述，《经穴学》（抄本）记载了抄写的时间及地点，可以作为承淡安在四川讲学之佐证素材，而据抄写时间及地点来看，应为白纸本《经穴学讲义》之抄本。

書例

陸思安 抄

一 本書從承淡安針灸講義之經穴学中摘錄而來

一 每經只撰抄解剖部位取法針灸四端主治見治療学

一 每經之後或前附繪壹圖依穴數循經線而點之

一 圖中有穴是白圈者即不為本經之穴也

一 每經之中或遇有無針灸者因此穴禁針灸也

一 此書中有時某經書有方括符者為經穴書中原有之註釋

一 書內之頂批或旁批或用圓括符者乃匡友卯章得承師之指授而

抄批於後也

一 此書抄錄於中央國醫館四川省分館國医学院第九宿舍

經穴篇 目録

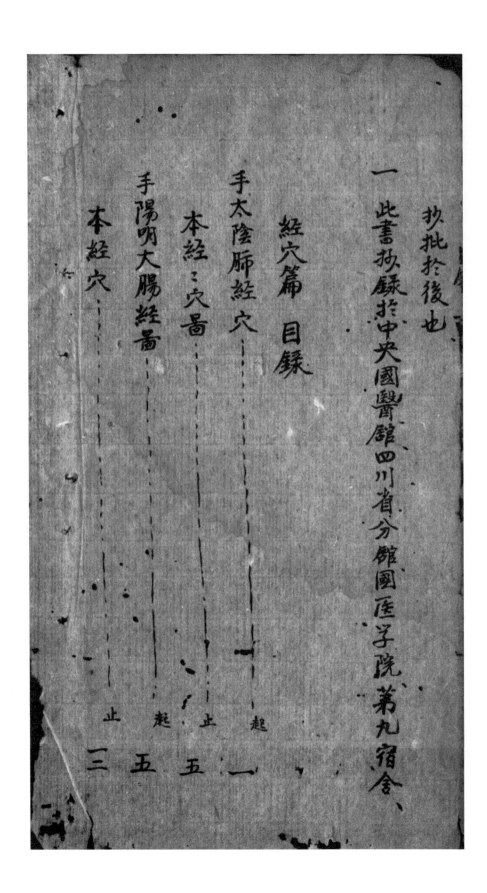

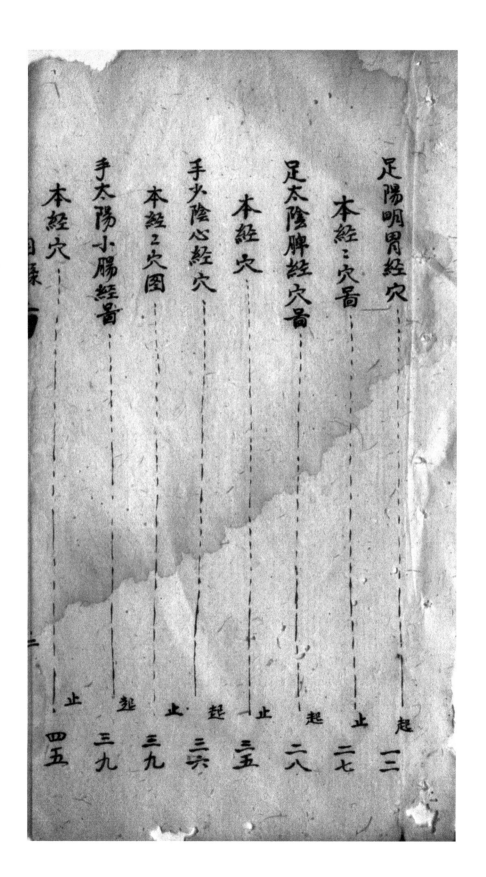

○經穴學

江陰 承淡安 編

(一)、手太陰肺經穴 計十一穴

一、中府

解剖 在第一肋骨之下前胸壁之外上端外層為大胸筋內層為小胸筋有腋窩動脈与靜脈有前胸神經中膊皮下神經、

部位 在雲門下一寸六分与任脈華蓋穴相平相去五寸、

取法 仰卧按乳上肋骨三肋枚之上四枚之下即第一肋骨之下去中行五寸普通取法由乳頭直上三寸外開一寸肋骨罅間

針灸　五分至一寸深、不可太深、灸五壯至五十壯、

二、雲門

解剖　在鎖骨下窩部之外側端、內有三角筋、及鎖骨下神經、前胸神經、胸肩峯動脈与靜脈、

部位　在巨骨鎖骨之下、離任脈璇璣旁六寸、中府微斜上一寸六分餘、

取法　仰臥按鎖骨下凹陷中、去中行六寸取之、坐則平舉手取之、

針灸　五分至一寸、灸五壯、以上至百壯、

注意　針太深、能令氣短促、

2、

三、天府

解剖　在腋下上膊部，有二頭膊筋，腋窩動脈、靜脈、及正中神經，其深处即上膊骨之上部。

部位　在腋下三寸，臂之内側，直對尺澤，距尺澤七寸。

取法　以手平舉，從尺澤上七寸取之；或以手向平舉，鼻尖塗墨，俯首就臂，鼻尖到处是穴。

針灸　五分至一寸。「禁灸」灸則令人逆氣，千金則灸之。

四、俠白

解剖　有三头膊筋、上膊动脉、头静脉、内膊皮下神经、挠骨神经枝

部位　在天府下二寸、尺泽上五寸、

取法　以手平伸、从尺泽直上五寸取之、

针灸　五分至一寸深、灸五壮、

五、尺泽

解剖　适当前膊与上膊之关节部、二头膊筋腱之外面、

部位　在肘中约之纹、筋腱内侧、

取法　以手平伸、接取肘中、筋腱之外、「大指侧」取之、

針灸　四分至八分一寸深、不宜灸、

六、孔最

解剖　有前回旋筋、膊橈骨筋、及橈骨動脉与静脉枝、在外膊皮下神經、橈骨神經之皮下枝

部位　在尺澤下三寸、腕側横紋上七寸、

取法　以手平伸、從腕横紋端、上量七寸、直对尺澤取之、

針灸　三分至七分深、灸五壯、

七、列缺

解剖　此処為撓骨近関節処之上側、有撓骨動脈枝、外膊皮下神經、撓骨神經之皮下枝、

部位　去腕側一寸五分、

取法　以手之大食二指之虎口交叉、食指尽処、筋骨罅中取之、

針灸　二分至三分深、灸三壯、

八．經渠

解剖　有長外轉拇筋、撓骨神經之皮下枝、

部位　在腕後五分寸口脈上、

取法　伸臂腕横紋上五分脉窩中取之、

針灸　二分至三分深「禁灸」灸則傷神明、

九、太渊

解剖　有外轉托筋、撓骨動脉枝、撓骨神経之皮下枝、

部位　在寸口前、横紋上、緊接經渠、

取法　伸掌於腕骨上陷中、搖之甚酸楚处取之、

針灸　針一二分深、灸三壯、

十、魚際

解剖　有拇指对向筋、短屈拇筋、有撓骨動脈之背枝動脈、及撓骨神經枝、

部位　在大指本節後内側白肉际散紋中、

取法　手掌微握拳、側向上於赤白肉际本節中央、取之、

針灸　針三分至六分深灸五壯、

十一、少商

解剖　有長曲拇筋、与拇指内轉筋、分布撓骨神經枝、

部位　在拇指内側之第一節去爪甲角如韭葉、

取法　微握掌、手掌側向上大指爪甲角一分許、赤白肉际处取之、

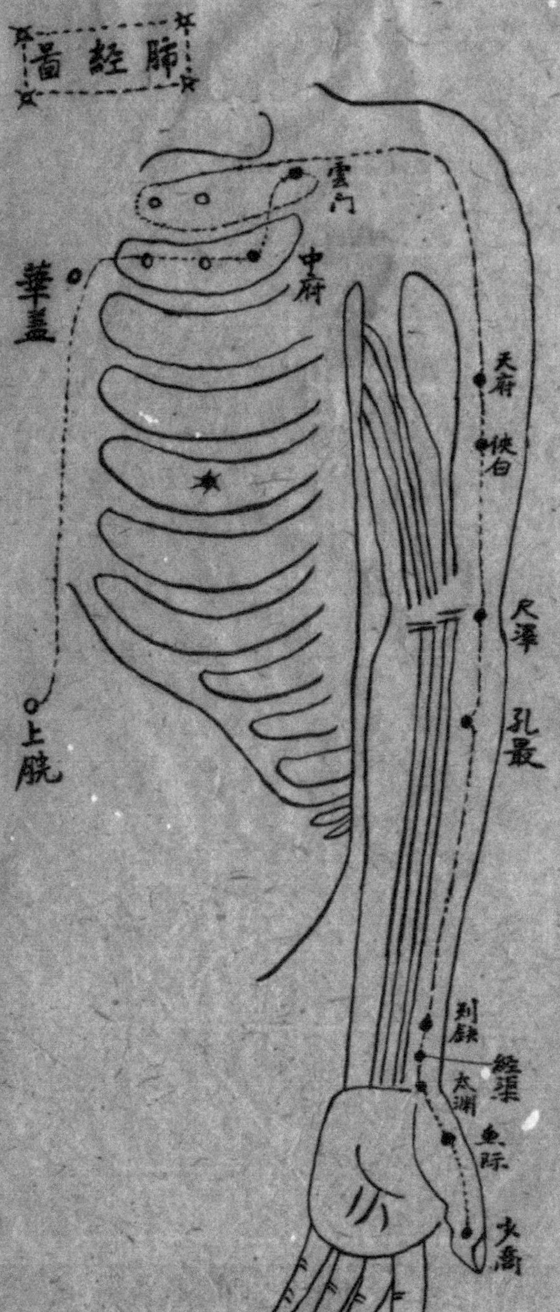

針灸　針微斜入一分許、渴熱、宜以三稜針刺出血、不可灸、灸鬼魅邪祟、有灸之者、

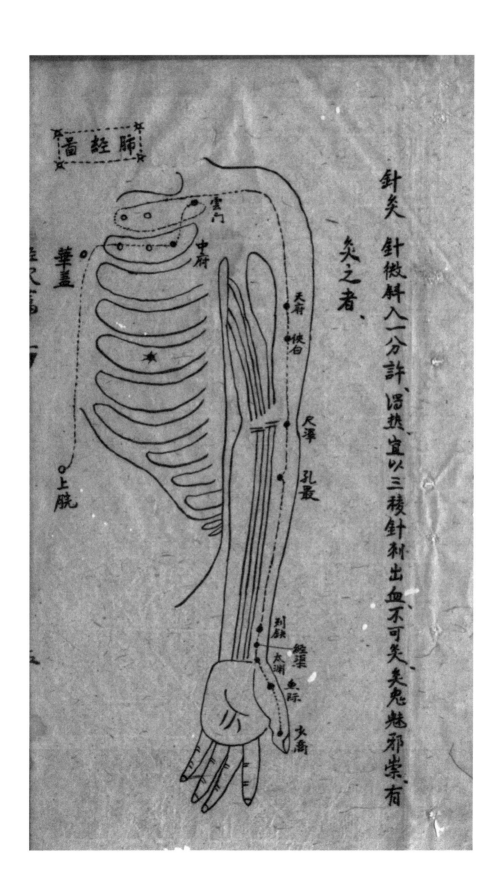

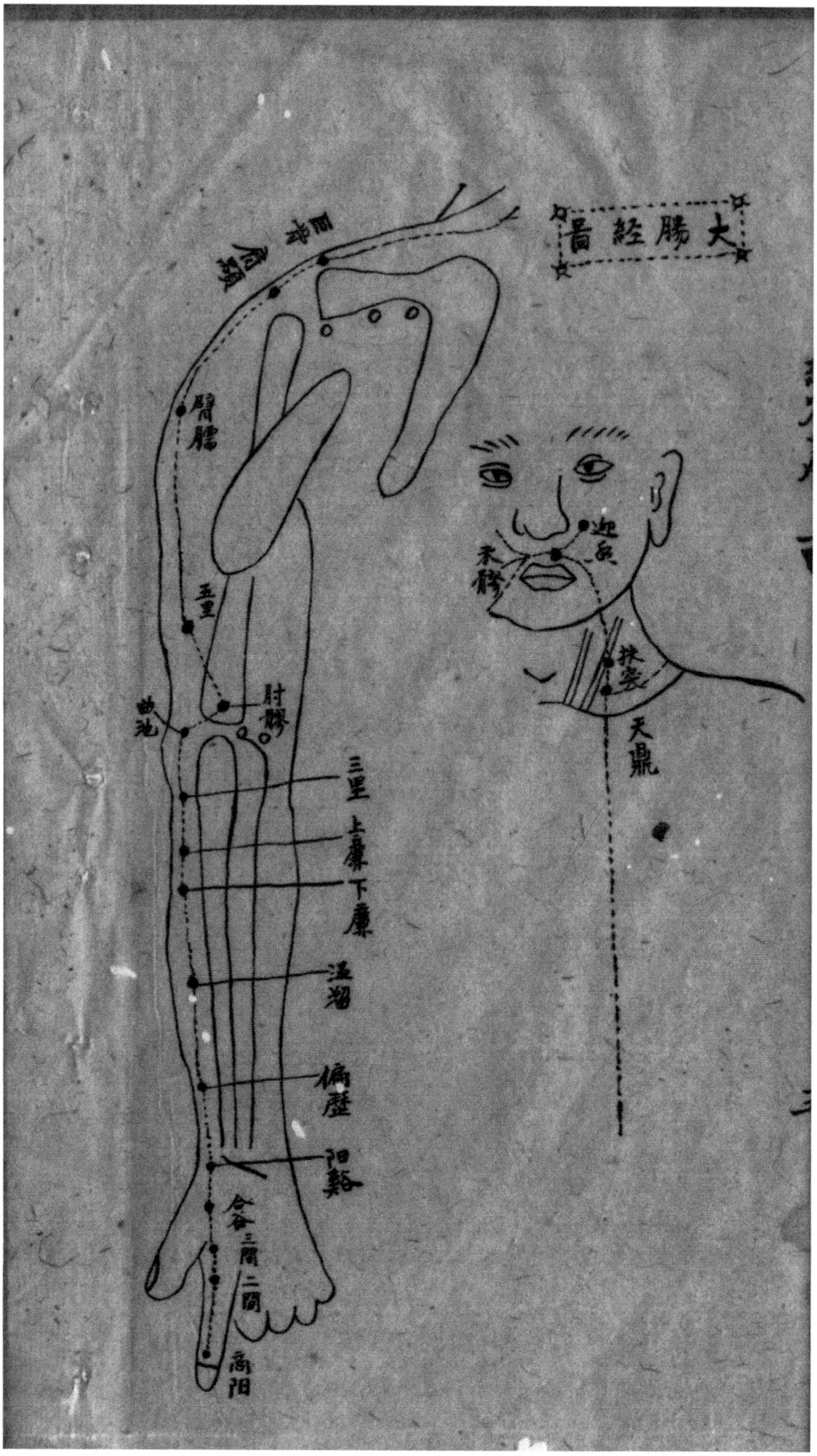
大腸經圖
臂臑
五里
肘髎
曲池
三里
上廉
下廉
温溜
偏歷
阳谿
合谷
三間
二間
商阳
迎香
禾髎
扶突
天鼎

(二)·手陽明大腸經穴　共計廿穴

一·商陽

解剖　有頭靜脈、指背動脈、撓骨神經之皮下枝、

部位　食指端内側去爪甲角如韮葉、

取法　以手掌側置於食指端爪甲角一分許赤白肉際取之、

針灸　針一分深、灸三壯、

二·二間

解剖　同商陽

部位　在食指関節第三節之前内側、当食指之旁面近関節処、

取法　以手握拳側置、按食指本節前第三節骨边陥中取之、

針灸　針一二分深、灸三壯、

三、三間

解剖　有指掌動脈、頭静脈、撓骨神経、

部位　在第二掌骨端之凹陥処、即食指本節後陥中去二间約一寸、

取法　握拳側置、按壓食指本節後骨節凹陥処取之、

針灸　針三分深、灸三壯、（透勞宮治手指痠腫）

四、合谷

解剖　此处為第一手背側骨向筋、有撓骨動脈、撓骨神經、

部位　在食指拇指凹骨向陷中、即第一掌骨与第二掌骨中向之陷凹处、

取法　微握拳、側置、按虎口歧骨向陷中取之、

針灸　針五分至一寸深、灸三壯「孕婦禁針」

五、陽谿

解剖　穴在舟狀骨与撓骨兩関節之中、有头靜脈、撓骨動脈枝、有外膊皮下神經、撓骨神經、

部位 在手腕横紋之上側、兩筋向陷中、与合谷直、

取法 手握拳側置、就合谷直上約一寸二分地位、陷中取之、

針灸 針二三分深、灸三壯、

六．偏歷

解剖 此处為短伸拇筋、有头静脈、撓骨動脈枝、後下膊皮下神經、撓骨神經、

部位 在腕後三寸、

取法 從陽谿直上三寸、对直曲池取之、或如列缺取法、兩手交叉取中指之端、

針灸 針二三分深、灸三壯、（針微斜向上入三分）

七、温溜

解剖　有長外轉拇筋、頭靜脈、撓骨動脈、三分枝与皮下膊皮下神經、

部位　去偏歷二寸、

取法　以手側置、從陽谿直上五寸、直对曲池取之、

腕後六寸即
温溜上一寸取
曲池四寸

針灸　針三四分深、灸三壯、

八、下廉

解剖　有長屈拇筋、頭動脈、撓骨動脈枝、後膊皮下神經、撓骨神經

部位　曲池下四寸、

下廉上一寸 去曲池三寸

取法 以手側置、從曲池直下四寸取之、

針灸 針三分至五分、灸五壯、

九、上廉

解剖 有長屈拇筋、中头靜脈、撓骨動脈、外膊皮下神經、撓骨神經、

部位 曲池下三寸、下廉上一寸、

取法 仝下廉取法、直上一寸、

針灸 針五分至一寸深、灸五壯、

十、手三里

解剖　同上穴

部位　曲池下二寸

腕後八寸曲池下二寸此處用指按之闕圓之肉聳起

取法　照上穴取式、自曲池下量二寸是穴、

針灸　針五分至一寸深、灸五壯、

十一．曲池

解剖　肘攣合其處為長回後筋肉膊筋之間、有橈骨動脈、橈骨神經、

部位　在肘外輔骨之陷中、屈肘橫紋頭、

取法　以手拱至胸前、乃取肘灣屈之橫紋其上取之、

針灸 針一寸至一寸五深、灸五壯至十壯、

十二、肘髎

肘之大骨外廉大筋之近曲臂取之即曲池之後上方尺骨鷹嘴突起之外上縫直上陷骨中按之有痛

解剖 在三头膊筋部、有廻反橈骨動脈、頭靜脈、橈骨神經、

部位 在曲池上稍外斜一寸、大骨外廉陷中、

取法 如取曲池式、按取上下膊關節間陷中处是穴、

針灸 針三分至五分深、灸三壯、

十三、五里

解剖 在二頭膊筋之旁、橈骨副動脈、頭靜脈及內膊皮下神經、

部位　在肘上三寸、行向裡大脉中央、

曲池直上三寸曲肘與向裡量三寸

取法　如取曲池式手拱起、就池曲量上三寸、

針灸　此穴禁針、灸三壮至十壮、

十四、臂臑

解剖　此处為三角筋部、有頸静脉、後有迴旋上轉動脉、腋窩神經、

部位　在臂外側、去肘七寸肩髃下三寸、

取法　肘彎屈平拳、由曲池量上七寸对肩髃取之、

針灸　此穴宜以手举平取之、禁不可針、但灸自七壮至百壮、

十五、肩顒

解剖　有三角筋、迴轉上膊動脈、頭靜脈枝、鎖骨神經枝、

部位　在肩尖下寸許、罅陷中、舉臂有空陷、

取法　以手平舉、按取肩尖骨下陷中、

針灸　灸偏風不遂、自七壯至七七壯、不可过多、多則使臂細、針六分、留六呼、

十六、巨骨

肩胛上部鎖骨外端与肩胛棘之间

解剖　有三角筋、肩峰動脈枝、腋下靜脈枝、前胸廓神經、

部位　在肩顒上、肩胛間節前下陷中、

11、

取法　按取肩端前面、即肩胛骨端之前側陥中是穴、

針灸　灸三壯至七壯、

十七、天鼎

解剖　有前項之不正筋分佈、横肩胛動脈、鎖骨上神経、

部位　離甲狀軟骨「即結喉」三寸五分、再下一寸、即头筋下肩井内

缺盆之上、方扶突之直下一寸以結喉至天突（作四寸折算）

取法　從人迎「頸動脈跳動处」旁開一寸五分、直下一寸、当缺盆之上方取之、

針灸　針五分、灸五壯、

十八、扶突

解剖　為胸鎖乳头筋部、有横顱動脈及第三鎖椎神經、

部位　去結喉「甲状軟骨」三寸、天鼎上前一寸、人迎後一寸五分、

取法　從天鼎穴量上一寸、

針灸　針三分、仰而取之、灸三壯、

人迎旁一寸半
適當結喉
旁三寸

十九、禾髎

解剖　為上顎骨犬齒窩部、有下眼窩動脈、深部顏面靜脈、下眼窩神經枝之分佈、

部位　在人中旁五分、

取法　鼻孔之直下二分許取之、

針灸　針二分至三分、禁灸、

二十、迎香

解剖　為顏面方筋、有下眼窩動脈、深部顏面靜脈、及下眼窩神經、

部位　在眼下一寸五分、禾髎斜上一寸、鼻窪外五分、

取法　鼻翼穴旁五分、當鼻窪溝中、

針灸　針二分至三分、此穴禁灸、

瞳子直下七分
適當下眼瞼窠
骨之上際

（三）、足陽明胃經穴　計四十五穴

一、承泣

承泣之下五分

解剖　為上顎骨部有上唇固有舉筋下側有半月狀骨「顴骨」有下眼窠動脈下眼窠神經、

部位　在目下七分与瞳子相直、

針灸　此穴針灸兩忌（針依眼發黄）

二、四白

解剖　亦為上顎骨部、有下眼窠動脈、下眼窠神經、

部位　在承泣下三分、去目一寸直对瞳子、

取法　正坐捜目脏下骨取之、

针灸　針二分深、不可太深、深則目成烏黑色　禁灸、

三、巨髎

鼻孔之旁八分　直对瞳子

解剖　亦為上顎骨部　有下眼窩動脈　与下眼窩神經、

部位　在四白之下、距鼻孔旁七八分之向　適在顴骨之下、

取法　正坐　從鼻翼旁　向直对瞳子处取之、

針灸　針三分、禁灸、

四、地倉

口角之旁去赤肉四分

解剖　此处為口輪匝部之筋　有顏面神經、三叉神經、上下口唇冠狀動脈

部位　在口吻旁四分、

取法　正坐從口旁偷四分取之、（治小兒虫病直刺二分口自生点入中痒虫病也）

針灸　針五分、灸七壯至七七壯、病左治右、病右治左、艾炷宜小、过大則口反喎郤、灸承漿即愈、

口眼歪斜在三四日者可針之一週用灸一次愈者、三次一三日三四次愈半年者針灸並用十餘次針灸灸虫即靜伏亦可由大便排出少許

五、大迎

解剖　為下顎骨部、有咬嚼筋、外顎動脈、顏面神經、

部位　在曲頷前一寸三分、

取法　下顎隅之前一寸三分部位、敷頤視之、下顎边際有凹陷之处、

針灸 針三分灸三壯、

六、頰車

（耳下部約八分微前曲頰之端陷中開口有孔即下顎隅角微前上方）

解剖 為下顎骨部有咬嚼筋、顏面神經、外顎動脈、

部位 在耳下一寸左右曲頰上端近前陷中、

取法 正坐開口按曲頰處微前陷中取之、（口開不開沿皮針、齒痛直針令人口含竹簽以防口閉致針彎曲）

針灸 針三分灸三壯至七七壯、

七、下關——偏頭痛在前面者（三叉神經痛）

解剖 為下顎骨之顆狀突起部有咀嚼筋、顏面神經外顎動脈、

上関直下耳珠之前部適當顴骨橋之下关開口有孔開則無孔

部位 在耳前顴骨橋端之下，合口有空、開張口則閉、

取法 按耳珠前約一寸、骨下陷中取之、

針灸 針三分，不可久留針、亦不可灸、（直針五—八分，微捻即出，不得过二分鐘，久則面腫痛）

八、頭維

解剖 為前頭蓋骨部、有前頭筋、顳顬動脈枝、顏面神經、

上关之直上神庭旁四寸五分適當曲骨之側

部位 在額角入髮際，去神庭旁四寸五分、

取法 正坐，自正中髮際入髮五分，神庭穴位旁開四寸五分取之、

針灸 針三分至五分、沿皮下針、禁灸、

九、人迎

解剖　当胸锁乳嘴筋之内缘、有外颈动脉、上颈皮下神经、舌下神经之下行枝、

部位　在颈部大动脉应手之处、去结喉旁一寸五分、

取法　按颈侧部动脉跳动处、仰而取之、

针灸　针二三分、不可过深、禁灸、

十、水突

解剖　此处亦属胸锁乳嘴筋、有上颈皮下神经、舌下神经之下行枝、外

頸動脈

天突穴之外側微上壹二寸五分適當胸骨內側之上方

部位　在人迎下、氣舍上、

取法　取人迎氣舍之中向、仰而取之、

針灸　針三分、灸三壯、

十一、氣舍

解剖　在鎖骨上窩之內面、有內乳動脈、鎖骨上神經、

部位　在人迎之直下近陷凹中、旁為天突穴、

取法　端坐、按胸骨把柄端之上角外側邊取之、

針灸 針三分、灸三壯、

十二、缺盆

解剖 是处有肩頸筋、適當肺尖之部、有鎖骨下動脈、鎖骨神經、

部位 在結喉旁、横骨上部之陷凹中、（鎖骨上窩之陷中）

取法 按取鎖骨上側、下直乳頭取之、

針灸 針三五分深過深則令人逆息、孕婦禁針、灸三壯、

十三、氣戶

解剖 是处為乳腺部、即第一肋間、有大胸筋、小胸筋、內外肋間筋、上胸動

脉胸廓神経中包肺藏、

鎖骨之下凹陷中去中行四寸遠者乳头之直上

部位　在鎖骨下一寸玄中行璇璣旁四寸、

取法　仰卧按取鎖骨下陷中、直对乳头取之、

針灸　針三五分、灸三壯、

十四、庫房

鎖骨之直下第二肋间去氣户寸六分弱

解剖　在第二肋间亦有大胸筋、小胸筋、内外肋间筋、上胸動脈、胸廓神経、

部位　在氣户下一寸六分陷中、

取法　仰卧按取第二三肋间陷中、直对乳头取之、

針灸　針三五分、灸三壯、

十五、屋翳

解剖　同上

部位　在第三肋向部、即庫房下一寸六分陷中、

第二肋与第三肋间

取法　仰臥取之在庫房下一寸六分、

針灸　針三五分、灸五壯、

十六、膺窗

解剖　此处為第四肋向、肉為心脏部、

部位　在屋翳下一寸六分、去中行四寸、

（第三肋与第四肋间）

取法　仰卧、從乳头上一寸六分、肋骨隙中取之、

針灸　針三五分、灸五壯、

十七、乳中

解剖　在第四五肋间、内為心臓部、外為前模胸筋、

部位　適当乳之正中

注意　此穴不可針灸

十八、乳根……远年咳嗽不愈灸之

解剖　在第六肋间、組織同上穴、

部位　去乳中一寸六分陷中　（婦人以肋爲準）

取法　仰卧、就乳头直下之一寸六分肋间陷中取之、（第五肋与第六肋之间）

針灸　針五分、灸五壮、

十九、不容

解剖　當肋骨下邊副腦骨線、有直腹筋、上腹動脈、肋间神經、中爲胃府、

部位　去中行二寸、傍幽門一寸五分、傍巨阙二寸、（天枢之上六寸）（第七肋軟骨之下际）

取法　仰卧、自臍旁開二寸直上六寸取之、適当第七肋骨之内側边、

針灸　針五分、灸五壯、

二十、承滿

解剖　通副胸骨緣、有直腹筋、肋間神經、上腹動脈、

部位　在不容下一寸、去中行二寸、對上脘、（天樞之上五寸）

取法　仰卧、於不容下一寸取之、

針灸　針三分至八分、灸五壯、（腹部諸穴以中行任脈穴為標準，設取胸腹各穴必先明中線分寸與穴位，其他各穴即迎刃而解矣）

廿一、梁門

解剖　有直腹筋、肋間神經、上腹動脈、

中脘之旁二寸 天枢之上四寸

部位 在承满下一寸、去中行二寸、对中脘、

取法 仰卧、不容下二寸取之、

針灸 針三分至八分、灸七壮至二十一壮、孕妇禁灸、

二二、關門

解剖 此处為横行結腸部、有直腹筋、上腹動脈、肋间神経、

天枢之上三寸

部位 在梁门下一寸、去中行二寸、对建里、

取法 仰卧、脐旁二寸、直上三寸取之、

針灸 針五分至八分、灸五壮、

二三・太乙

解剖　此処為小腸部、有直腹筋、及上腹動脉、

部位　在关门下一寸、去中行二寸、对下脘、（天枢之上二寸）

取法　仰卧、臍旁二寸、直上二寸取之、

針灸　針五分至一寸、灸五壮、

二四・滑肉門

解剖　此処為小腸部、有直腹筋、上腹動脉、

部位　在太乙下一寸、去中行二寸、对水分、（天枢之上一寸）

取法　仰卧、臍旁二寸直上一寸取之、

針灸　針五分至一寸、灸三壯、

二五、天樞

解剖　此處為小腸部、有直腹筋、上腹動脉、

臍心旁開二寸

部位　在臍旁二寸、當肓腧上一寸五分

取法　仰卧、旁臍二寸取之、

針灸　針五分、灸五壯至百壯、孕婦不可針、

二六、外陵

解剖　亦屬小腸部、有直腹筋、下腹動脈、

部位　在天枢下一寸、去中行二寸、对阴交、

取法　仰卧、天枢直下一寸取之、

針灸　針三分至八分、灸五壯、

二七、大巨

解剖　有直腹筋、下腹動脈、

部位　在外陵下一寸、去中行二寸、对石門、

取法　仰卧、天枢直下二寸取之、

針灸　針五分至八分、灸五壯、

二八、水道

解剖　有直腹筋、下腹動脈、

氣沖上二寸

部位　在大巨下一寸、去中行二寸、

取法　仰臥、天樞直下三寸取之、

針灸　針三分半至八分半、深灸五壯、

二九、歸来

解剖　是処為直腹筋之下部、有下腹動脈、

氣冲上一寸
部位　在水道下一寸中行去二寸、

取法　天枢直下四寸取之、

針灸　針五分至八分、灸五壯、

三〇、氣衝

解剖　為直腹筋之下部、有腸骨下腹神経、下腹動脈、

即横骨之端
部位　在歸来下鼠蹊上一寸、

去曲骨二寸
取法　天枢之下五寸、適當横骨之上边、取之、

三一、髀関

解剖　此处為外大股筋部内有大腿骨股動脈、股神經、

部位　在伏兔之上斜行向裡些々去膝一尺二寸、

取法　正坐足下垂、以手掌後之横紋对膝头後按之、中指屈下再向前一次、中指伸直到处取之、

前大腿部之上端腸骨前上棘之下端適当髀関与伏兔之斜直線上在伏兔上六寸

針灸　針五分至一寸、灸三壯、

三二、伏兔

解剖　為外大股筋部、有股動脈関節枝、股神經、

部位　在膝上六寸、

手掌横紋对膝盖中指尽处是

取法 正坐、足屈向後些、以手掌後横紋对膝盖後按之中指尽処取之、

針灸 針五分至一寸、禁灸、

三三、陰市

解剖 為外大股筋部、有股動脈、関節筋枝、股神経、

膝盖骨上三寸微偏内側

部位 在膝上三寸、

取法 正坐垂足、從膝上量三寸陥中取之、

針灸 針三分、一說不可灸多、

三四、梁邱

解剖　有外大股筋、股動脈、關節筋枝、股神經、

膝蓋骨上二寸微偏外側

部位　在膝上二寸、陰市下一寸、兩筋間、

取法　如取上穴式、即於上穴下一寸陷中取之、

針灸　針三分、灸三壯、

三五、犢鼻

解剖　為膝蓋骨之外側、有膝蓋固有韌帶、中通關節動脈、分佈上腿皮神經、腓骨神經、

部位　在膝眼外側之陷凹處、

膝眼之内下方为膝眼与膝之中央而尖下些累犢膝盖骨为胫骨上端之外侧与腓骨小头之向

取法　正坐垂足按取膝膑骨外侧之膝眼、当膝眼之下、腓骨髁之上際取之、

針灸　針三分至六分、禁灸、『附』犢鼻在上、膝眼在下、

三陰、三里……胫股部主穴

解剖　為前胫骨肌部、分佈迴反胫骨動脈、及深腓骨神經、

部位　在膝眼下三寸、腓骨外廉、

取法　正坐垂膝、以手掌盖覆膝盖上、中指向下尽处、当腓骨外缘約一寸取之、

針灸　針一寸五分、灸三壯至百數十壯。

三七、上巨虛

解剖　為前脛骨筋部、循行前脛骨動脈、

部位　在三里下三寸、

取法　正坐、以足跟着地、足尖足背聳起、從三里下三寸取之、

針灸　針五分至八分、灸三壯、（伸足直針）

三八、條口

解剖　有前脛骨筋、脛骨動脈、深腓骨神經、

部位 在三里下四寸、上巨虛下一寸、

取法 從取上穴式、從上巨虛下一寸取之、

針灸 針三分至五六分、灸三壯、（針法仝上）

三九、下巨虛

解剖 有前脛骨筋、脛骨動脈、

部位 在三里下五寸、

取法 依取上穴式、從條口下一寸取之、

針灸 針三分、灸三壯、

四〇、豐隆

解剖　此处亦為前脛骨筋、有脛骨動脈、与神經、

部位　在外踝上八寸、

（下巨虛外側微上五分適当條口与下巨虛之中央成三角形△）

取法　正坐足垂、從外踝上量八寸、与下巨虛相並微上些了取之、

針灸　針五分至一寸、灸三壯、（上曲膝眼下去踝骨之正中当脛骨中行外旁一寸五分）

四一、解谿

解剖　此處為足跗關節之趾、狀鞍帶部、有前肉顆動脈、大蓄薇神經、

部位　在足腕上繫鞋帶処、去衝陽一寸半、去內庭六寸半、

冲阳之微上方足关節前面之中央与第二指至之根及中两筋之间陥中

取法 足跗関節之前面正中，以兩中指從後跟正中，左右向前並行至前面相会処陥中。

針灸 針三分至五分，灸五壯。

足背第二蹠与第三蹠骨接際部之微前陥容之上約三分

四二，衝陽

解剖 足処為大趾長伸筋部，有前内顆動脈，与大蓄薇神経。

部位 在足跗上五寸，足背最高之部動脈中。

取法 按取足背高骨動脈搏動処陥罅中取之。

針灸 針三五分，灸三壯。

四三、陷谷

解剖　此处為短総趾伸筋腱部、有第一骨向背動脈、趾背神経、

部位　在次趾外本節後、

取法　按次趾外側本節之後陷中取之、

去内庭约二寸

針灸　針三分至五分、灸三壯、

四四、内庭

解剖　有短総趾伸筋、第一骨向背動脈、趾背神経、

部位　在次指中指之向、脚叉縫尽処之陷凹中、

次指與中指合縫上約一二分間

取法　按此次指外側本節之前一二分許陷凹中、

針灸　針二分至四分深、灸三壯、

四五、厲兌

解剖　是趾為長總趾伸筋腱附著部之外側、分佈趾背動脈、趾背神經、

部位　在足次趾外側爪甲角、

取法　次趾外側爪甲角分許取之、

針灸　針一分、灸一壯、

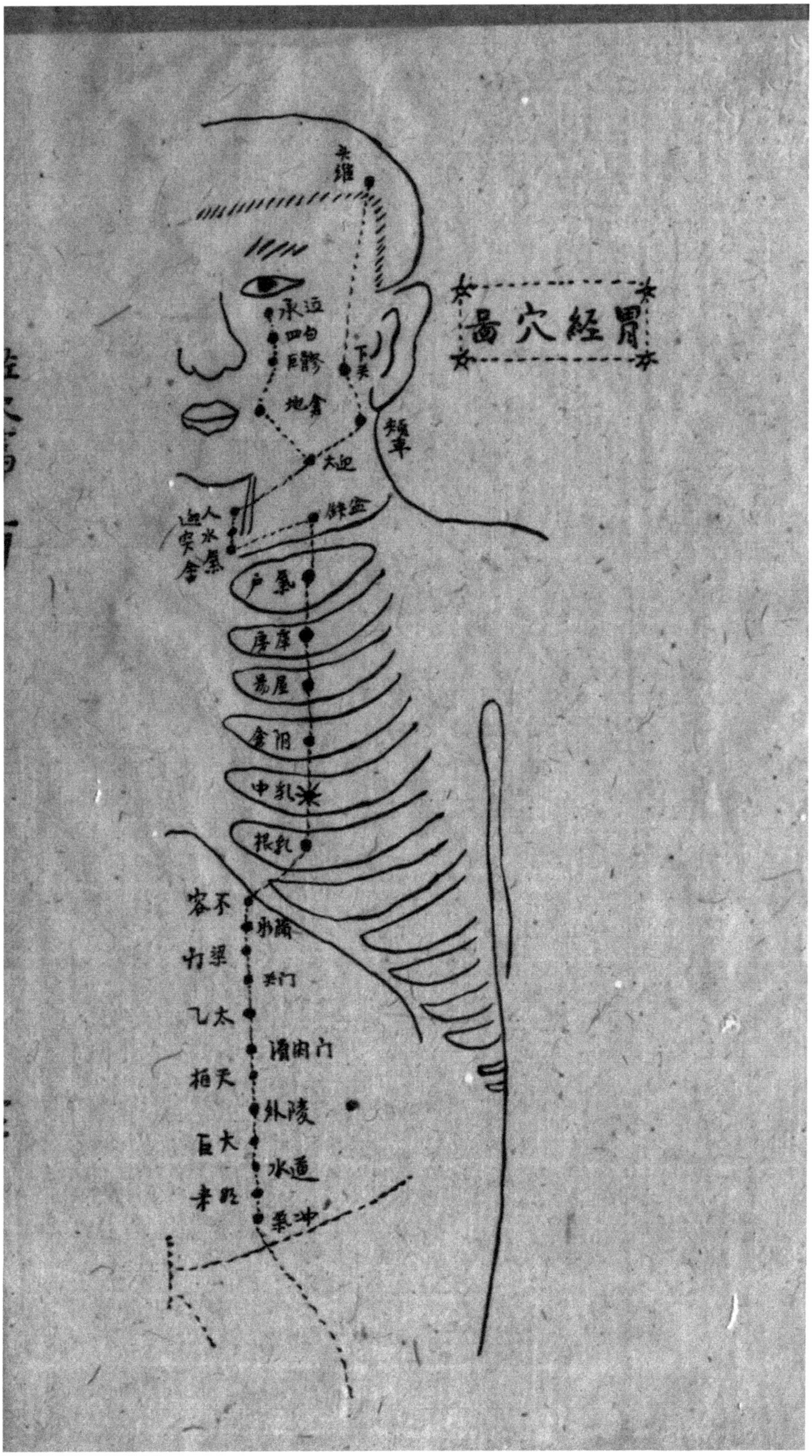
胃經穴圖
头维
承泣
四白
下关
地倉
頰車
大迎
缺盆
水道

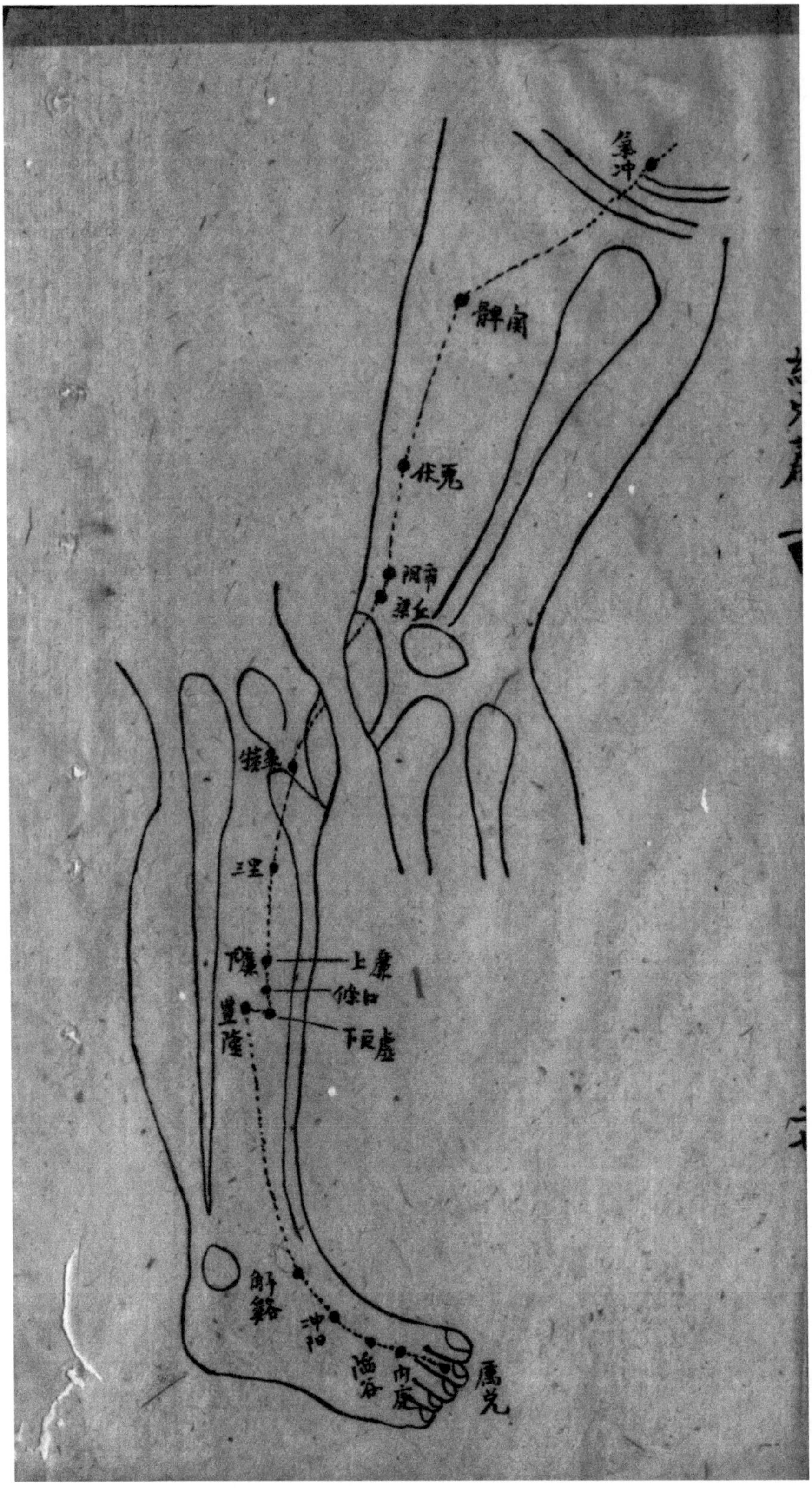
氣冲
髀関
伏兎
阴市
梁丘
犊鼻
三里
上廉
下廉
條口
下巨虚
豊隆
解谿
冲阳
陷谷
内庭
厲兑

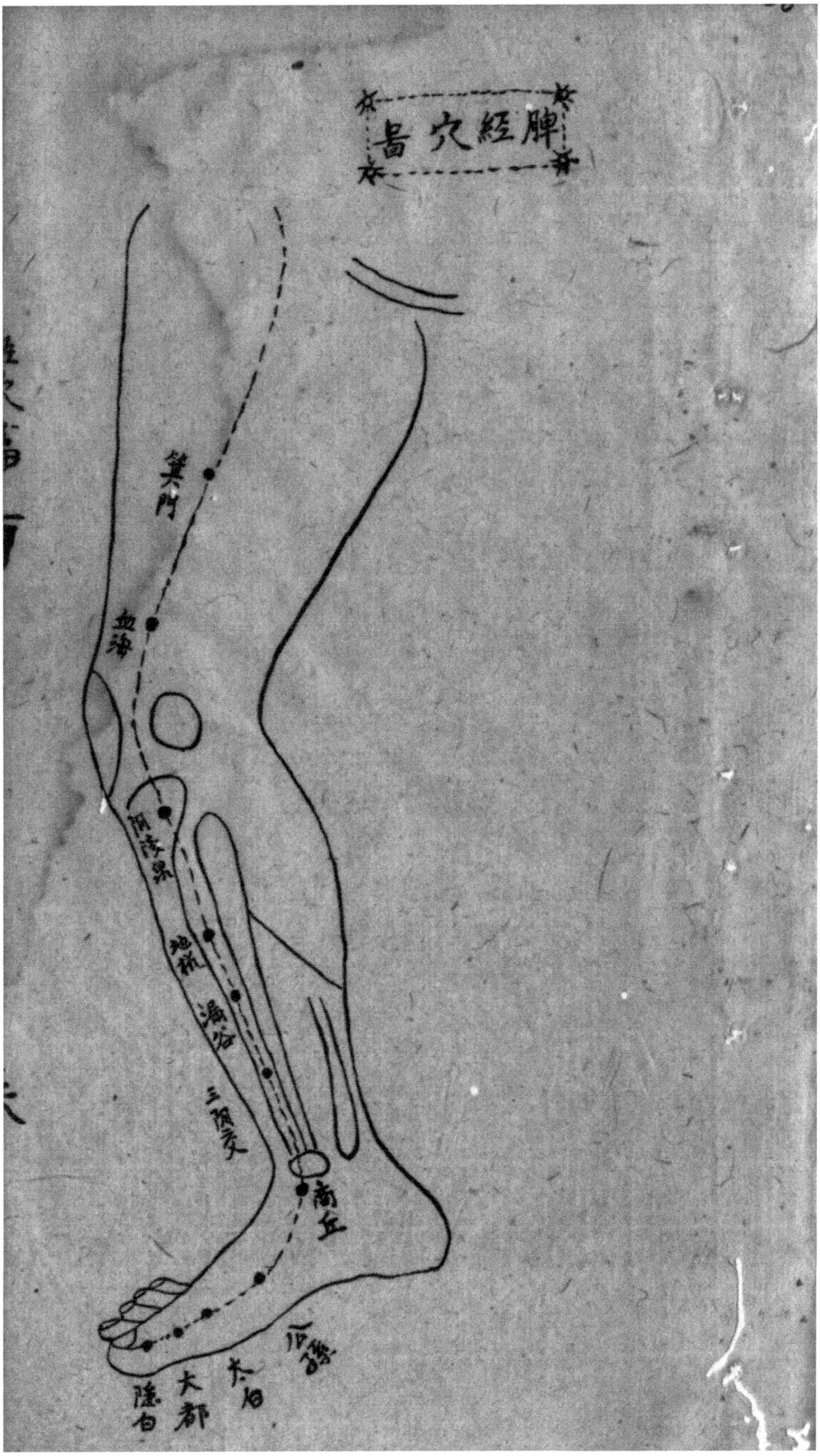
脾經穴圖
箕門
血海
陰陵泉
地機
漏谷
三陰交
商丘
公孫
太白
大都
隱白

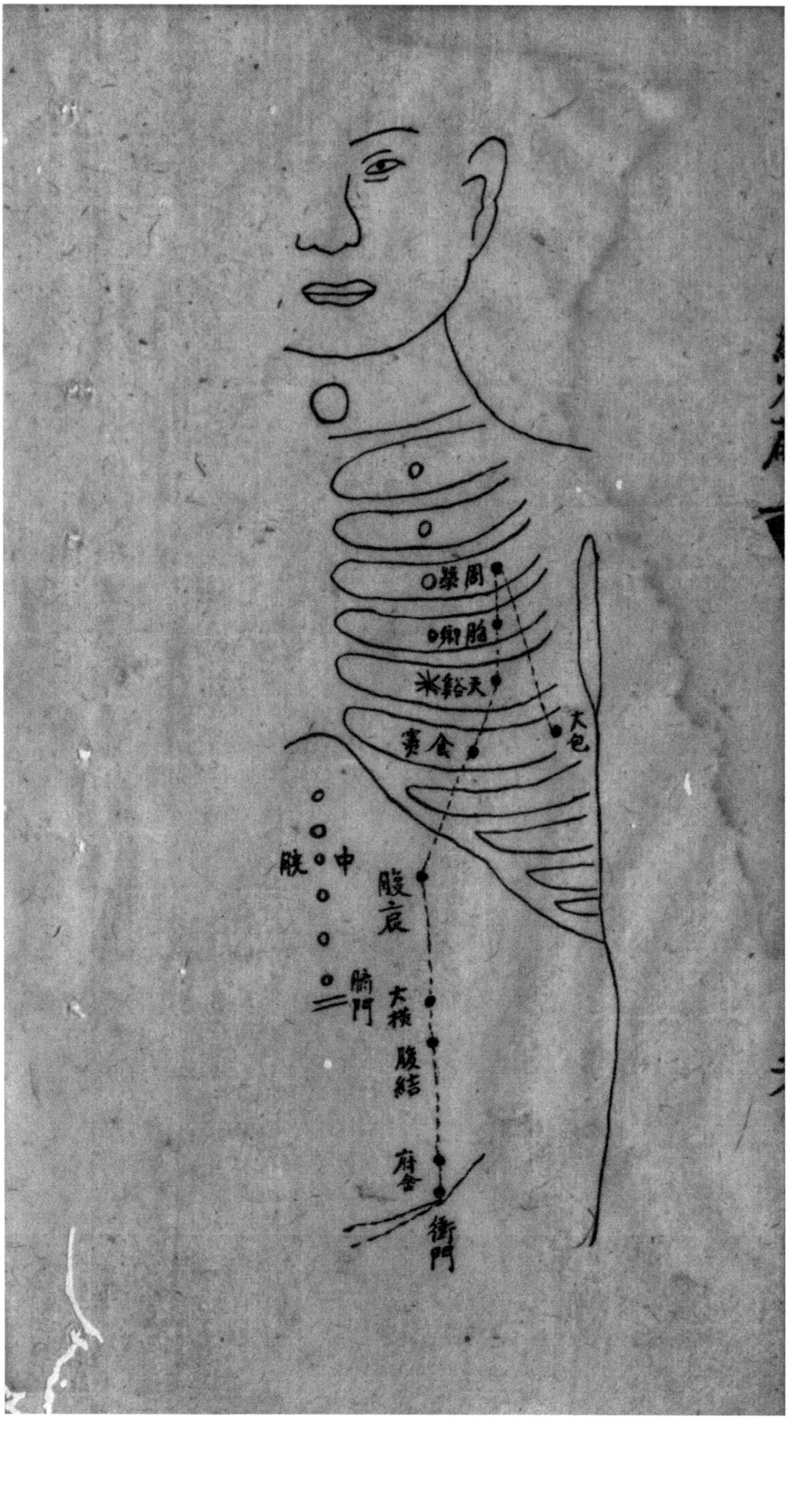
周榮
胸鄉
天谿
食竇
大包
中脘
腹哀
臍門
大横
腹結
府舍
衝門

(四)、足太陰脾經穴　計二十一穴

一、隱白

解剖　有足背動脈、淺腓骨神經、

部位　在大趾內側端、（爪甲根部去爪甲約一分）

取法　從大趾內側去爪甲角赤白肉際少分取之、

針灸　針一分、禁灸、

二、大都

解剖　有足背動脈、深在腓骨神經、

部位 在大趾内側本節前（陷中）

取法 大趾内側第二趾骨後端、當核骨之前陷中取之、

針灸 針三分、灸三壯、

三、太白

解剖 第一趾骨之第二節後部、与第一蹠骨之向、有長伸拇筋、足背動脈、

腓骨神經、

大都之後一寸部梅核骨之下陷中為第一蹠骨内側之下部核後白肉际

部位 在大趾本節後、

取法 大趾本節後内側有如梅核骨之下陷中取之、

針灸　針二分至四分深、灸三壯、

四、公孫

解剖　有長伸拇筋、足背動脉、腓骨神經、

部位　大趾本節後一寸、即孤拐後赤白肉際、

取法　按取足跗高骨之处向内側下方骨边取之、

針灸　針四分至一寸深、灸三壯、

五、商丘

解剖　為前脛骨之筋腱部、有後内踝動脉及神經、

内踝下微前陷中（足髓核後形）即内踝之前下方五分中封与内踝之间

部位 在内踝骨下微前陷凹中、

取法 按取内踝骨前側凹陷中、

針灸 針五分、灸三壯、

六、三陰交

內踝之上三寸脛骨之後缘（去踝量）横腓三指作三寸此皆本人量法也

解剖 為長總趾屈筋之下部、有次脛骨動脈之分枝及神經、

部位 在内踝上、除踝三寸、

取法 内踝上、除踝骨直上三寸取之、

針灸 針三分、灸三五壯、妊娠不可針、

七、漏谷

解剖 為比目魚筋部、即腓腸筋之内端、有脛骨動脈枝、脛骨神經、

部位 在三陰交上三寸、（内踝之上六寸脛骨後緣）

取法 從三陰交直上三寸取之、

針灸 針三分、禁灸、

八、地機

解剖 為腓腸筋内端、有脛骨動脈枝、脛骨神經、

部位 在膝下五寸内側、（漏谷上二寸即内踝上八寸膝下五寸）

取法　以足伸直從膝膑正中内側、直下五寸取之、（内膝下五寸）

針灸　針三分、灸三壯、

九、陰陵泉

解剖　居腓骨头之下、即二头股筋之連附処、有反迴胫骨動脈、及腓外腓

腸皮下神經、

部位　淺在腓骨神經、

取法　以足直伸、膝之内輔骨下、下廉陥中、取之、即胫骨头之下部内緣陥

中、与陽陵相对、

針灸　此穴針五分、灸三壯、（畢骨直針）

十·血海

解剖　為内大股筋部、有上膝関節動脈、及股神經、

部位　在膝臏上二寸、膝之内側白肉際、

取法　從膝盖骨内緣之上二寸、普通取法、正坐垂足、以手掌按膝上、大指端按着之处取之、

膝臏上二寸為大腿内側之筋下部膝盖骨内緣之上二寸

針灸　針五分至八分、灸五壯、

十一·箕門

解剖　此处為内大股筋部分、股上膝関節動脉、及股神経、

膝盖骨上八寸大腿内側

部位　在内股去血海六寸、動脉左手、

取法　正坐垂足、從血海直上六寸取之、

針灸　針二分、灸三壯、一說此穴禁針、

十二、衝門

解剖　占恥骨地平枝之端、彼上斜中、内為直腸、有下股動脉之恥骨枝下、股神経、

部位　接上恥骨後际、

〔大横之下五寸曲骨旁四寸即氣衝部恥骨上際微上部〕

取法　仰卧，從曲骨横開三寸五分部位取之。

針灸　針七分，灸五壯。

十三、府舍

〔大横下四寸三分去中行四寸〕

解剖　為内斜腹筋之下部，分布下腹動之恥骨枝与腸骨下腹神經。

部位　在腹結下三寸，去中行三寸半。

取法　仰卧，從衝門直上七分取之。

針灸　針七分，灸五壯。

十四、腹結

解剖　有內斜腹筋、下腹動脈、腸骨下腹神經、

部位　在大横下一寸三分、

取法　仰臥、從臍旁四寸、直下一寸三分取之、

針灸　針五分至一寸、灸五壯、

十五、大横

解剖　為內外斜腹筋部〔部〕、中膜小腸、有下腹動脈、肋間神經枝、腸骨下腹神經、

去臍三寸五分
去臍心為四寸

部位　去中行四寸与臍相平、

取法　仰卧、從臍旁四寸取之、

針灸　針三分至七分、灸三壯、

十六腹哀

解剖　有内外斜腹筋、上腹動脈、肋間神經枝、腸骨下腹神經、

部位　在中脘旁四寸微下些、大横上三寸半、第九肋軟骨附着部之下際

取法　仰卧、手外開、從乳頭直下、中脘旁開四寸微下些取之、

針灸　針三分至七分、灸五壯、

十七、食竇

解剖　在第五六肋间部，当胃之上，有大胸筋、内外肋间筋、长门动脉、肋间动脉、前胸神经、

天谿之下一寸六分微向外举臂取之即第五肋与第六肋之间中庭五寸作六寸一

部位　去中庭五寸，在第五肋间部、

取法　仰卧，手外开，从中庭旁五寸，肋间陷中取之、

针灸　针四分，灸五壮、

十八、天谿

胸鄉下一寸六分即第四与第五肋之间

解剖　在第四五肋间部，有大胸筋、胸动脉、前胸神经、

部位　在第四肋间部，去中行六寸，乳头旁二寸、

取法 仰卧手外開、從乳旁二寸、肋間陷中取之、

針灸 針四分、灸五壯、

十九、胸鄉

解剖 在第三四肋間部、有大胸筋、長胸動脈、長胸神經、

部位 在第三肋間、天谿上一寸六分、

周榮下一寸六分去玉堂六寸

取法 仰卧手外開、從天谿上一寸六分肋間陷中取之、

針灸 針四分、灸五壯、

二〇、周榮

經穴篇 一 三五

紫宮旁六寸

解剖 在第二三肋間部、有大胸筋、長前胸動脈、前胸廓神經、

部位 在胸鄉上一寸六分、中府下一寸六分、

取法 仰臥手外開、從胸鄉上一寸六分肋間陥中取之、

針灸 針四分、灸五壯、

二一、大包

在第六与七肋骨之間當中行約八寸

解剖 在第九肋間部、有外斜腹筋、上腹動脈、長前胸神經

部位 腋窩下六寸、淵腋下三寸、

取法 仰臥手外開、從食竇穴橫開三寸、肋間陥中、

針灸 針三分、灸三壯、

(五)・手少陰心經穴 計九穴

一・極泉

解剖 在大胸筋之上膊下部、與三角筋之境界間、有腋下動脈靜脈、中膊皮下神經、尺骨神經、

部位 在腋窩內兩筋間、

腋窩橫紋頭入腋窩內其動脈應手處

取法 手平伸、掌向前、按其腋窩臂側兩筋間動脈、跳動處取之、

針灸 針三分、灸七壯、

二、青灵

解剖　在肘上三头膊筋近旁、為重要静脉之一部、及肱窩動脉枝、正中神經、

部位　在肘上三寸、

取法　手平举、掌向上、從少海直上三寸取之、

肘上三寸举臂取之即伸肘举之臂自少海直上三寸与相系成直線

針灸　此穴禁針、灸三壯、

三、少海

解剖　在二頭膊筋之筋腱旁、有尺骨副動脉与静脉、中膊皮下神經與

「屈肘内側横紋頭即上髁當上髁之前内側取此穴要分寸海為根拔肘要從臨中之小海解下内五六分為少海解上五六分為天井此三穴垂列也」

正中神経、

部位　在肘内廉、

取法　屈肘向頭於肘内側端約五分部份骨边取之、

針灸　針三分、不宜灸、

四、靈道

掌後一寸五分即掌後尺骨側横紋端神门穴上一寸五分内尺骨筋

解剖　為内尺骨筋部有中静脈、尺骨動脈、中膊皮下神経、尺骨神経、

部位　在掌後一寸五分、

取法　掌後鋭骨横紋端、直上一寸五分筋间取之、

腱之拇指側

針灸　針三分、灸五壯、

五、通里

解剖　為內尺骨筋部、有尺骨動脈、中膊皮下神經、尺骨神經、

部位　在腕側後一寸、（神門上一寸與通直下者）

六、陰郄

解剖　有尺骨動脈、中膊皮下神經、尺骨神經、

部位　在通里下半寸、去腕五分、

取法　掌後鋭骨横紋端上五分、兩筋間取之、

腕後五分即神門後五分

鍼灸 針三分、灸三壯、

七、神門

解剖 在豌豆骨之下、有深掌側動脈、与中静脈、尺骨神經、

掌後横紋尖骨之端陷中

部位 在掌後鋭骨「豌豆骨」之端陷中、陰郄下五分、

取法 掌後鋭骨横紋端取之、

鍼灸 針三分、灸三壯、

八、少府

解剖 有指掌動脈、与尺骨神經指掌枝、

部位 在手小指本節後骨縫陷中、

取法 以小指二指向掌心適当二指端之向、

針灸 針二分、灸三壯、

九、少沖

解剖 有指掌動脈、与尺骨神経之指掌枝、

部位 在小指内廉之端、

取法 小指内側端爪甲角分許取之、

針灸 針一分、灸三壯、

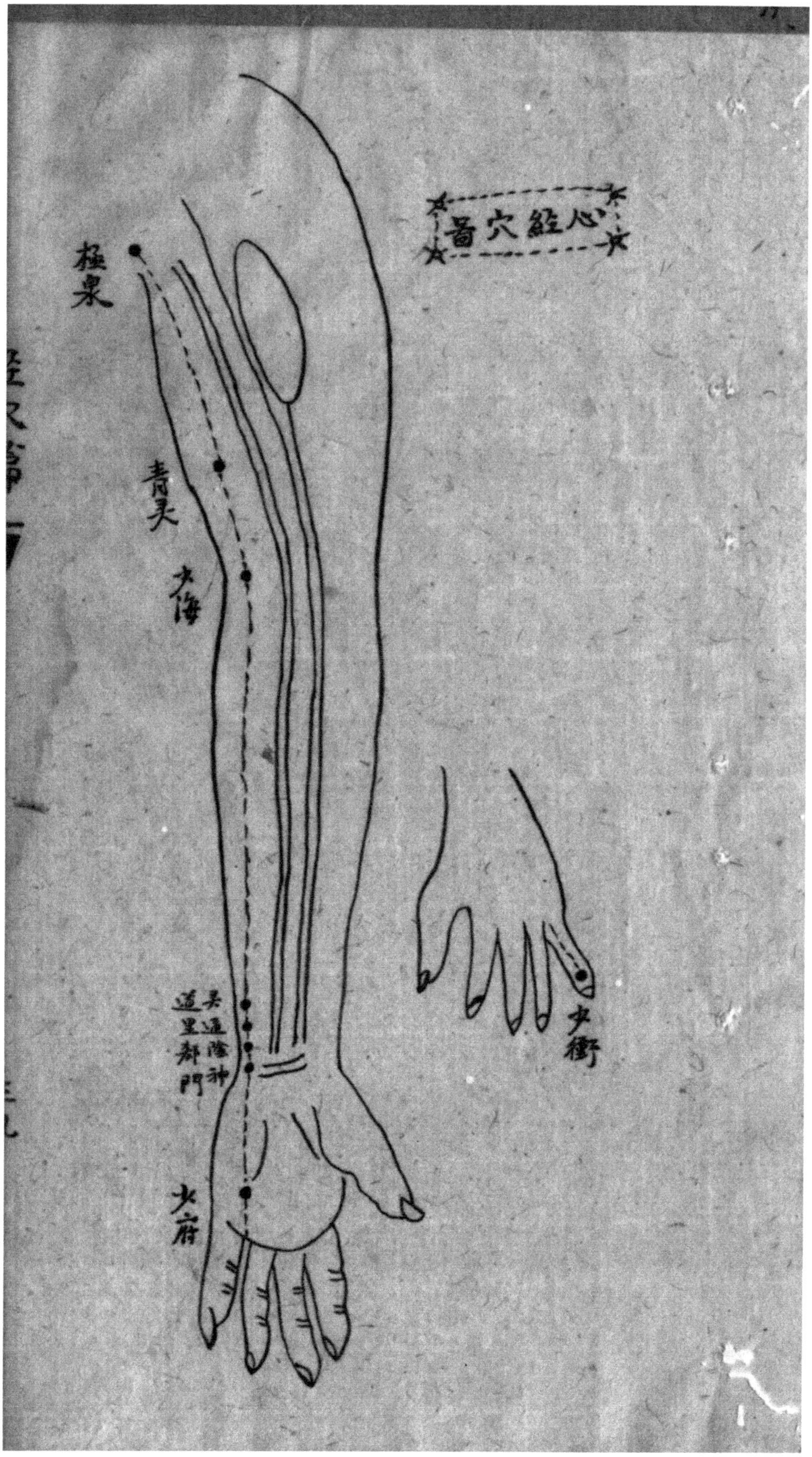
心經穴圖
極泉
青灵
少海
灵道
通里
陰郄
神門
少府
少衝

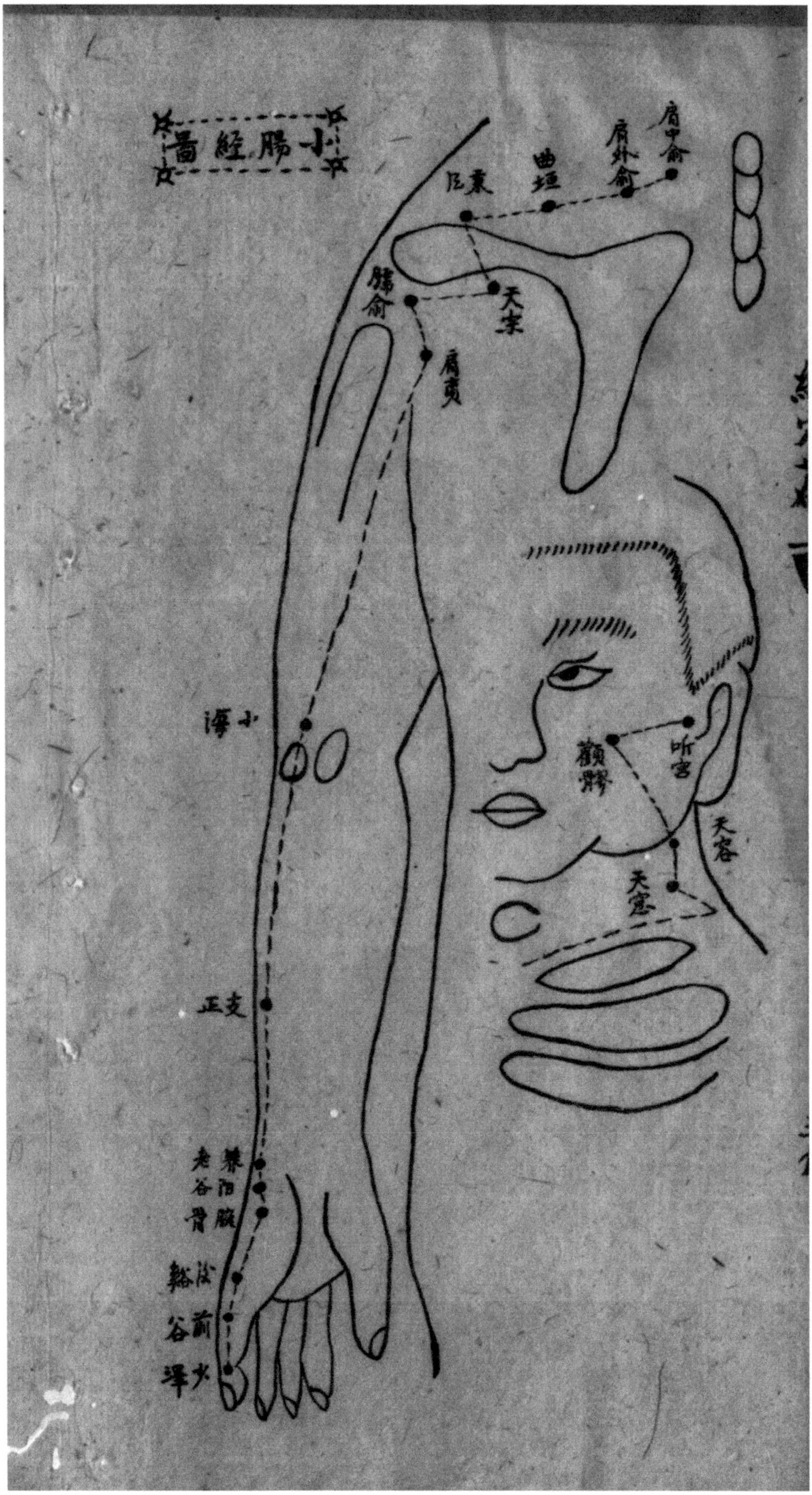
小腸經圖
肩中俞
肩外俞
曲垣
天宗
臑俞
肩貞
小海
支正
養老
陽谷
腕骨
後谿
前谷
少澤
听宫
顴髎
天容
天窗

（六）、手太陽小腸經穴　計十九穴

一、少澤

解剖　在手小指尖有指背動脈、尺骨神經之分枝、

部位　在小指端爪甲側、

取法　小指外側端去爪甲角分許取之、

針灸　針一分、灸三壯、

二、前谷

解剖　有外轉小指筋、指背動脈、尺骨神經枝、

部位　在小指外側本節之前之陥凹処、
取法　手握拳、於小指本節之前骨边陥中取之、
針灸　針一分、灸一壯、

三、液絡

解剖　此処為外轉小指筋、有重要静脈、指背動脈、尺骨神經枝、
部位　在小指外側本節後陥中、第五掌骨之前外端、
取法　以手握拳、適当拳尖取之、
針灸　針三分、灸一壯、（宜透少府）手陷要握拳不可保劲一力開則節由受傷尺穴皆然、

四、腕骨

解剖　此処為小指外轉筋、有腕骨背側動脉、与静脉、尺骨神經、

部位　在豌豆骨側之旁側、即手外側腕前起骨下陷中、

取法　握拳、挼取鋭骨端之上外側陷中取之、

針灸　針二分、灸三壮、

五、陽谷

解剖　有廻前方筋、深屈指筋、腕骨背側動脉、内膊皮下神經、尺骨神經、

部位　在手腕側之兩顆間、

取法 腕骨之下陷中適當尺骨莖狀突起之下際、握拳取之、

針灸 針二分、灸三壯、

六、養老

解剖 當外尺骨筋腱之側、有尺骨動脈之背枝、及尺骨神經、

部位 腕後一寸、手顆骨上、

取法 腕後高骨上陷中、屈手取之、

針灸 針二分、灸三壯、

七、支正

解剖　此処為總指伸筋歧出前膊骨向動脈之分枝、

部位　去腕後五寸、

針灸　針三分、灸三壯、

八、小海

解剖　在三头膊筋向有下尺骨副動脈、橈骨神経枝、

部位　在尺骨鶯嘴突起之上端、去肘尖五分陷中、即肘内側大骨外去肘端五分、

取法　以手屈向肩、按其肘尖外側兩骨罅中取之（中肘与下肘尖之間陷中）

針灸　以手屈肘向头取之、針三分、灸三壯

九、肩貞

解剖　有小圓筋迴旋肩胛動脈、腋下神經、肩胛上神經

部位　在肩峯突起後側之下、

取法　肩背下腋縫上端取之、（以兩手將腋縫揞掀至橫紋尖端取之）

針灸　針五分、灸三壯、

十、臑俞

解剖　有肩胛骨棘下筋、橫肩胛動脈、肩胛上神經、

部位　肩貞上一寸、

取法　肩端後側、肩胛骨端下陷中取之、

針灸 針五分至八分、灸三壯、

十一、天宗

解剖 有僧帽筋、肩胛骨棘下筋、肩胛動脈与神經、

部位 在肩貞斜上、

取法 由臑俞沿肩胛骨下內行、

針灸 針五分至八分深、灸三壯、

十二、秉風

解剖 有僧帽筋、肩胛骨動脈与神經、

部位　在肩髃骨後、

取法　按取肩胛横骨上側外端陥中取之、举臂有空、

針灸　針五分、不灸、

十三、曲垣

解剖　有僧帽筋、肩胛横举筋、頸動脈、肩胛骨神経、

部位　在肩之中央曲胛陥中、

取法　由秉風向内開、肩胛上際中央陥中取之、（頸節直下肩端之中央）

針灸　針五分、灸十壮、

十四、肩外俞

解剖　有僧帽筋、肩胛横舉筋、肩胛神經、頸動脈、

部位　在肩胛上廉去脊三寸、

取法　肩胛上側、從陶道外開三寸取之、

針灸　針五分、灸三壮、

十五、肩中俞

解剖　有小方稜筋、肩胛動脈、肩胛神經、

部位　在項側肩外俞斜向上五分許、

取法 從肩外俞斜上大椎旁二寸取之、

針灸 針三分、灸十壯、

十六、天窗

解剖 此処当胸鎖乳突筋之前、有内外頸之兩動脈、申頸皮下神經、

部位 在耳下頸側、大筋向、

取法 以人迎扶突為標準、向後開一寸取之、

針灸 針三分、灸三壯、

十七、天容

解剖　有耳下線腺内顎動脉、頸静脉、顔面神経、

部位　在耳下頸筋間、

取法　天容上一寸取之、

針灸　針五分至八分、灸三壯、

十八，顴髎

解剖　此処有下眼窩動脉、三叉神経第二枝之下眼窩神経、

部位　在面頄骨下廉鋭骨端、

取法　按取顴骨下之陥凹処取之、

針灸 針三分、禁灸、

十九、听宮

解剖 此处為咀嚼筋、有上顎動脈、顔面神経、

部位 在耳前珠子傍、

取法 按耳珠前陥之中取之

針灸 針三分、灸三壮、

(七)、足太陽膀胱経穴 計六十七穴

一、睛明

解剖　為前头骨鼻上棘部、有鼻翼与上唇举筋、鼻背動脉、滑車神經、

部位　在目内眥角一分宛宛中、

取法　正坐合目、按取内眥角内約一分、鼻骨边際取之、

針灸　針一分半不可灸、（針紅肉上）刺激淚腺「附」淚腺能影响眼球储淚太多眼球即发生紅腫痛少則乾濇糢糊

二、攢竹

解剖　此处為前头骨部、有眉头筋、前額動脉、

部位　在眉头之陷凹中、

取法　捻起眉部肌肉、從眉头斜針入取之、

針灸　針一分至二分、禁灸、（針透魚腰）

三、眉冲

解剖　有前头筋、前額動脈、顏面神經之顳顬枝、

部位　在攢竹直上髮際五分、

取法　攢竹直上髮際五分取之、針头向下或向上取之、

針灸　針二分、灸二壯、（沿皮針五分）

眉头直上入髮五分即攢竹上三寸五分去神庭旁五分

四、曲差

解剖　為前头額骨部、有前头筋、前額動脈、顏面神經之顳顬枝、

47.

神庭旁一寸五分入髮際五分为前头骨部

部位　入髮際約五分、去神庭旁一寸五分、（以头部周圍尺寸折算）

取法　曲差外開一寸針头向下、或向上取之、

針灸　針二分、灸三壮、

五·五處

解剖　有前头筋、前額動脈、額神經、

部位　在曲差後五分、上星旁一寸五分、

取法　入髮際一寸、外開一寸五分取之針头向上或下、

針灸　針二三分禁灸、

六、承光

解剖 為帽狀腱膜部、有顱頂骨、顳顬神經、

部位 在五処後一寸五分、(以眉头至大椎作18尺折算)

取法 五処之後一寸五分取之。針尖向下、

針灸 針二三分、禁灸、

七、通天

解剖 為後頭筋之上部、有顱頂骨顳顬動脈、大後骨神經、

部位 在承光後一寸五分、

取法 承光後一寸五分取之、針头向後面、

針灸 針三分、灸三壯、

八、絡却

解剖 此处為後头骨部、有後头筋、後頭動脈、大後神經、

部位 在通天後一寸五分、

取法 通天後一寸五分取之、針头向後面、

針灸 針三分、灸三壯、

九、玉枕

解剖 有後头筋、後头動脈、大後头神經、

部位 在絡却後去脳戸傍一寸五〔三〕分、

取法 通天後四寸微向内取之、針头向下、

針灸 針二三分、灸三壯、

十、天柱

解剖 為後头骨頂〔項〕内側、有僧帽筋、有後头動脈与神經、

部位 在項之後部髮際大筋外廉之陥凹中、去中行風府七分、

取法 大椎上四寸、風府穴旁七分取之、

針灸　針二分、灸三壯、

「批」背部各穴上七節以大椎為標準中七節以命門為標準每椎向一穴下七節不易按摸以命門至腰俞分疏之又脊柱神經有二ノ運動神經散佈表皮即手足四肢ノ、交感神經散佈裡層各臟腑凡針必須救神經过識則無效「王」

十一、大杼

解剖　有僧帽筋、大方稜筋、肩胛背側之動脈、脊髓神經之後枝、並第十二對神經、

部位　在第一椎之下、横開各一寸五分、『去脊』

經穴篇　四九

取法 正坐、從大椎下陶道穴去脊旁開一寸五分取之、

針灸 針三分不宜灸、

十二、風門

解剖 有僧帽筋、背長筋、肩胛背神経、

部位 在第二椎下之旁一寸五分、大杼之下、

取法 正坐、從第二椎下去脊旁開一寸五分取之、

針灸 針五分、灸五壯、

十三、肺俞

解剖　有背長筋、後上鋸筋、肩胛背神經、
部位　在第三椎之下、去脊旁一寸五分、風门之下、
取法　正坐、從第三椎下去脊旁開一寸五分取之、
針灸　針三分、灸三壯至數十壯、

十四、厥陰俞

解剖　有背長筋、後上鋸筋、
部位　在第四椎之下、去脊旁一寸五分、
取法　正坐、從第四椎下、去脊旁開一寸五分取之、

針灸　針三分、灸七壯、

十五、心俞

解剖　有背長筋、後上鋸筋、

部位　在第五椎之下、各開一寸五分取之、

取法　正坐、從第五椎下旁開一寸五分取之、

針灸　針三分、灸三壯、

十六、督腧

解剖　有背長筋、

部位　在第六椎之下、去脊一寸五分取之、
取法　正坐、從第六椎下旁開一寸五分取之、
針灸　針三分至五分深、灸三壯、

十七、膈俞

解剖　有背長筋、
部位　在第七椎之下去脊一寸五分取之、
取法　正坐、從第七椎之下去脊旁開一寸五分、取之、
針灸　針三分至五分、灸三壯、

十八、肝俞

解剖 有背長筋、

部位 在第九椎之下去脊一寸五分取之、

取法 從第九椎下去脊旁開一寸五分取之、

針灸 針三分、灸三壯、

十九、胆俞

解剖 為闊背筋部、有胸背動脉、

部位 在第十椎之下、去脊一寸五分取之、

取法　正坐、從十椎之下、去脊旁開一寸五分取之、

針灸　針三分、灸三壯、

二十、脾俞

解剖　有闊背筋、腦背動脈、

部位　在第十一椎之下、去脊一寸五分、

取法　正坐、從第十一椎之下去脊旁開一寸五分取之、

針灸　針三分、灸三壯、

二一、胃俞

解剖　有闊背筋、

部位　在第十二椎之下去脊一寸五分、

取法　正坐、從第十二椎之下去脊一寸五分取之、

針灸　針三分、灸三壯、

二三、三焦俞

解剖　有闊背筋、腰背筋膜、肋間動脈、脊柱神經之後枝、

部位　在第十三椎下去脊一寸五分、

取法　正坐、從第十三椎下、去脊旁開一寸五分取之、

針灸 針五分、灸三壯、

二三，腎俞

解剖 有闊背筋、腰背筋膜、長背筋、後下鋸筋、肋間動脈、脊柱神經、

部位 在第十四椎下去脊一寸五分、

取法 從第十四椎下、去脊旁開一寸五分適當臍眼平行線上取之、

針灸 針三分、灸三壯、

二四，氣海俞

解剖 有長背筋、腰背筋膜、薦骨脊柱筋、

部位 在第十五椎之下、去脊一寸五分、
取法 正坐從腎俞下一寸二分髎取之、
針灸 針三分、灸三壯、

二五、大腸俞

解剖 有長背筋、腰背筋、薦骨脊柱筋、
部位 在第十六椎之下、去脊一寸五分、
取法 從腎俞下二寸五分餘、伏°面[而]取之、
針灸 針三分、灸三壯、

二六、關元俞

解剖　有長背筋、腰背筋、膜肋間動脉、薦骨神經之後枝、

部位　在第十七椎之下、去脊一寸五分、

取法　從氣海俞下一寸五分餘、伏而取之、

針灸　針三分、灸三壯、

二七、小腸俞

解剖　有腰背筋、膜肋間動脉、薦骨神經枝、

部位　在薦骨上部（即十八椎之正）一寸五分（去脊）

取法 從腎俞下五寸餘、伏而取之、

針灸 針三分、灸三壯、

二八・膀胱俞

解剖 有大臀筋、中臀筋、上臀動脈、上臀神經、

部位 在第十九椎下、去中行一寸五分、

取法 從腎俞下六寸三分、伏而取之、

針灸 針三分、灸三壯、

二九・中膂俞

解剖　有大臀筋、上臀動脈、上臀神經、
部位　在第廿椎之下、去中行一寸五分、
取法　從腎俞七寸六分、伏而取之、
針灸　針三分灸三壯、

三〇、白環俞

解剖　為尾閭骨部、有大臀筋、下臀動脈、陰部神經、下臀神經、
部位　在第二十一椎之下、去中行一寸五分
取法　從尾閭骨旁開一寸五分、伏而取之、

針灸 針二分至五分、灸三壯、

三一、上髎

解剖 是処有腸腰筋、肋間動脈、薦骨神経後枝、

部位 在第十八椎下、直小腸俞去中行一寸、

取法 按取十八椎旁約寸餘、与小腸俞平之陷孔中、伏而取之、

針灸 針三分至八分、灸三壯、

三二、次髎

解剖 有臀筋与中臀筋、上臀動脈、上臀神経、

部位　在第十九椎下直膀胱俞去中行一寸半、
取法　如上式在上髎下寸餘、与膀胱俞平之第二陷孔中、
針灸　針三分、灸三壮、

三三、中髎

解剖　有大臀筋、上臀動脉、上臀神経、
部位　在二十椎之下直中膂俞去中行一寸半、
取法　如上式按取第三陷中孔伏而取之此穴与中膂俞平、
針灸　針三分、灸三壮、

三四，下髎

解剖　有大臀筋、下臀動脈、陰部神經、下臀神經、

部位　在第二十一椎之下、俠骨脊陷中、

取法　如上式在中髎下寸餘近脊之陷孔中伏而取之、

針灸　針三分、灸三壯、

三五，会陽

解剖　有大臀筋、下臀動脈、陰部神經、下臀神經、

部位　在尾閭骨（下寸之）旁側陷中、

取法　按取尾閭骨脊旁開一寸部位、伏而取之、

針灸　針三分灸三壯、

三六、附分

解剖　有僧帽筋、後上鋸筋、小方陵筋、橫頸動脈、副神經、脊柱神經後枝、肩胛背神經、

部位　在第二椎之下去脊伸三寸、

取法　正坐、從風門穴旁開一寸五分取之、

針灸　針三分、灸三壯、

三七、魄户

解剖 有僧帽筋、大方陵筋、肩胛背神經、

部位 在第三椎下去脊三寸、

取法 正坐、從肺俞穴旁開一寸五分取之、

針灸 針三分至五分、灸五壯、

三八、膏肓俞

解剖 有僧帽筋、大方陵筋、脊柱神經後枝、肩胛背神經、

部位 在四椎下、五椎上、去脊中三寸、

取法 正坐、從厥陰俞旁開一寸五分取之、

針灸 針二分、灸三壯、

三九、神堂

解剖 有僧帽筋、脊柱神經後枝、肩胛背神經、

部位 在第五椎下、去脊三寸、

取法 正坐、從神道旁一寸五分取之、

針灸 針三分、灸三壯、

四〇、譩譆

解剖　有僧帽筋、脊柱神經後枝、肩胛背神經、

部位　在第六椎之下、去脊三寸、

取法　正坐、從督俞穴旁開一寸五分取之、

針灸　針六分、灸五壯、

四一，膈關

解剖　有僧帽筋、脊柱神經枝、

部位　在第七椎下、去脊三寸、

取法　正坐、從膈俞旁開一寸五分取之、

針灸　針五分、灸五壯、

四二，魂門

解剖　有闊背筋、胸背動脈、肩胛下神經、

部位　在第九椎下、去脊三寸、

取法　正坐、從肝俞旁開一寸五分取之、

針灸　針五分、灸三壯、

四三，陽綱

解剖　有闊背筋、胸背動脈、脊柱神經、

部位 在第十椎下、去脊三寸、

取法 正坐、從胆俞旁開一寸五分取之、

針灸 針五分、灸五壯、

四四，意舍

解剖 有闊背筋、胸背動脈、脊柱神經、

部位 在十一椎下、去脊三寸、

取法 正坐、從脾俞旁開一寸五分取之、

針灸 針五分、灸七壯、

四嗆四五，胃倉

解剖 有胸背動脈、脊柱神經、

部位 在第十二椎下、去脊三寸、

取法 正坐、從胃俞旁開一寸五分取之、

針灸 針五分、灸五壯、

四六，肓門

解剖 有闊背筋、方形腰筋、肋間動脈、肩胛下神經、脊髓神經、

部位 在第十三椎下、去脊三寸、

取法　正坐從三焦俞旁開一寸五分取之、

針灸　針五分、灸五壯、

四七、志室

解剖　有闊背筋、方形腰筋、肋間動脈、肩胛下神經、脊髓神經、

部位　在第十四椎下、去脊三寸、

取法　正坐、從腎俞旁開一寸五分取之、

針灸　針五分、灸三壯、

四八、胞肓

解剖　即腰骨部、有大臀筋、中臀筋、上臀動脉、下臀神經、
部位　在第十九椎下、去脊三寸、
取法　正坐、從膀胱俞旁開一寸五分、伏而取之、
針灸　針五分、灸七壯、

四九、秩边

解剖　有大臀筋、中臀筋、上臀動脉、下臀神經、
部位　在二十椎下、去脊三寸、
取法　正坐、從中膂俞旁開一寸五分、伏而取之、

針灸 針五分、灸三壯、

五〇、承扶

解剖 大臀筋之下部、大內轉股筋之間、有坐骨動脈、下臀神經、

部位 在臀部高肉下壟之橫紋中、

取法 直立從臀肉下壟之橫紋中央取之、

針灸 針五分、不宜灸、

五一、殷門

解剖 為二頭股筋部、有股動脈、坐骨神經、

部位 在承扶下六寸、

取法 直立、從承扶直下六寸取之、

針灸 針五分、又宜灸、（承扶与委阳之斜直線中央部）

五二，浮郄

解剖 為二头股筋腱部、有膝膕動脈、坐骨神經、

部位 在殷門下斜向外、委阳上一寸、

取法 先定委陽、從委陽上一寸取之、

針灸 針五分、灸三壯、

五三、委陽

解剖　在膝膕窩之外側、二头股筋腱之间、有膝膕動脉、腓骨神經、

部位　由委中向外之兩筋间、去承扶一尺二寸、

取法　正坐垂足、當膝膕外側筋外陷中取之、

針灸　針七分、灸三壯、

五四、委中

解剖　有膝膕動静脉、脛骨神經、

部位　當膝膕窩之正中、

取法　正坐垂足按取膝膕之正中取之、

針灸　針一寸五分、禁灸、（凡暴病実症以手用力抹搽使静脉管显露於外随用三稜針放出血最少之刺血听其自流）

五五、合陽

解剖　有腓腸筋環行於脛骨動脈、脛骨神經、

部位　委中下二寸、

取法　正坐垂足於委中下二寸取之、

針灸　針五分、灸五壮、

五六、承筋

解剖　有腓腸筋、環行於脛骨動脉、脛骨神經、

部位　在合陽与承山之中間即腓腸之中央、

取法　正坐垂足從腓腸之中央取之、

針灸　灸三壯、禁針、

五七、承山

解剖　有腓腸筋、脛骨動脉、脛骨神經、

部位　在委中下八寸腓肉之間、

取法　以足尖着地兩手按壁上於腓腸下人字紋下取之、

針灸　針七分、灸五壯、（善治橫痃針法左取右右取左一次愈）

五八、飛楊

解剖　有脛骨動脈、脛骨神經、

部位　在外踝上七寸、骨後廉、

取法　正坐垂足、從外踝後直上七寸取之、

針灸　針三分、灸三壯、

五九、跗陽

解剖　有長腓筋、前腓骨動脈、淺腓骨神經、

部位　在外踝上三寸、

取法　正坐垂足、從外踝後直上三寸取之、

針灸　針三分、灸三壯、

六〇、崑崙

解剖　此處為長腓骨筋腱、有後腓骨動脈、脛骨神經、

部位　足外踝後五分、跟骨上陷中、

取法　正坐垂足、在外踝後取之、

針灸　針三分、灸三壯、孕婦禁針、

六一、僕参

解剖　當外踝之下、有腓骨動脈、脛骨神經、

部位　在崑崙直下、

取法　正坐垂足、從崑崙直下一寸五分、跟骨下陷中取之、

針灸　針三分、灸不宜、

六二、申脈

解剖　為跟骨上部、有脛骨神經、腓骨動脈、

部位　在外踝下五分陷中、

取法 外踝直下約四分之部陥中取之、

針灸 針三分、不宜灸、

六三、金門

解剖 為短總趾伸筋部、有腓骨動脉、脛骨神經、

部位 在申脉之前一寸少、骨下陥中、

取法 從外踝之前方、即申脉穴之前方五分、湾形陥中、取之、

針灸 針三分、灸三壯、

六四、京骨

解剖 為小趾第一趾節骨之後部、即短腓筋腱部、有骨間背動脉、外小趾背神經、

部位 在足外側大骨下、赤白肉際、

針灸 針三分、灸三壯、

六五，束骨

解剖 為長總趾伸筋附着之部、有小趾背神經、骨間背動脉、

部位 在小趾外側、

取法 小趾本節後陷中取之、

針灸 針三分灸三壯、

六六、通谷

解剖 有長總趾伸筋附着部外小趾背神經、

部位 在小趾本節前陷中、

取法 小趾本節前陷中取之、

針灸 針三分、灸三壯、

六七、至陰

解剖 有外小趾背神經、骨間背動脈、

膀胱穴啚

部位　在足小趾端外側去爪甲角如韮葉、

取法　小趾外側端爪甲角分許取之、

針灸　針一分、灸三壯、

（一啚）

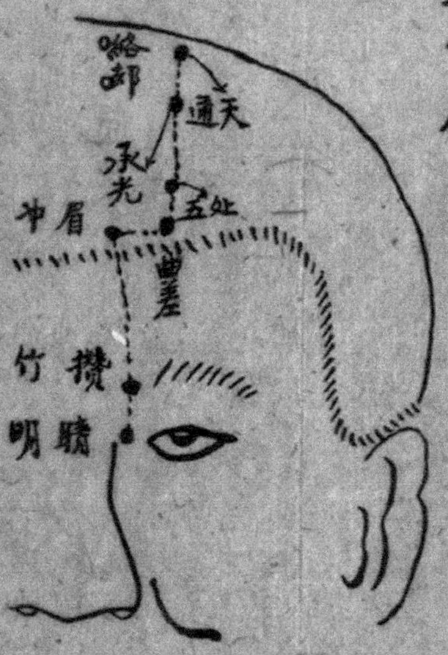

（二啚）

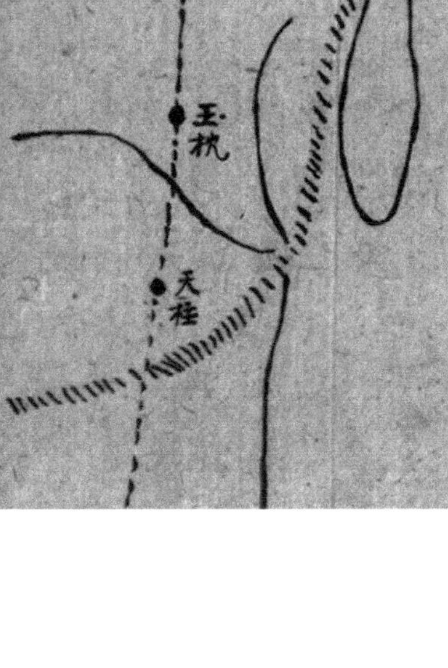

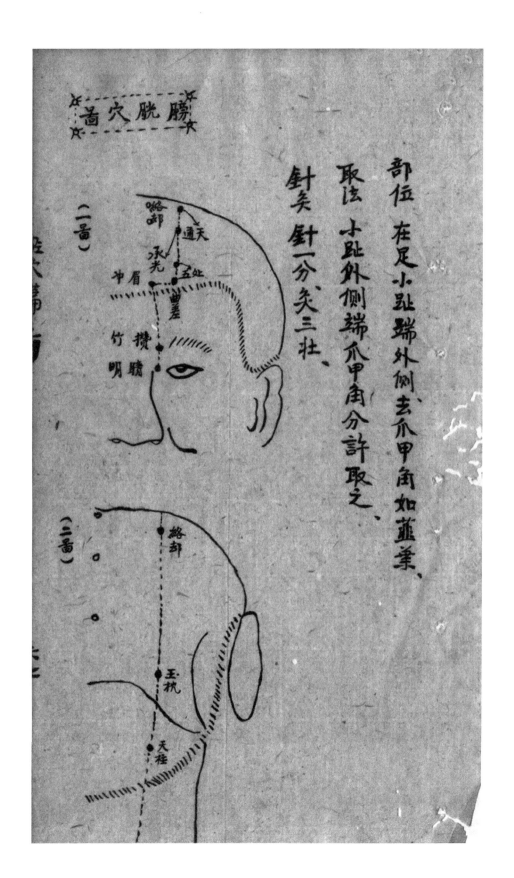

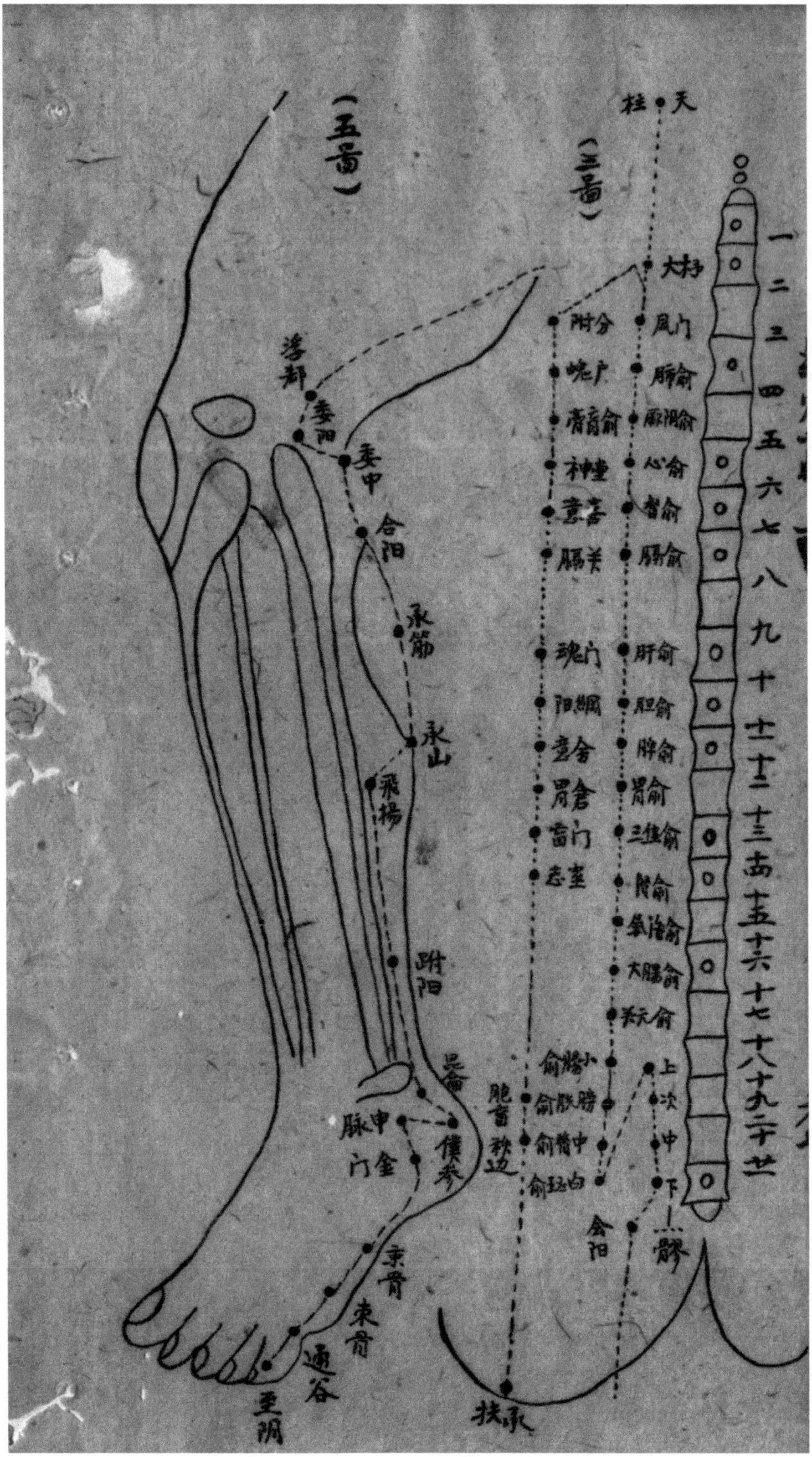
（五部）
（三部）
天柱
大杼
附分
风门
魄户
肺俞
膏肓俞
厥阴俞
神堂
心俞
督俞
膈关
膈俞
魂门
肝俞
阳纲
胆俞
意舍
脾俞
胃仓
胃俞
肓门
三焦俞
志室
肾俞
气海俞
大肠俞
关元俞
小肠俞
膀胱俞
中膂俞
白环俞
上
次
中
下
秩边
胞肓
会阳
承扶
浮郄
委阳
委中
合阳
承筋
承山
飞扬
跗阳
昆仑
申脉
金门
仆参
京骨
束骨
通谷
至阴
一
二
三
四
五
六
七
八
九
十
十一
十二
十三
十四
十五
十六
十七
十八
十九
二十
廿一

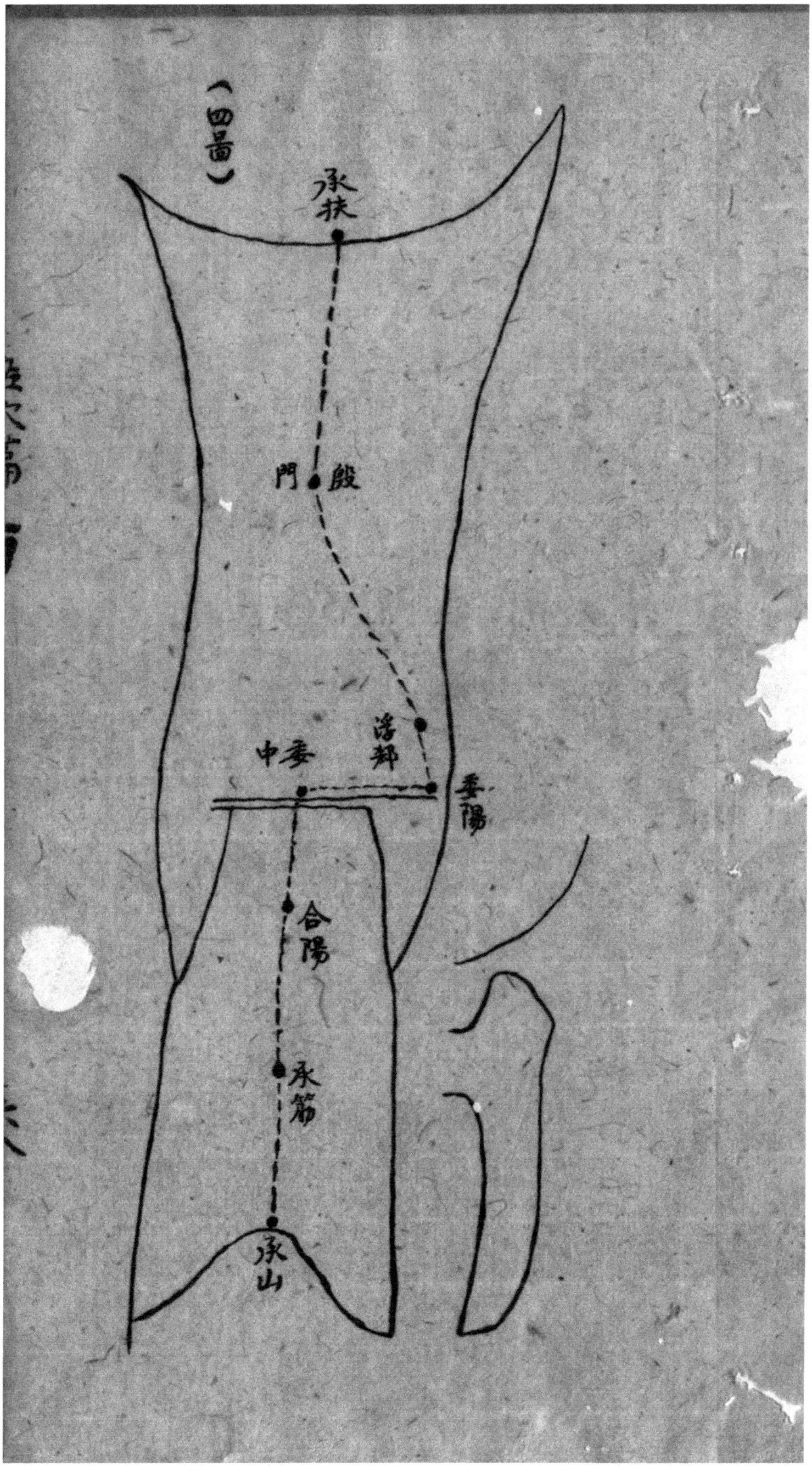
（四圖）
承扶
殷門
浮郄
委中
委陽
合陽
承筋
承山

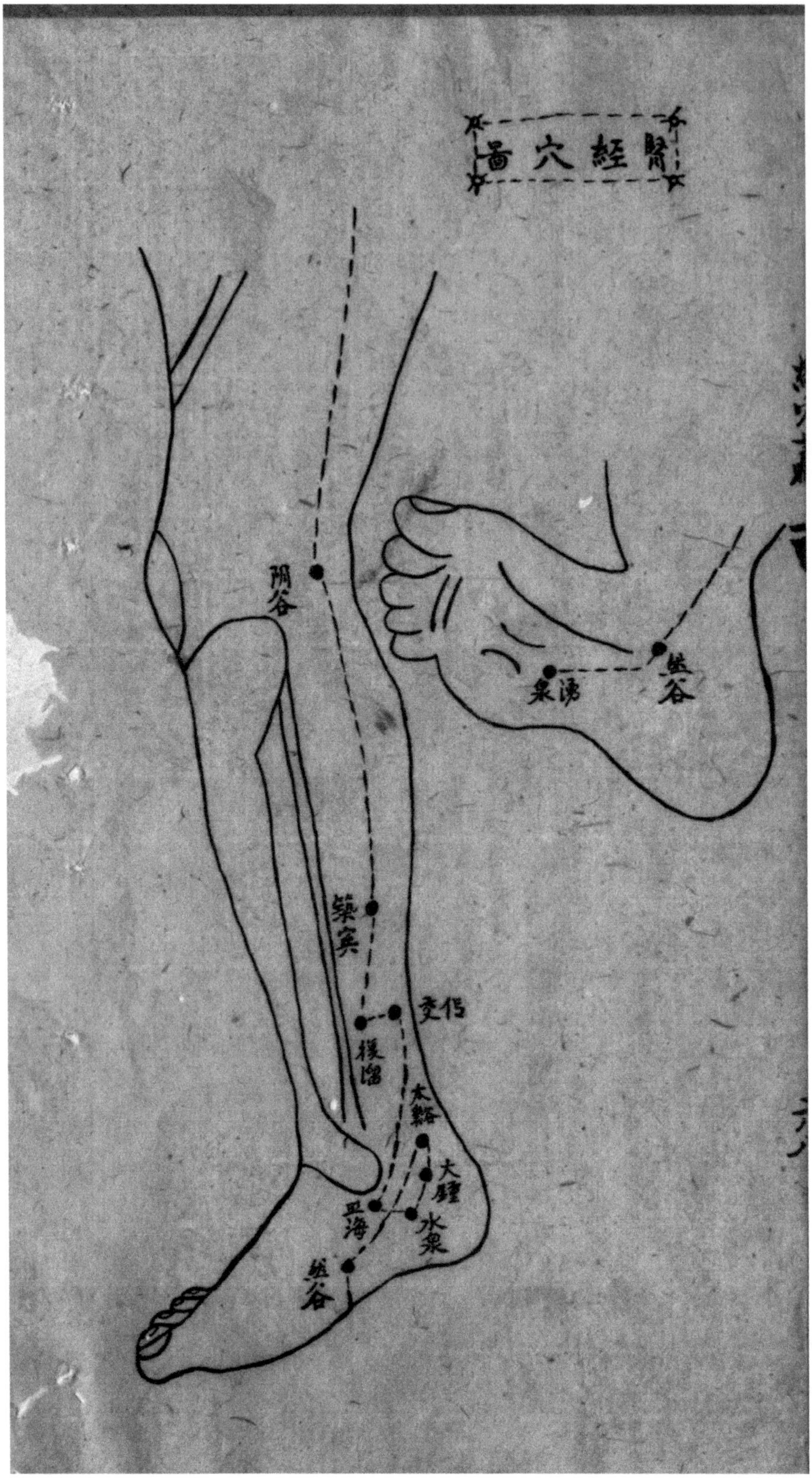
腎經穴圖
陰谷
築賓
交信
復溜
太谿
大鍾
照海
水泉
然谷
湧泉
然谷

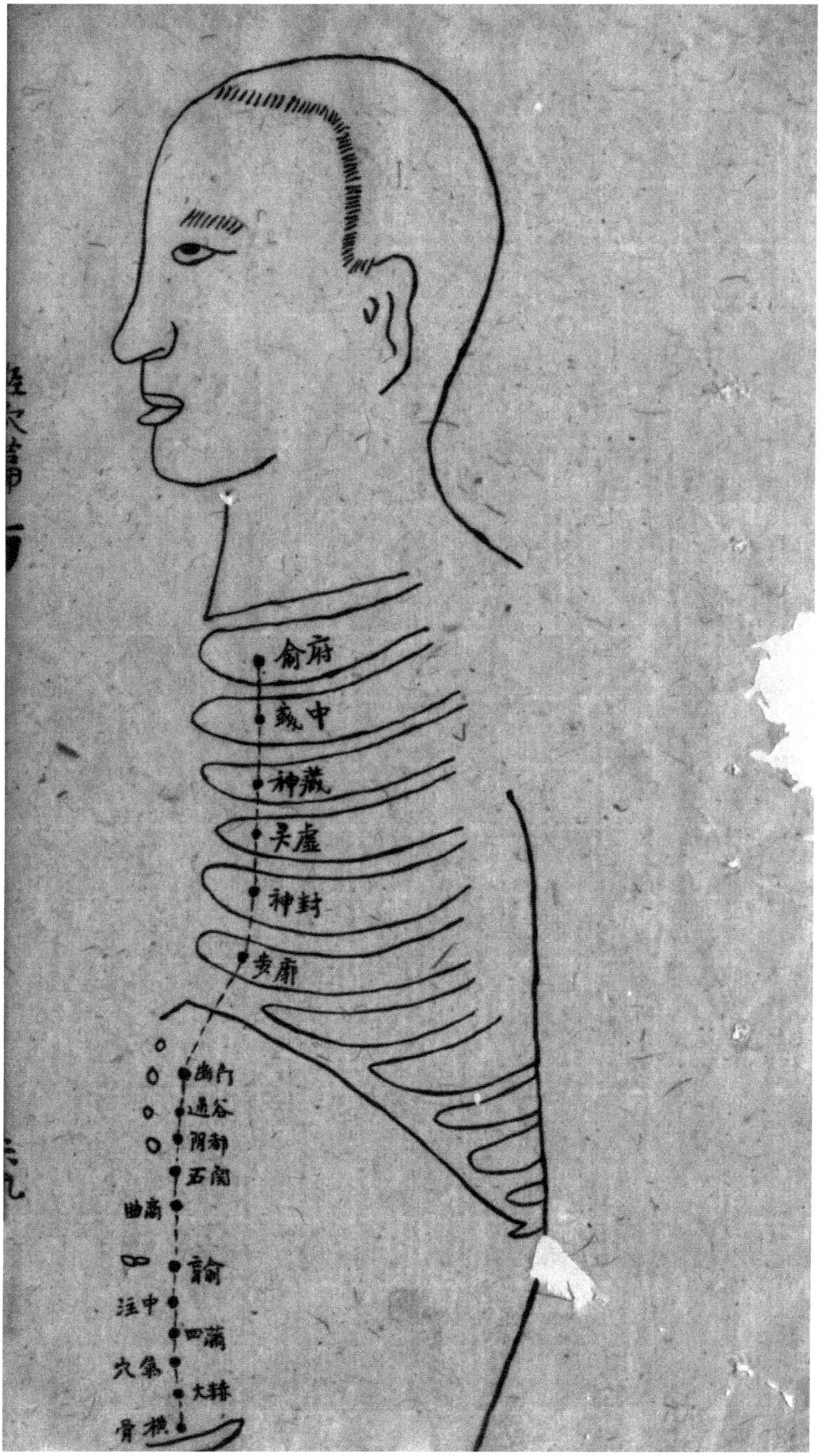
俞府
彧中
神藏
灵虚
神封
步廊
幽门
通谷
阴都
石関
商曲
俞
中注
四满
气穴
大赫
横骨

(八)、足少陰腎經穴　計二十七穴

一、湧泉

解剖　為轉拇筋、部有內足蹠動脈、內足蹠神經、

部位　在足底中央、

取法　足底去根在足掌部之中央、試以足趾蹉屈、於掌之中央發現凹陷形、穴即於此中取之、

針灸　針三分、灸三壯、

二、然谷

解剖　為長屈拇筋之附着部、有脛骨神經、
部位　在内踝前之高骨下、
取法　足内踝之前下方、即足踝前高骨之下当公孫穴後一寸位、取之、
針灸　針三分、灸三壯、

三、太谿

解剖　為長總趾屈筋腱部、有後脛骨動脈、脛骨神經、
部位　在内踝後五分、
取法　適当内踝後陥中取之、

針灸 針三分、灸三壯、

四、大鐘

解剖 有長總趾屈筋腱、脛骨神經、

部位 在足跟後踵中、

取法 從太谿下五分取之、

針灸 針三分、灸三壯、

五、水泉

解剖 為長總趾屈筋腱部、有後脛骨動脈、及脛骨神經、

部位　在内踝後、太谿上下一寸、

取法　從太谿之下向前寸餘、當跟骨之内側陷中取之、

針灸　針四分、灸四壯、

六，照海

解剖　為外轉拇節之上部、有後脛骨動脈、脛骨神經、

部位　在内踝下四分、

取法　坐穩、足底相对、於内踝骨下陷中取之、

針灸　針三分、灸七壯、

七、交信

解剖 為長總趾屈筋部、有後脛骨動脈、脛骨神經、

部位 在內上二寸、与復溜並立、在復溜之後、三陰交下一寸之微後、(踝筋取之)

取法 先取復溜、然後向後開三分取之、

針灸 針四分、灸五壯、針微斜向前一二寸、

八、復溜

解剖 為後脛骨部、有後脛骨動脈、脛骨神經、

部位 在內踝上二寸、

取法 正坐垂足、從太谿直上二寸取之、（靠脛骨边）

針灸 針三分、灸五壯、

九、築賓

解剖 為腓腸筋部、分佈後脛骨動脈、脛骨神経、

部位 在内踝上五寸、

取法 正坐垂足、從直太谿直上五寸直对阴谷取之、

針灸 針三分、灸五壯、

十、陰谷

解剖　為大股節連附之部、有関節動脈、与股神経

部位　在膝内輔骨之後、

取法　正坐垂足、從膕内横紋端、小筋与大筋之中央、兩筋之間陷中取之、

針灸　針四分、灸三壯、

十一，横骨

解剖　有腸骨下腹神経、三稜腹筋、

部位　在大赫下一寸、去中行五分、

取法　仰臥從肓俞之直下五寸、曲骨旁五分取之、

針灸　針三分、灸三壮、

十二、大赫

解剖　有三稜腹筋、腸骨下腹神經、
部位　在氣穴下一寸、去中行五分、
取法　仰臥、横骨上一寸取之、
針灸　針三分、灸五壮、

十三、氣穴

解剖　有腸骨下腹神經、直腹筋、

部位 在四満下一寸、去中行五分、
取法 仰臥横骨上二寸取之、
針灸 針三分、灸五壯、

十四，四満

解剖 有直腹筋、下腹動脈、
部位 在中注下一寸、去中行五分、
取法 仰臥、横骨上三寸、肓腧下二寸取之、
針灸 針三分、灸三壯、

十五，中注

解剖　有直腹筋、下腹動脈、

部位　在盲俞下一寸、去中行五分、

取法　仰卧、從盲俞下一寸取之、

針灸　針五分、灸五壮、

十六，盲俞

解剖　有下腹動脈、直腹筋、

部位　去在臍旁五分、

取法　仰臥、臍心旁五分取之、

針灸　針五分、灸五壯、

十七、商曲

解剖　有直腹筋、上腹動脈、肋間神經枝、

部位　在石關下一寸、

取法　仰臥、肓俞上二寸取之、去中行五分、

針灸　針五分、灸五壯、

十八、石關

解剖　有直腹筋、上腹動脉、肋向神經、

部位　在陰都下一寸、

取法　仰卧、商曲上一寸取之、

針灸　針一寸、灸三壮、孕婦禁灸、

十九、陰都

解剖　有直腹筋、上腹動脉、第十二肋向神經枝、

部位　在陰谷下一寸、

取法　仰卧、石関上一寸取之、

針灸　針五分、灸三壯、

二〇、通谷

解剖　有直腹筋、上腹動脈、十二肋間神經枝、

部位　在幽門下一寸、

取法　仰臥、陰都上一寸取之、

針灸　針五分、灸三壯、

二一、幽門

解剖　為直腹筋部、其內左為胃府、右為肝葉、有上腹動脈十二肋

間神経枝、

部位 在巨闕旁五分、

取法 仰卧、肓俞上六寸、巨闕旁五分取之、

針灸 針五分、灸五壮、

二二、步廊

解剖 有肋間動脈、内乳動脈、肋間神経、前胸神経、

部位 在神封下一寸六分、中庭旁二寸、

取法 中庭旁二寸陷中、仰卧取之、

針灸　針三分、灸五壯、

二三、神封

解剖　有大胸筋、肋間動脈、內乳動脈、肋間神経、前胸神経、

部位　在灵墟下一寸六分、去中行二寸、

取法　胆中旁二寸陷中、仰臥取之、

針灸　針三分、灸五壯、

二四、灵墟

解剖　有大胸筋、肋間動脈、肋間神経等、

部位　在神藏下一寸六分、当三肋间、

取法　玉堂旁二寸陷中、仰卧取之、

針灸　針三分、灸五壮、

二五、神藏

解剖　為大胸筋部、中藏肺葉、分佈肋间動脈、内乳動脈、肋间神経

前胸神経、

部位　彧中下一寸六分、

取法　紫宫旁二寸陷中、仰卧取之、

針灸　針三分、灸五壯、

二六，彧中

解剖　為大胸筋部、分佈肋間動脈、內乳動脈、肋間神經、前胸神經、

部位　在俞府下一寸六分、

取法　華蓋旁二寸陷中、仰臥取之、

針灸　針四分、灸五壯、

二七，俞府

解剖　有大胸筋及上鎖骨筋、鎖骨下動脈、胸廓神經、

部位　在璇璣旁二寸、

取法　璇璣旁二寸陷中、仰卧取之、

針灸　針三分、灸五壯、

(八)手厥陰心包絡經穴　計九穴

1、天池

解剖　有大胸筋、前大鋸筋、長胸動脈、長胸神經、前胸廓神經、

部位　在乳後一寸、去腋下三寸、第四肋間、

取法　仰卧或正坐、從乳头外開一寸取之、

针灸 針三分、灸三壯、

二、天泉

解剖 為三头膊筋部、有上膊動脉、内膊皮下神経、上膊尺骨神経、

部位 在手之内側腋下二寸、

取法 曲腋之横紋头向肘窩方下二寸、举臂取之、

針灸 針六分、灸三壯、

三、曲澤

解剖 在二头膊筋之腱向、有上膊動脉、重要静脉、正中神経、

部位 在肘內廉下之陷凹中、即尺澤之內側、

取法 肘窩橫紋之正中筋之內側陷中、取之、

針灸 針三分、灸三壯、

（本穴如筋腱鬆者中央針、緊密者筋之內側斜針、五分至二寸（手微屈）

「按」凡筋腱處可刺、倘如誤刺之、則該部日後必發生疼痛。

四、郄門

解剖 有內接骨筋、尺骨動脈、重要靜脈、正中神經、

部位 在大陵上五寸、即去腕五寸、

取法　從腕橫紋臨正中直上五寸取之、

針灸　針三分、灸五壯、

五、間使

解剖　有内撓骨筋、尺骨動脈、重要靜脈、正中神經、

部位　大陵上三寸、即掌後三寸、

取法　從腕橫紋正中直上三寸、兩筋间取之、

針灸　針三分、灸五壯、

六、內關

解剖　有尺骨動脈与静脈、正中神経、

部位　大陵上二寸、兩腕間、

取法　從腕橫紋正中直上二寸、兩筋間陷中取之、

針灸　針五分、灸五壮、

七、大陵

解剖　占撓骨尺骨之間有橫腕韌帶、動脈与静脈、

部位　在手腕橫紋之陷中、即兩骨「撓骨尺骨」之間、

取法　腕橫紋正中、兩筋間陷中取之、（靠掌之第一橫紋中正处）

針灸 針三分、灸三壯、

八、勞宮

解剖 有淺伸屈指筋、有尺骨動脈之動脈弓、手掌部之正中神經、

部位 在掌心、

取法 以中指無名指屈拳掌中、在二指之尖之間是穴取之、

針灸 針二分、灸三壯、

九、中衝

解剖 有指掌動脈、正中神經、

心包穴畵

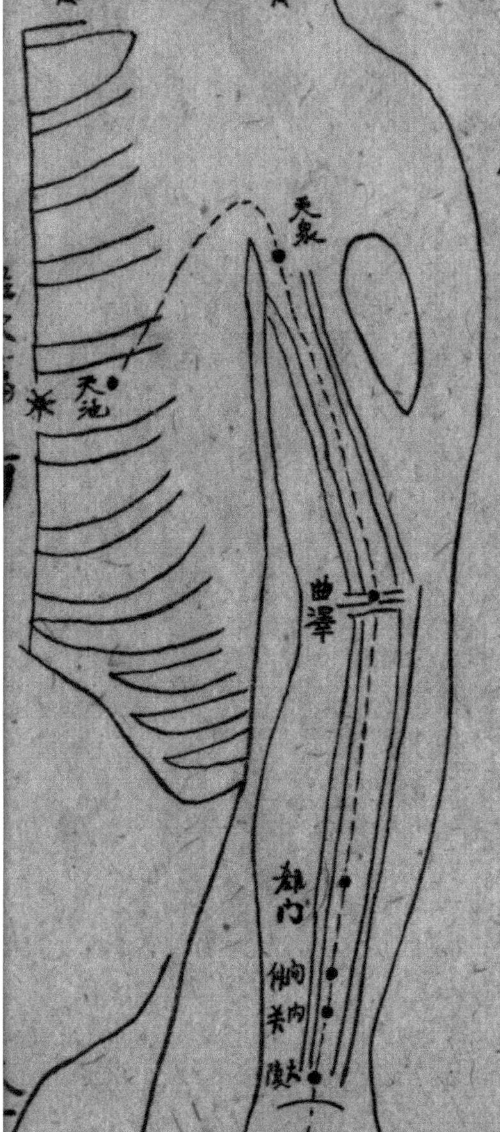

部位 在中指之端、去爪甲如韭葉、

取法 於中指之端取之、

針灸 針一分灸一壯、

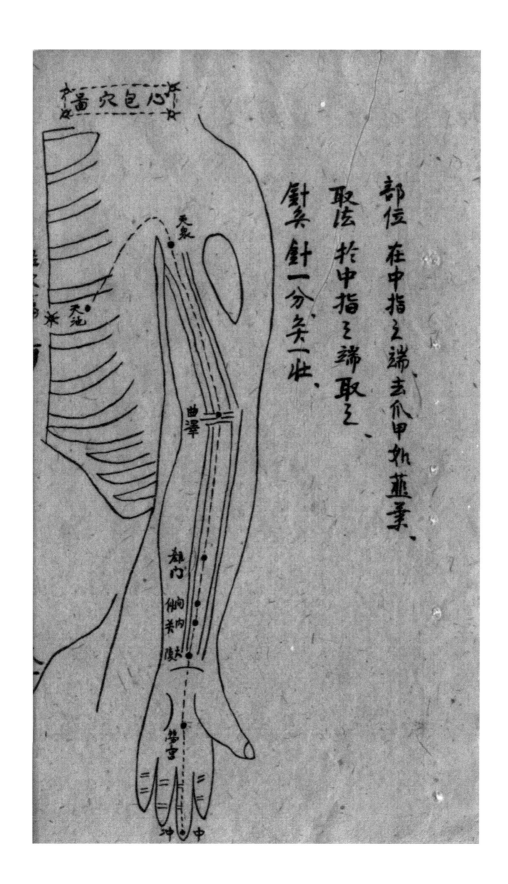

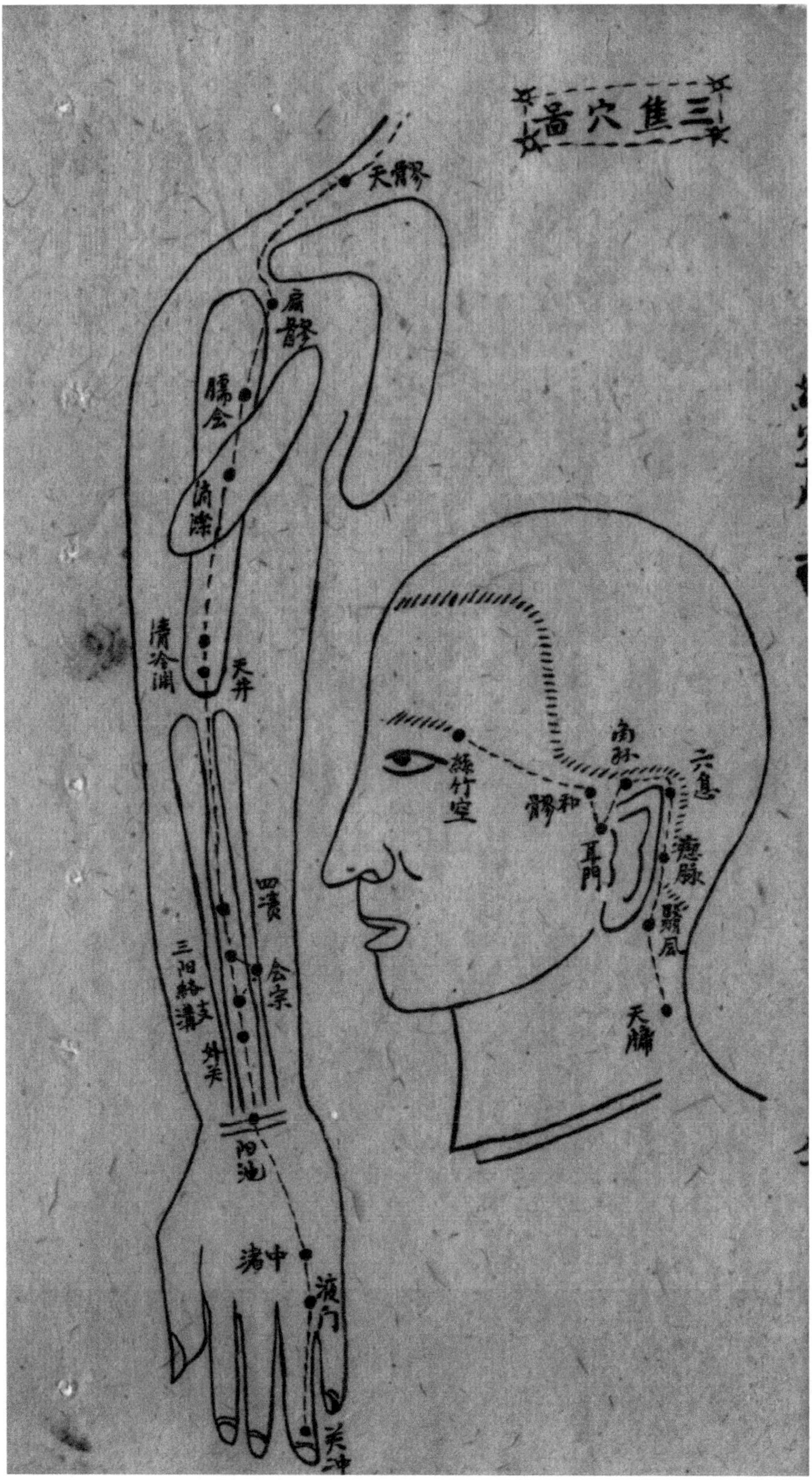
三焦穴啚
天髎
肩髎
臑会
消泺
清冷渊
天井
四渎
三阳络
支沟
会宗
外关
阳池
中渚
液门
关冲
絲竹空
和髎
角孙
耳門
颅息
瘛脉
翳风
天牖

（十）·手少陽三焦經穴　計二十三穴

一·關冲

解剖　有骨向背動脉、尺骨神經之手背枝、

部位　在無名指外側去爪甲角如韮葉、

取法　無名指外側端、去爪甲角分許取之、

針灸　針一分、灸三壯、

二·液門

解剖　有總指伸筋、骨向背動脉、尺骨神經之手背枝、

部位　在小指次指之間、合縫紋處陷中、
取法　握拳於小指無名指之岐縫上取之、
針灸　針三分、灸三壯、

三、中渚

解剖　有總趾指伸筋腱、第四骨間背動脈、尺骨神經手背枝、
部位　在無名指小指本節後間陷中、
取法　握拳於第四五掌骨之間取之、
針灸　針三分、灸三壯、

四、陽池

解剖　有小指筋腱、有皮下膊神皮下神経、尺骨神経、

部位　在手表腕上横紋陷中、

取法　第四掌骨之上端、手腕横紋中、稍偏外些陷中取之、

針灸　針三分、不宜灸、

五、外関

解剖　有總指伸筋、骨间動脈、皮下膊皮下神経、撓骨神経、

部位　在阳池後二寸兩筋间、

取法 陽池上二寸兩骨縫隙取之、

針灸 針三分、灸三壯、

六、支溝

解剖 有總指伸筋、骨間動脈、從下膊皮下神經、撓骨神經、

部位 在陽池後三寸兩筋骨間陷中、

取法 外關上一寸、兩骨罅間取之、

針灸 針三分、灸七壯、

七、三陽絡 全宗

解剖　有總指伸筋部、骨向動脈、撓骨神経、
部位　在支溝外傍、
取法　支溝向外開一寸、骨边取之、
針灸　此穴禁針、灸三壯、

八、三陽絡

解剖　為固有小指伸筋部、有骨向動脈、皮下膊皮下神経、撓骨神経皮枝、
部位　去支溝一寸、

取法 支溝直上一寸、骨罅间取之、

針灸 此穴禁針、灸三壯、

九、四瀆

解剖 有骨间動脈、挟骨神经之後枝、

部位 在三陽絡上一寸五分、微前五分、

取法 阳池与肘尖之中间、去骨之外側取之、

針灸 針五分、灸三壯、

十、天井

解剖　為三头膊筋腱之間有尺骨副動脈、橈骨神経枝、

部位　在肘尖上二寸陷凹中、

取法　屈肘接取肘尖上側向上一二間之陷中取之、

針灸　針三分灸五壮、

十一、清冷渊

解剖　有三头膊筋下尺骨副動脈橈骨神経分枝、上膊皮下神経、

部位　去天井一寸、

取法　天井上一寸取之、

針灸　針三分灸三壮、

十二、消濼

解剖　有三角筋、头静脉、後廻旋上膊動脉枝、後膊皮下神経、

部位　在臑会下二寸、

取法　正坐從肩後側端下五寸、直对天井取之、

針灸　針五分、灸三壮、

十三、臑会

解剖　有三角筋、後廻旋上膊動脉、头静脉、後膊皮下神経、腋

下神經等、

部位 在肩头下三寸、

取法 正坐肩後側端下三寸取之、

針灸 針五分、灸五壯、

十四，肩髎

解剖 有横肩胛動脉、外膊皮下神經、髃骨上神經、

部位 在髃骨与肩胛骨之陷凹処是也、

取法 正坐從肩髃後寸餘、当肩後側端取之、試將臂膊上举、当其

陷凹處是也

針灸 針七分、灸三壯、

十五、天髎

解剖 有横肩胛動脉、頸静脉、肩胛背神経、

部位 在鎖骨上窩之上部、

取法 從肩胛骨之上部、曲垣之前一寸取之、

針灸 針五分、灸三壯、「註」此穴為手足少陽阳維之会

十六、天牖

解剖　有後耳静脈、後耳動脈副神經、頸椎神經、

部位　在風池下一寸微外些、即完骨下髪際上、天容後天柱前、

取法　正坐、從天柱与天容之中向、当乳嘴突起之下部取之、

針灸　針一寸、

十七、翳風

解剖　此處為耳下腺部、有耳後動脈、顔面神經之耳後枝、

部位　在耳根後、距耳約五分之陷凹処、

取法　正坐、從耳翼根之後下部当完骨之下边取之、

針灸　針三分、灸三壯、

十八、瘛脈、

解剖　有顳顬筋、耳後動脈、顏面神經之耳後枝、

部位　在翳風上一寸、稍近耳根青絡上、

取法　從翳風上一寸取之、

針灸　針一分、出血如豆汁、禁灸、

十九、顱息

解剖　有顳顬筋、耳後動脈、顏面神經之耳後枝、

部位　在瘈脉上一寸餘、有青絡、
取法　從瘈脉上一寸取之
針灸　針此穴絡脉微出血禁灸、

二十、角孫

解剖　有顳顬筋、顳顬動脉、顳顬神經、
部位　當耳殼上角之陷凹処、以指按之、口開闔時指下覺牽動、
取法　以耳翼摺叠、当耳叠之尖処取之、
針灸　灸三壯、不宜針、

二二、耳門

解剖 有咀嚼筋、顳顬筋、顳顬動脉、顳顬神経、

部位 在耳前肉峯上缺口外、

取法 從耳翼前方、耳珠之上缺口部份前陷中、取之、

針灸 針三分、灸三壯、

二三、和髎

解剖 有顳顬筋、顳顬動脉、顏面神経、

部位 在耳前髮鋭尖下、

取法　從耳门之前微上方、髮鬢角之部份取之、
針灸　針三分、禁灸、

二三、絲竹空

解剖　有前头筋、顳顬動脉枝、颜面神経、
部位　眉毛梢外端陷中、
取法　從眉毛梢外端陷中、取之、
針灸　針三分、禁灸、

（十一）、足少陽胆経穴　計四十四穴

一、瞳子髎（太陽）

解剖　有眼輪匝筋、顴骨眼窠動脉、顏面神経、三叉神経、

部位　目外眥之五分、

取法　於目眥角五分部份、目眶骨边陷中取之、

針灸　針三分、禁灸、（太陽）針八分一寸至伍寸浅則無效

二、聽會

解剖　為耳下腺之上部、分佈顳顬枝、内頸動脉、顏面神經、

部位　耳珠微前陷中、

取法　耳珠微前五分部份、當顴骨橋之下陷中、開口有孔取之、

針灸　針三分灸三壯、（五分　提插即出不可留針）

三、上關

解剖　有内顴動脈、顴面神経、

部位　在耳前起骨上廉、

取法　從听会斜上、当顴骨橋之上口、開口有孔之处是穴、

○此穴禁針灸故不録主治与針灸、

四、頷厭

解剖 有顳顬筋、顳顬動脈、顏面神経、

部位 曲周下顳顬上廉、

取法 髮際曲角、入三分、当头維之下一寸取之、

針灸 針一二分不可太深刺、灸三壮、(沿皮下針三～五分対準経浅)、

五、懸顱

解剖 為前头骨之顳顬窩部、有顳顬筋、顳顬動脈、顳顬神経、

部位 曲周下顳顬中廉、

取法 頷厭下六分、微後一分取之、

六、懸厘

解剖　有顳顬筋、顳顬動脈、顳顬神经、

部位　曲周下、顳顬下廉、距懸顱下半寸、

取法　從懸顱下半寸微後些些与上耳根並行處取之、

針灸　針二三分、灸三壯、

七、曲鬢

解剖　有顳顬筋与神経、

部位　在耳上入髮際一寸前些些、

取法 從耳上髮際前些、曲隅之陷際、即上耳翼根之微前、取之、

以耳翼解揩伺前是穴

針灸 針二分、灸三壯、

八、率谷

解剖 有顳顬筋、耳上擧筋、耳後動脈、

部位 在耳上入髮際一寸五分、

取法 從耳上入髮際一寸五分取之、

針灸 針三分、灸三壯、

九、天衝

解剖 有耳上掣筋、耳後動脈、

部位 在率谷之後約三分、「查在耳上者有三穴、最上為率谷其次為天衝最下為角孫」

取法 從率谷之後三分取之、

針灸 針三分、灸三壯、

十、浮白

解剖 有耳上掣筋、耳後動脈、

部位 在耳後入髮際一寸、

取法　天衝之後一寸、耳後入髮際一寸取之、

針灸　針三分、灸三壯、

十一、竅陰（首）

解剖　有耳後動脈、耳後神經、

部位　在浮白下一寸、

取法　從浮白直下一寸取之、

針灸　針三分、灸三壯、

十二、完骨

解剖　有胸锁乳嘴筋附着之上部、有耳後動脈与神経、

部位　在竅陰下七分、

取法　竅阴之下七分、入髪际四分、当乳嘴突起之後下陷中取之、

針灸　針三分、灸三壮、

十三、本神

解剖　是处为前头骨部、有颞颥動脈与神経、

部位　在曲差旁一寸五分、入髪际五分取之、

取法　從曲差旁一寸五分、入髪际五分取之、

針灸 針三分、灸三壯、（沿皮下針三四分 对准經找）

十四，陽白

解剖 有前头筋、顳顬動脉、顏面神経、

部位 在眉毛上直一寸、

取法 從眉之中部直上一寸取之，直对瞳子、

針灸 針三分、灸三壯、

十五，臨泣（首）

解剖 有前头筋顳顬動脉、顏面神経、

部位　在目上直入髮际五分、

取法　從瞳子直上入髮際五分取之、

針灸　針三分、禁灸、

十六、目窗

解剖　有前头筋、前額動脈、前額神経、

部位　在臨泣後一寸五分、

取法　從臨泣後一寸五分取之、

針灸　針三分、灸三壯、

十七、正營

解剖 皮下有頭蓋之帽狀腱膜、其下為顱頂骨、有顳顬動脈

枝顏面神經枝、

部位 在目窗後一寸五分、

取法 從臨泣後三寸取之、

針灸 針三分、灸三壯、

十八、承靈

解剖 有後頭骨部、有後頭筋、後頭動脈、與神經、

部位　在正營後一寸五分、

取法　從臨泣後四寸五分取之、

針灸　針三分、灸五壯、此穴禁針、

十九、承腦空

解剖　當後頭骨外、後頭結節之下面、即僧帽筋附着之上部、是

处有後頭筋、後頭動脈大後頭神經、

部位　在承靈後四寸五分、玉枕骨之下陷中、

取法　承靈後四寸五分左右、当腦戶旁二寸取之、

針灸　針四五分、灸五壯、

二十、風池

解剖　當後頭骨下部之陷凹處、僧帽筋之外側、有後頭神經與動脈、

部位　在腦空之後部、髮際之陷凹處、

取法　空々之下、項筋之旁、陷中取之、「當天柱穴骨之中向」

針灸　針四五分、灸三壯、

二一、肩井

解剖　有橫頸動脈、外頸靜脈、上肩胛骨神經、

部位 在肩上陷解中、

取法 從缺盆上大骨前一寸半部位、以三指按取之、当中指之下是穴、

正坐取之、

針灸 針四五分、不可太深、孕婦禁針灸三壮、

二三、淵液

解剖 有肋間筋、肩胛下神経、肋間神経、

部位 在腋下三寸、

取法 腋窩正中直下三寸、肋骨間取之、（縁乳头肋縫之上至腋下是穴）

○此穴禁針灸故不録其主治与針灸、

二三、輒筋

解剖 有大胸筋、小胸筋、深部有内外肋間筋、分佈長胸動脈、側胸皮下神経、長胸神経、

部位 在腋下三寸、後前向乳房一寸、

取法 淵液前行一寸、肋間陥中取之、（仍縁乳头上肋旋之上淵液之前一寸）

針灸 針六分、灸三壯、

二四、日月

解剖　当附着第八肋軟骨部之下寸許、介於直腹筋与外斜腹筋之向、有上腹動脈、肋間神経、

部位　在期門下五分微外開些、

取法　巨闕旁三寸二分、再下五分取之、当第八肋軟骨之下、

針灸　針六分、灸七壮、「註此穴為胆之募穴」

二五ノ章门

解剖　為外斜腹筋端部、分佈上腹動脈、及長胸神経、

部位　在俠脊季脇之端、即臍上五分旁開九寸五分也、

取法　按取季脇之端、即臍上五分旁開九寸五分部位、側臥屈上足伸下足举臂取之、

針灸　針三分、灸三壯、(註)此穴為腎之募穴、

二六、帶脈

解剖　為外斜腹筋部、有上腹動脈、長肋神經、肋間神經枝、

部位　去臍旁八寸、

取法　側臥、臍旁八寸取之、(以腰圍四尺二寸折算)

針灸　針六分、灸五壯、

二七，五枢

解剖 有下腹動脈、長胸神經、肋間神經枝、

部位 在帶脈下三寸、

取法 仰卧、帶脈下三寸微斜向外側取之、

針灸 針五分至一寸、灸五壯、

二八，維道

解剖 有内外斜腹筋、下腹動脈、

部位 章門直下五分寸三分、

取法　五樞下五分取之、

針灸　針八分、灸三壯、

二九、居髎

解剖　有内外斜腹筋、下腹動脈、

部位　維道下三寸、

取法　維道下三寸、外開五分、横直環跳、相向一关節、

針灸　針三分、灸三壯、

三〇、环跳

以食指中節按髀樞骨上至末節尽处

解剖 在臀股部、有大臀筋、上臀神経、

部位 在髀樞中、通京穴之下、並兩足而立、腰下部有陷凹处、

取法 仰卧、伸下足、屈上足、於大腿関節向陷中取之、

針灸 針一寸五分至二三寸、灸十壮、

三一、風市

解剖 有外大股筋、上膝関節動脈、前股皮下神経、

部位 膝上外廉兩筋中、（在膝弯横紋头直上約七寸）

取法 大腿外側之正中線上之中部、約当中瀆之上二寸、兩手下垂、中指

経穴篇

尽処取之

針灸 針五分、灸五壯、

三二、中瀆

解剖 有外大股筋、股動脈分枝、

部位 在髀骨外膝上五寸、

取法 屈膝横紋外角直上五寸、与環跳成一直線、

針灸 針五分、灸三壯、

三三、陽関

解剖　有外大股筋、外関節動脈、股神経、

部位　在陽陵泉上三寸、

取法　膝关節之旁、当陽陵上三寸部份取之、（膝关節横纹头凹陷处）

針灸　針五分、禁灸

三四、陽陵泉

解剖　当腓骨之外側、有膝关節動脈、浅腓骨神経、

部位　在膝下外側、腓骨前之陷凹处、

取法　正坐垂足、膝外側关節之下陷中取之、

針灸　針六分、灸七壯。

三五，陽交

解剖　有長總趾伸筋、前脛骨動脈、深腓骨神經、

部位　在外踝上七寸，沿太陽經一面崑崙之直上、

取法　正坐垂足，從崑崙直上、外踝邊量上七寸取之、（飛揚前一寸）

針灸　針六分、灸三壯、

三六，外邱

解剖　有長腓筋、前脛骨動脈、淺腓骨神經、

部位 外踝上七寸与阳交相並、阳交在後、外丘在前、相去五分、
取法 正坐垂足、從外踝直上七寸取之、「去踝計」（踝跟骨正中直上）
針灸 針三分灸三壮、

三七，光明

解剖 有長總趾伸筋、前腓骨動脈、深腓骨神經、
部位 外踝上五寸
取法 正坐垂足、外踝上去踝五寸取之、
針灸 針六分、灸五壮、

三八、陽輔

解剖　有長總趾伸筋、前腓骨動脈、深腓骨神経、

部位　在外踝上四寸、

取法　外踝上四寸微前三分取之、（去踝計）

針灸　針三分、灸三壯、

三九、懸鐘

解剖　為短腓筋部、有前腓骨動脈、与神経、

部位　在外踝上三寸、

取法 從外踝上（去踝）三寸取之、

針灸 針五分、灸五壯、

四〇，丘墟

解剖 有長總趾伸筋腱之皮部、有前外踝動脈、淺腓骨神經、

部位 在外踝下微前陷中、

取法 第四趾直上外踝骨前橫紋陷中、

針灸 針五分、灸五壯、（依穴势針）

四一，足臨泣

解剖　有蹠骨動脈中足背皮神経、

部位　在足小趾次趾本節後、

取法　小次趾本節後歧骨間陷中取之、

針灸　針二分、灸三壯、

四二、地五会

解剖　有骨間背動脈、中足背皮神経、

部位　去侠谿一寸、

取法　小次趾本節後陷中、臨泣前五分位取之、

針灸　針二三分、禁灸、

四三、俠谿

解剖　有趾背動脈与神経

部位　在小次趾本節前陷中、

取法　小次趾本節前陷中取之、（小次趾接續部縫中）

針灸　針二分、灸三壯、

四四、足竅陰

解剖　有趾背動脈、趾背神経、

部位 在第四趾外側爪甲角、

取法 第四趾外側爪甲角一分許取之、

針灸 針一分、灸三壯、

（凡足部背各穴靜脈密佈、針之最易出血、但出血能去濕氣亦佳）

膽經穴圖

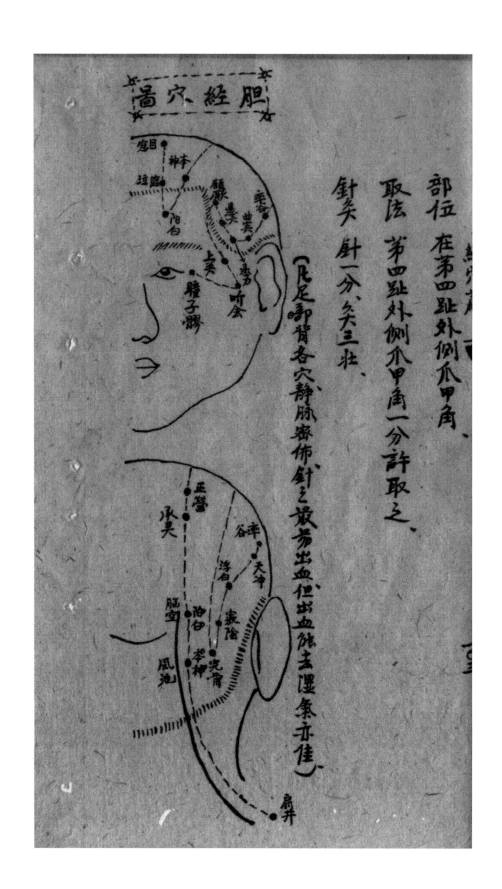

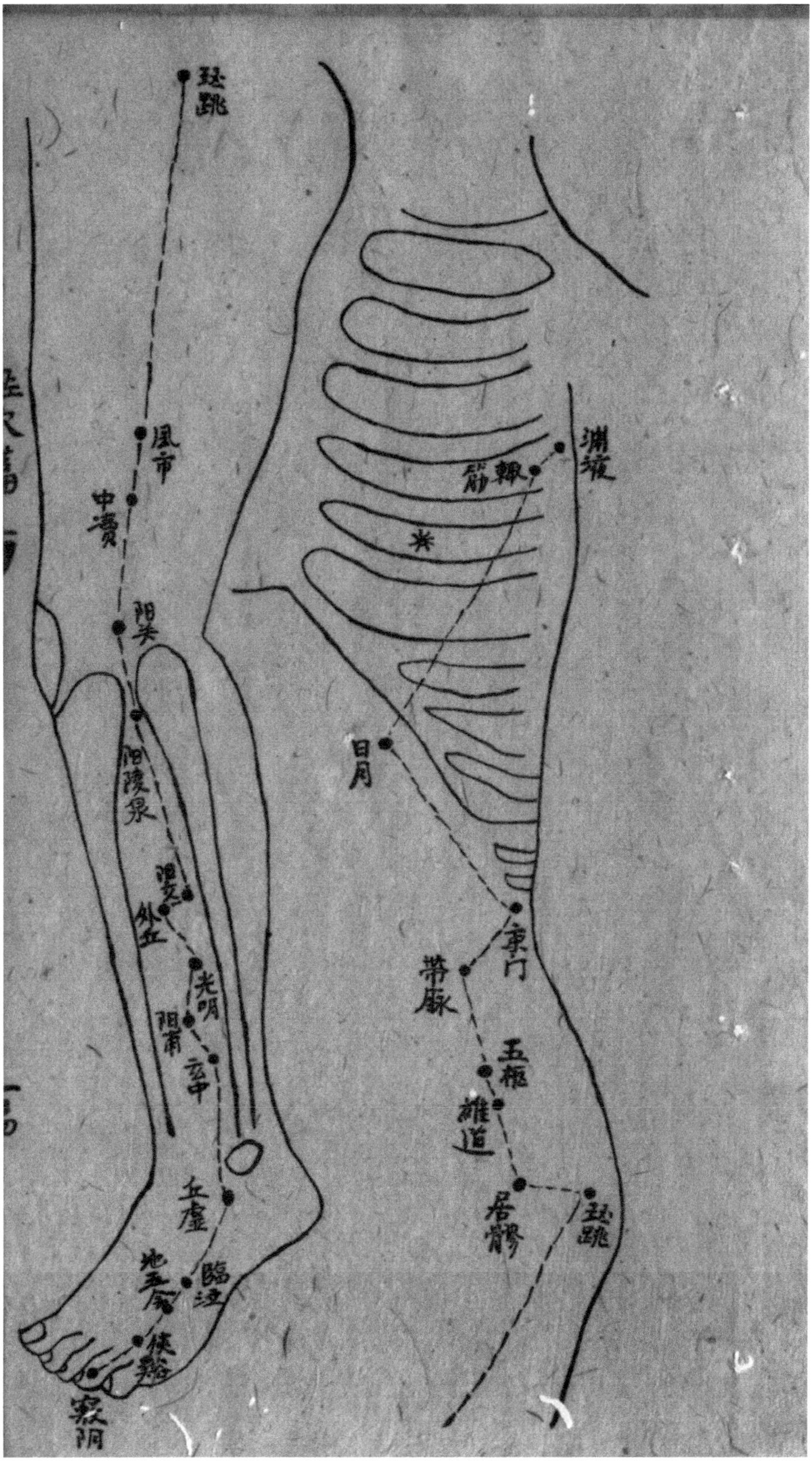
环跳
風市
中瀆
阳关
阳陵泉
阳交
外丘
光明
阳辅
玄中
丘墟
臨泣
地五會
侠谿
竅陰
淵液
輒筋
日月
京门
带脉
五枢
維道
居髎
环跳

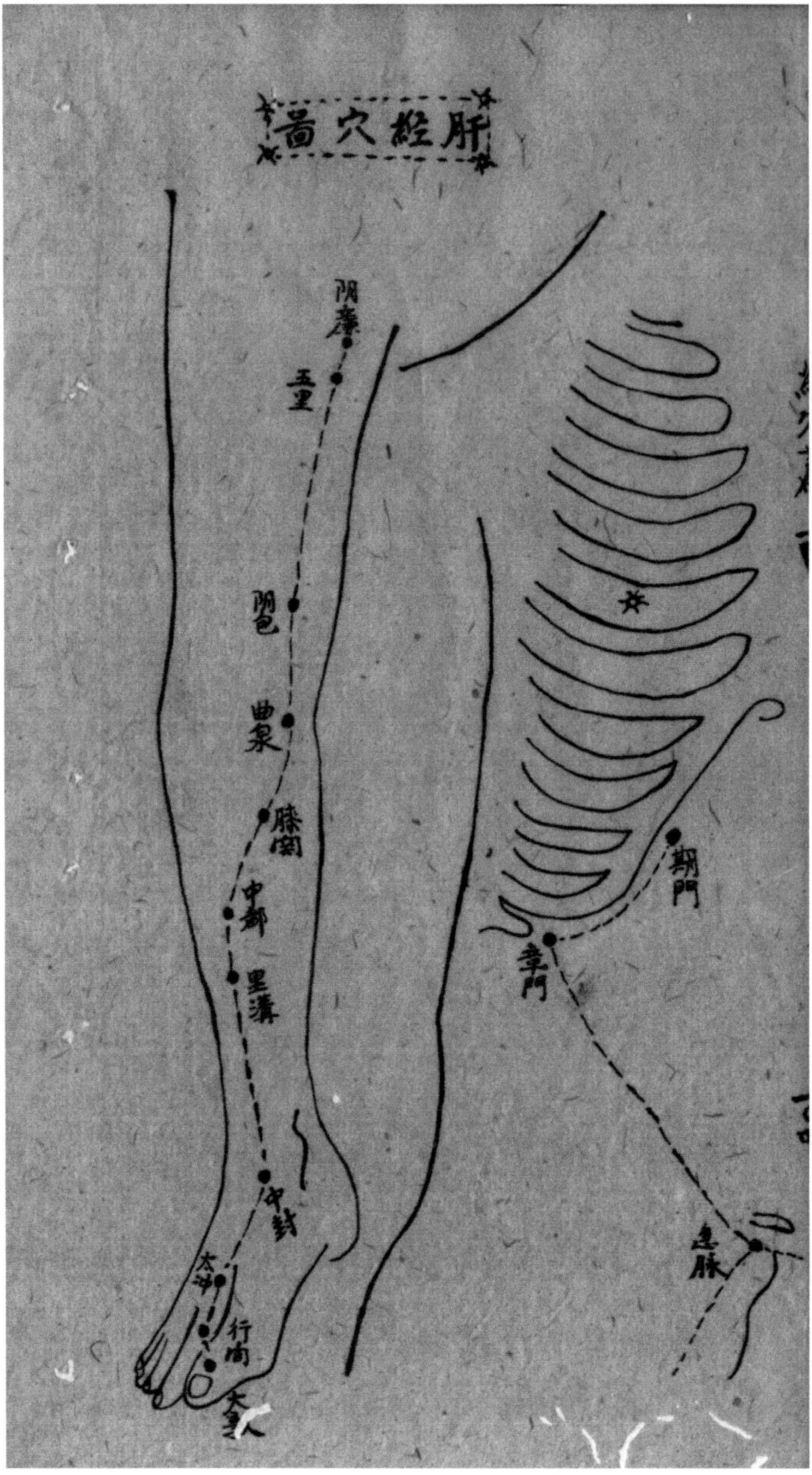
肝經穴圖
陰廉
五里
陰包
曲泉
膝関
中都
里溝
中封
太冲
行間
大敦
期門
章門
急脉

（十二）、足厥陰肝經穴　計十四穴

一、大敦

解剖　有長大趾伸筋、趾背神経、浅腓骨神経、

部位　在大趾端、爪甲後之叢毛中、按之有陷、

取法　足大趾外側爪甲根部、去爪甲分許、微内些、再上分許、当关節之前陷中、

針灸　針一分、灸三壯、

二、行間

解剖　有趾背動脈、浅在腓骨神経、

部位 大趾次趾合縫後五分、動脈陷中、

取法 足大趾本節後外側、離縫約五分、

針灸 針三分、灸二壯、

三、太衝

解剖 在第一蹠骨之部、有前脛骨筋、淺腓骨神經枝、

部位 在行間後、

取法 足大趾外側歧骨之間、當一二蹠骨接流部微前、

針灸 針三分、灸三壯、

四、中封

解剖 有前胫骨筋、内踝动脉、大蔷薇神经、

部位 在内踝前一寸微下些些、屈足见踝前下面有陷凹处便是、

取法 内踝之前陷中、当解谿内开四五分相平、（在商丘与解谿之中央）

针灸 针四分、灸三壮、

五、蠡沟

解剖 胫骨之内侧、有比目鱼筋、胫骨动脉、胫骨神经、

部位 在内踝前上五寸、

取法 内踝之上五寸即脛骨前面内側之中央陷中（内踝前之正中直上五寸）（量中之踝）
針灸 針二分、灸三壯、

六、中都

解剖 有比目魚筋、脛骨動脈、脛骨神經、
部位 在蠡溝上一寸、
取法 内踝之上七寸、脛骨内面之陷中、約當脛前内側三分之一之部、（踝中量）
針灸 針二分、灸五壯、

七、膝關

解剖　為腓腸筋部有内下膝関節動脉、脛骨神経、

部位　在内犢鼻下二寸向裡横開寸半之間陷中、

取法　内犢鼻下二寸再向内開一寸五分陷中、即膝関節之内側、曲泉之下約二寸、正坐屈膝垂足取之、

針灸　針四分、灸三壯、

八、曲泉

解剖　有膝関節動脉、腓骨神経、半膜狀筋、

部位　在膝内輔骨边屈膝横紋上陷中、

取法　正坐屈足於膝部內緣之中央部份、當膝横紋之上陷中取之、

針灸　針七分、灸三壯、

九、陰包

解剖　有內大股筋、外廻旋股動脈、股神經、

部位　在膝上四寸、股內廉兩筋間、

取法　膝上四寸、股內廉、當大腿內側二分之一部、正坐垂足取之、

針灸　針六分、灸三壯、

十、五里

解剖 有長內轉股筋、循行股動脉、閉鎖神經。

部位 在氣冲之下三寸、

取法 仰卧伸足、從氣冲之旁五分再下三寸部位取之。

針灸 針六分、灸三壯、

十一、陰廉

解剖 在鼠蹊部之下、有耻骨筋、外陰部動脉、股伸筋、閉鎖神經。

部位 在陰部之旁、皮肉之下、有如核者名曰羊矢骨、穴在其下、去氣冲二寸、

取法 氣冲之旁五分、再下二寸、仰卧取之、

針灸 針六分、灸三壯、

十二、急脉

解剖 有三稜腹筋、下腹神経、

部位 在陰器之旁開二寸五分、

取法 仰臥氣衝之旁五分取之、

針灸 灸三壯、禁針、

十三、章門

解剖 為内外斜腹筋部、即胃府之外側、貫通上腹動脉、有第八至第

十二肋间之神経枝、

部位 在季肋之端、

取法 仰卧脐上二寸、外開六寸、取之、

十四，期門

解剖 有内外斜腹筋、循行上腹動脉、第八至十二肋间神経、

部位 在不容旁一寸五分、乳下第二肋端、

取法 仰卧從巨闕旁三寸五分取之（当第八肋端之外側取之——乳头直下前五分近肋边，应与巨关平——）

針灸 針四分、灸五壮、

(十三)、任脈經穴　　計二十四穴

一、會陰

解剖　有海棉体球筋外膊動脈、内陰部神經、

二陰之間縫中，即前後陰之中間

部位　在兩陰之間、

取法　俯伏兩陰之間縫中取之、

針灸　針一寸不灸、(用粗針)——縫衣針——入15至二寸 ○×○

二、曲骨

解剖　為恥骨軟骨之合縫部、有外陰動脈、腸骨下腹神經、

部位　在中極下一寸陰毛中、
取法　仰卧於横骨边上际取之、
針灸　針八分至一寸二分、灸五壮、

三、中極

解剖　有表在深在乙下腹動脉、腸骨下腸腹神経、
部位　在関元下一寸、
取法　仰卧曲骨上一寸取之、
針灸　針八分至一寸二分、灸五壮、

四、關元

解剖　有下腹動脈、下腹神経、

部位　石門下一寸、

取法　仰卧中極上一寸取之、

針灸　針一寸至二分、灸五壯、

五、石門

解剖　有下腹動脈与神経、

部位　在氣海下半寸、

取法 仰卧、关元上一寸取之、

針灸 針六分、灸三壮、婦人不宜針灸、

六、氣海

解剖 有小腹動脉、交感神経叢枝、

部位 陰交下半寸、

取法 石门上五分、仰卧取之、

針灸 針一寸、灸百壮、

七、陰交

解剖 有小腸動脉与神経、

部位 臍下一寸、

取法 仰臥臍下一寸取之、

針灸 針八分、灸五壮、

八、神闕

解剖 当臍中央中、有小腸、

部位 臍中

取法 臍之正中、仰臥取之、

針灸　可灸不可針、

九、水分

解剖　有上腹動脈、肋间神經、

部位　在臍上一寸、下脘下一寸、

取法　臍上一寸、仰卧取之、

針灸　宜灸不宜針、

十、下脘

解剖　有上腹動脈、肋间神經、

部位　在建里下一寸、

取法　臍上二寸、仰臥取之、

針灸　針八分、灸五壯、孕婦忌灸、

十一、建里

解剖　有上腹動脈、肋間神經、

部位　在中脘下一寸、

取法　臍上三寸、仰臥取之、

針灸　針五分、灸五壯、孕婦忌灸、

十二、中脘

解剖 中藏胃府、有上腹動脈、肋间神経、

部位 在上脘下一寸、

取法 臍上四寸、仰卧取之、

針灸 針八分至一二寸深、灸七壮、

十三、上脘

解剖 有上腹動脈与肋间神経、

部位 在臍上五寸、

取法 臍上五寸、仰臥取之、

針灸 針八分、灸五壮、

十四・巨闕

解剖 有上腹動脈、与神経、

部位 去鳩尾一寸、

取法 臍上六寸、仰臥取之、（岐骨下二寸）

針灸 針六分、灸七壮、

十五・鳩尾

解剖　胸骨劍狀突起端、有上腹動脈、肋間神經、
部位　在歧骨下一寸、
取法　歧骨下一寸、仰卧或正坐取之、
針灸　不可輕針、必欲針、須俟其兩手高舉、而後進針、針三分、灸三壯、

十六、中庭

解剖　有内乳動脈之分枝、肋間神經、
部位　在膻中下一寸六分、
取法　膻中下一寸六分、正坐或仰卧取之、（三肋骨間之下肯間）

針灸 針三分、灸三壯、

十七、胆中

解剖 有内乳動脈之分枝、肋間神經、

部位 在玉堂下一寸六分兩乳之間、

取法 正坐或仰臥於兩乳之中間取之、

針灸 禁針、灸七壯、

十八、玉堂

解剖 有内乳動脈、肋間神經、

部位 在紫宫下一寸六分、
取法 胆中上一寸六分取之、
針灸 針三分、灸五壯、

十九、紫宫

解剖 有内乳動脈、肋間神経、
部位 在華蓋下一寸六分、
取法 胆中上三寸弐分取之、
針灸 針三分、灸五壯、

二〇 華蓋

解剖 有内乳動脈、肋間神経、

部位 在璇璣下一寸六分、

取法 胆中上四寸八分取之、

針灸 針三分、灸五壮、

二一 璇璣

解剖 有内乳動脈、肋間神経、

部位 在天突下一寸、

取法 在天突下一寸取之、

針灸 針三分灸五壯、

二二、天突

解剖 即胸骨半月狀切痕部、依上甲狀腺動脈、上喉头神経、

部位 在結喉下凹陷中、

取法 結喉下、胸骨上凹陷中取之、

針灸 針五分、灸二壯、

二三、廉泉

解剖 有甲状腺動脉、上喉头神経、

部位 在頤下舌本之下結喉之上、

取法 結喉上方、頸横紋之上、仰而取之、

針灸 針三分、灸三壮、

二四，承漿

解剖 為下顎骨部、分佈頤上掣筋、口冠状動脉、顔面神経、三叉神経、

部位 在下唇下之陥凹中、

取法 下唇之陥凹中、開口取之、

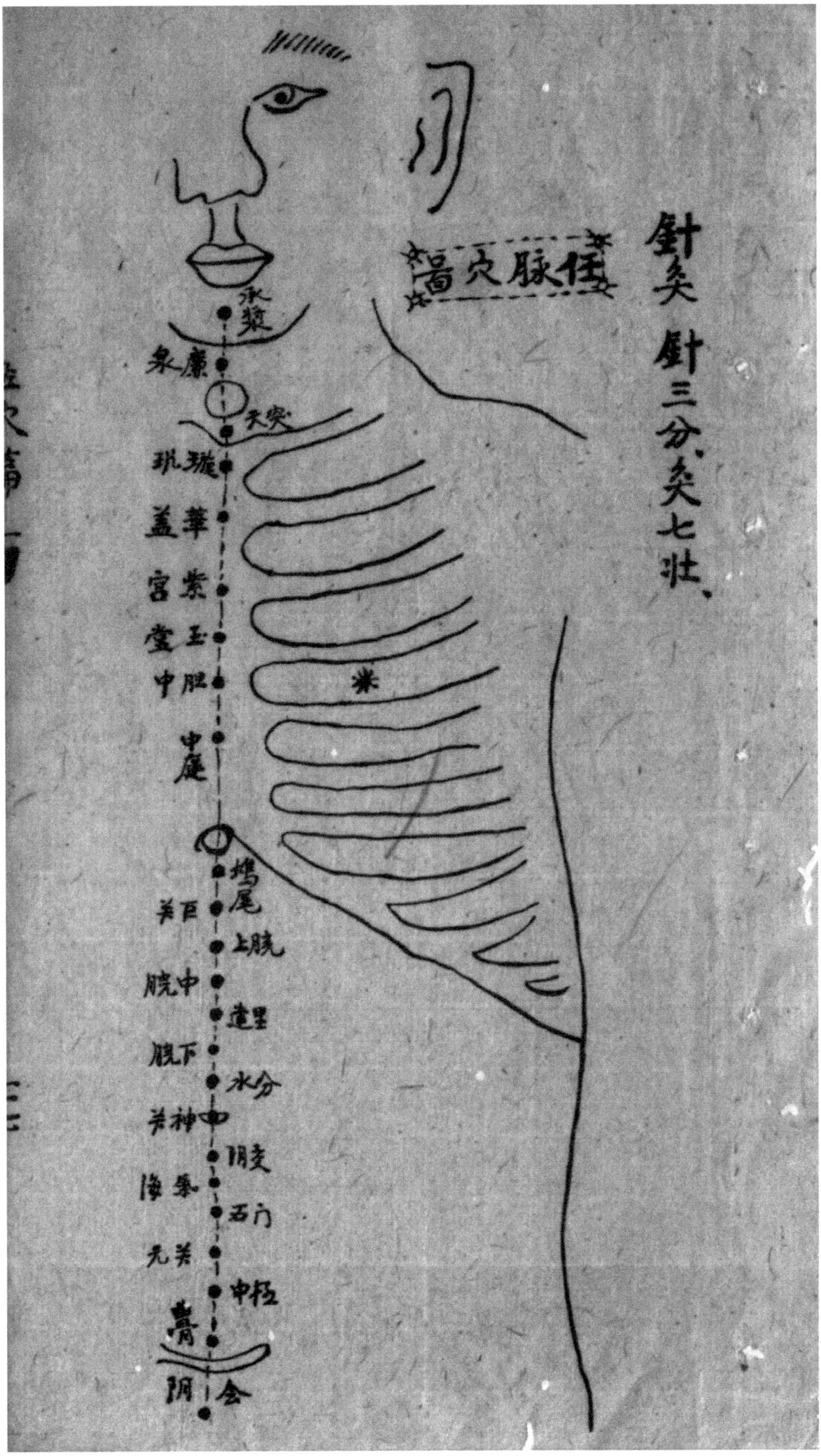
任脉穴图
针灸
针三分、灸七壮、
承浆
廉泉
天突
璇玑
华盖
紫宫
玉堂
膻中
中庭
鸠尾
巨阙
上脘
中脘
建里
下脘
水分
神阙
阴交
气海
石门
关元
中极
曲骨
阴会

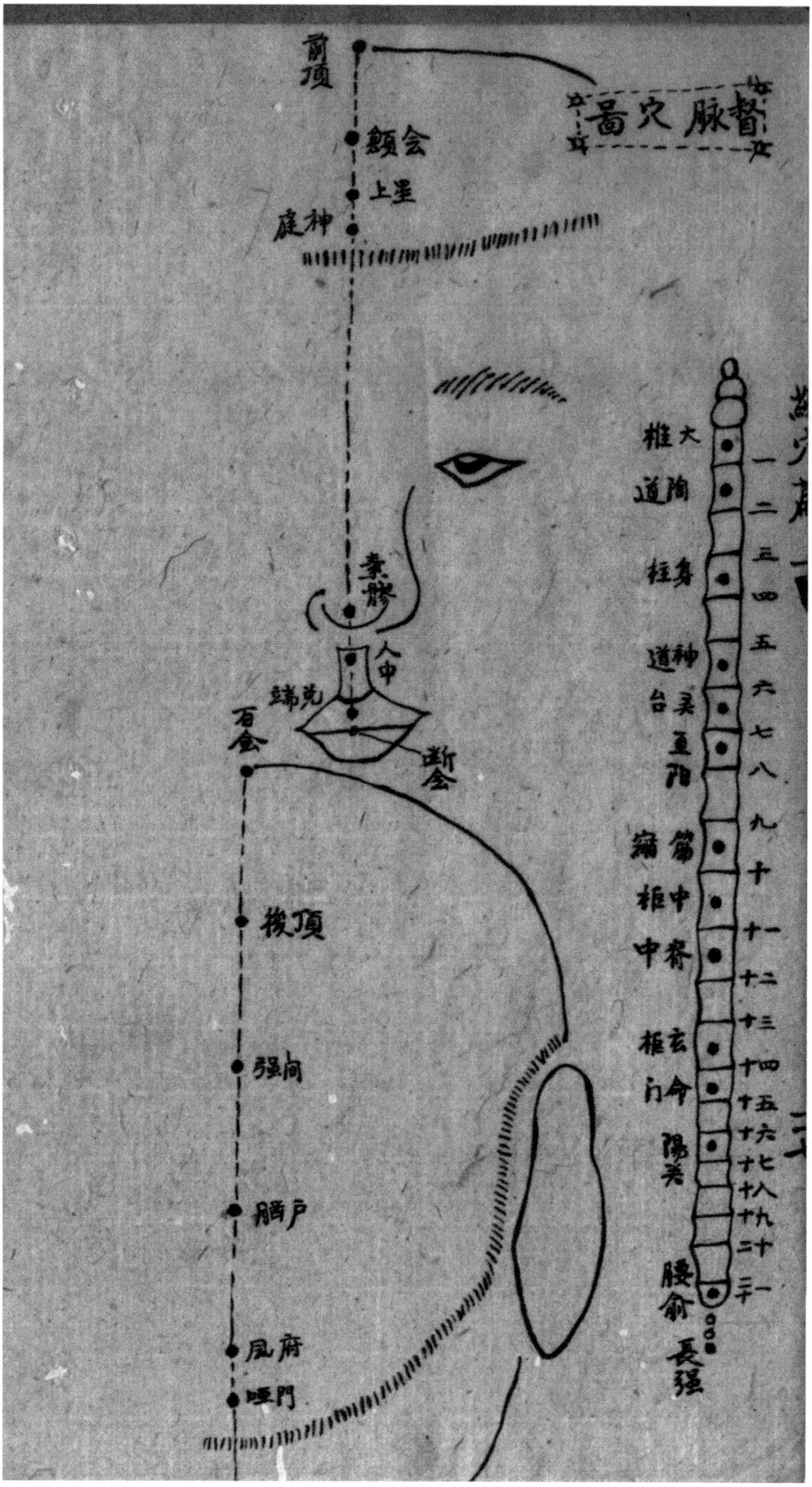
督脉穴圖
前顶
顖会
上星
神庭
素髎
人中
兑端
百会
断会
後顶
强间
脑户
風府
啞門
大椎
陶道
身柱
神道
灵台
至阳
筋缩
中枢
脊中
玄枢
命门
陽关
腰俞
長强

（十四）、督脉經穴　計二十八穴

一、長强

解剖　有大臀筋、下臀動脈尾閭骨神經、

部位　尾閭骨端五分之處、肛門之上、

取法　尾脊骶之端、肛门之後陷中、伏而取之、

針灸　針五分、灸二三十壯、（一五至二寸小兒亦須放一寸）

二、腰俞

解剖　大臀筋之起始部、有下臀動脈、薦骨神經、

部位　在尾骨之上部、二十一椎之下、

取法　二十一椎之下、伏而取之、

針灸　針三分、灸五壯、

三・陽関

解剖　為第四腰椎部、有下臀動脈、薦骨神経枝、

部位　在第十六椎下、

取法　十六椎下、伏而取之、

針灸　針五分、灸五壯、

四、命門

解剖 当第二腰椎骨部、有肋間動脉、脊椎神経、

部位 第十四椎下、

取法 十四椎下、正対臍中、伏而取之、

針灸 針三分、灸三壮至數十壮、

五、悬枢

解剖 為第一腰椎部、有脊椎神経、

部位 在第十三椎下、

取法　十三椎下伏而取之、

針灸　針三分、灸三壯、

六、脊中

解剖　有胸背動脈、肩胛下神經、

部位　在第十一椎下、

取法　十一椎下伏而取之、

針灸　針三分、灸三壯、

七、中樞

解剖 有胸背動脉、肩胛下神經、

部位 第十椎之下、

取法 十椎之下俯而取之、

。此穴不針灸、（針則腰不可仰或残癈）

八、筋縮

解剖 有胸背動脉、肩胛下神經、

部位 在第九椎下、

取法 九椎下、俯而取之、

針灸　針五分、灸三壯、

九、至陽

解剖　有胸背動脈、肩胛下神經區、

部位　在第七椎下、

取法　七椎下、俯而取之、

針灸　針五分灸三壯、

十、靈台

解剖　有胸背動脈、肩胛下神經、

部位 在第六椎之下

取法 第六椎下、俯而取之、

針灸 針三分、灸三壯。（又可捻指内進針捻入八分用力捻提至五分即捻插至八分往復行之）

十一、神道

解剖 有横頸動脈之下行枝、肩胛背神経、

部位 在第五椎之下、

取法 第五椎下、俯而取之、

針灸 灸五壯、不宜針、

十二、身柱

解剖 有横頸動脈之下行枝、肩胛背神經、

部位 在第三椎之下、

取法 第三椎下、俯而取之、

針灸 針三分、灸五壯、

十三、陶道

解剖 有横頸動脈、肩胛背神經、

部位 在第一椎之下、

取法 第一椎下、俯而取之、
針灸 針五分、灸五壯、

十四、大椎

解剖 有横頸動脉、及肩胛背神經、
部位 在第一椎上、之陷凹中、
取法 第一椎上陷中、正坐取之、
針灸 針五分、灸三壯、

十五、啞門

解剖　有項韌帶横頸動脉、肩胛背神經、

部位　入髮際五分、

取法　正坐入髮际五分、当兩筋之间取之、

針灸　針二三分、不宜深、深則令人失音、不宜灸、灸之令人啞、

十六、風府

解剖　有後头筋、後头動脉、大後头神經、

部位　在項後入髮际一寸、腦户後一寸五分、

取法　啞門上五分、正坐取之、

針灸 針三分、禁灸、

（啞门風府内為延髓神経部份即神経總樞如針之过深則発生系急心停而死矣二穴本禁灸如必須灸時上蓋湿紙或湿布灸之亦可、）

十七、脳户

解剖 為後头結節之下部、

部位 在枕骨下、强向後一寸五分、

取法 正坐、風府直上一寸五分取之、

針灸 此穴禁針灸、

十八、强向

後　前

部位　在後頂後一寸五分、

解剖　為後頭顱頂之合縫部、

取法　脳戸上一寸五分、百会後三寸、正坐取之、

針灸　針二分、禁灸（沿皮針五分）

十九、後頂

解剖　有顳顬動脈後枝、後頭神経、

部位　在百会後一寸半、

取法　正坐、百会後一寸五分取之、

針灸　針二分、灸五壯、

二〇、百会

解剖　有帽狀腱膜、顳顬動脈後枝、後头神經、

部位　當头正中、

取法　正坐、從耳尖之直上、当头之正中取之、

針灸　針二三分、灸宜多壯、（針五分向前後左右均可）

二一、前顶

解剖　有顳顬動脈後枝及前額神經、

部位　在顖会後一寸五分、

取法　正坐、百会前一寸五分、取之、

針灸　針三分、灸五壮、（沿皮向前五分）

二二、顖会

解剖　為前头骨、顱頂骨之縫合部、

部位　在上星上一寸、

取法　百会前三寸取之、

二三、上星

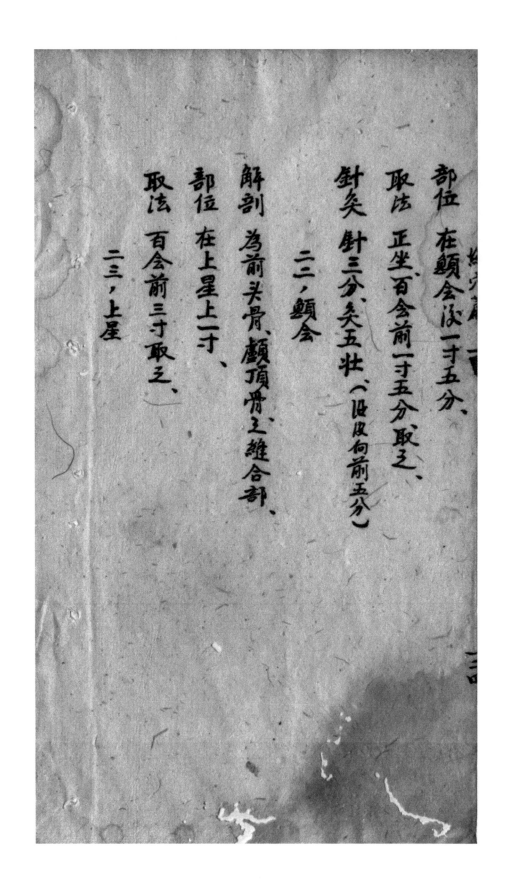

解剖 有前头筋、前头神经、三叉神经之第一枝、

部位 在鼻之直上入髮际一寸、

取法 正坐、前髮际入髮一寸取之、

針灸 針三分、不宜多灸、（头顶痛針向上目疾鼻衄針向下）

二四、神庭

解剖 有前头筋、前头神经、三叉神经、

部位 入髮際半寸、

取法 正坐、前髮際入髮五分取之、

針灸 此穴禁針灸三壯、(沿皮針)

二五、素髎

解剖 有外鼻神経、分岐口角動脈、

部位 鼻端準頭、

取法 於鼻尖端取之、

針灸 此穴禁灸、針一分、

二六、水溝

解剖 上顎骨部、有口輪匝筋、鼻中隔動脈、下眼窠神経、

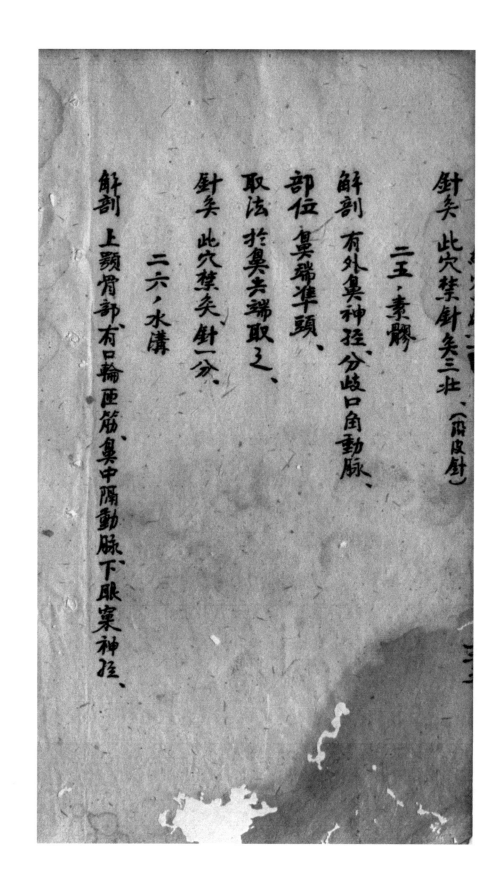

部位　鼻下溝之正中、
取法　正坐於鼻下水溝上端取之、
針灸　針三分、不宜灸、
二七、兌端
解剖　為口輪匝筋部、循行上唇魁狀動脈、
部位　在上唇之端、
取法　於上唇尖端取之、
針灸　針三分、不宜灸、

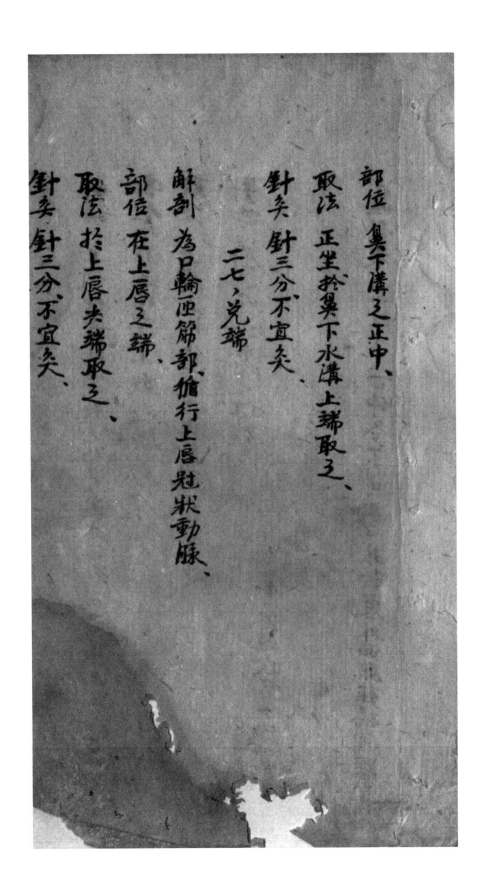

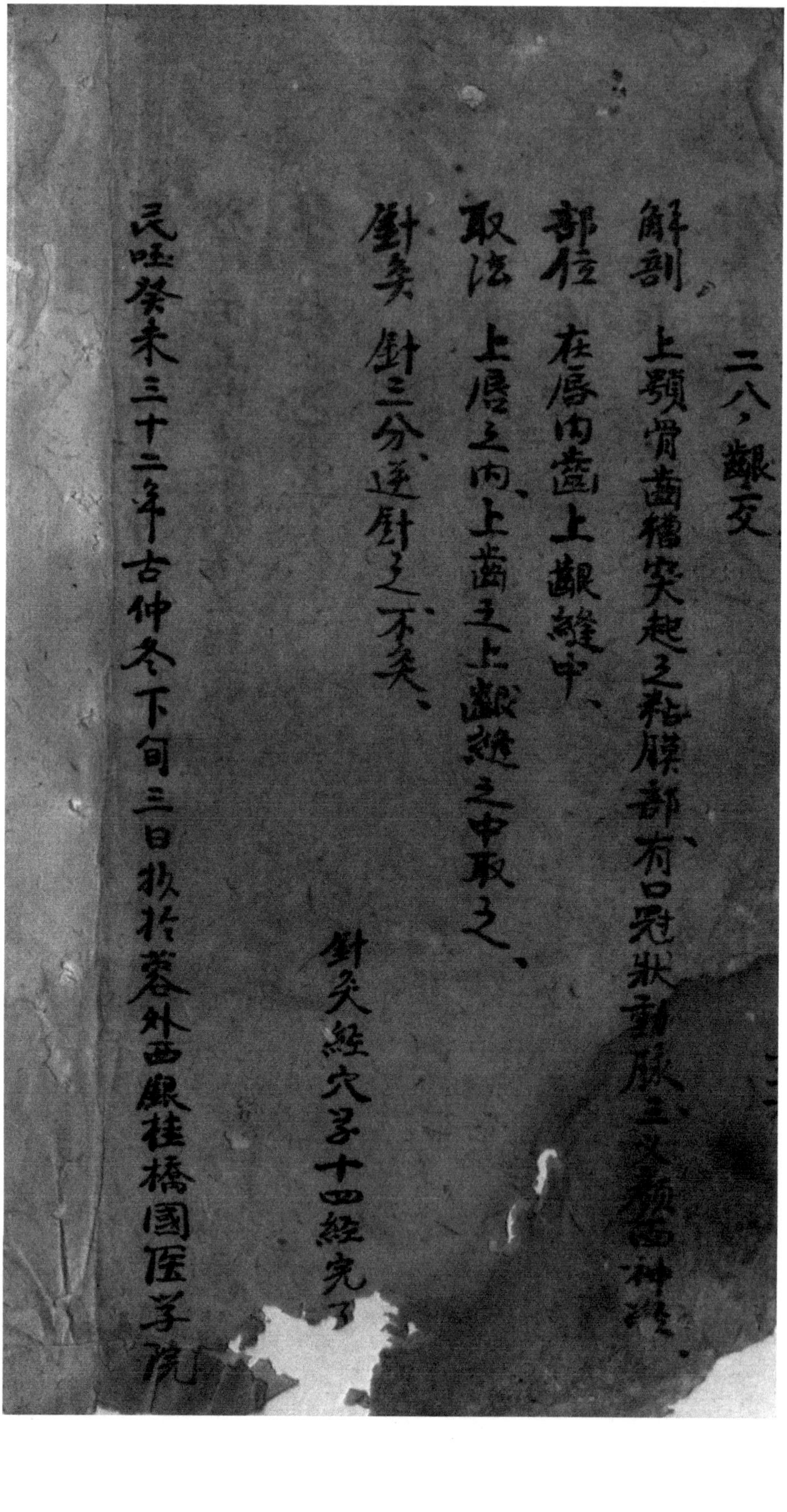

二八、齦交

解剖 上頜骨齒槽突起之粘膜部、有口冠狀動脈、三叉面神經、

部位 在唇內齒上齦縫中、

取法 上唇之內、上齒之上齦縫之中取之、

針灸 針三分、逆針之、不灸、

針灸經穴第十四經完了

民國癸未三十二年古仲冬下旬三日抄於巷外西縣桂橋國医学院

无锡中医讲习所针科讲义

提　要

一、作者小传

无锡中医讲习所于民国十七年（1928）三月创办，由当时的无锡名医沈养卿、吴耀明等进行授课，分面授和函授两种授课方式，通过考试招收中医从业者及有志于从事中医研究者，旨在精研医事，统一学理。该讲习所以讲授《黄帝内经》《难经》等经典为主，并分内、外、妇、儿、针、眼、喉等学科，学制1年，分两个学期进行教授。学习期满后经考试及格者，讲习所为其颁发证书并呈报政府备案。

该讲义由周兰亭、沈养卿、吴耀明、唐石琴编辑，四位皆为民国时期无锡名医。

周兰亭，擅长针灸，无锡中医讲习所针灸教员。

沈养卿，无锡人，以针灸、伤科见长。光绪二十八年（1902）九月设诊，无锡中医讲习所针灸教员。其针灸得胡最良先生传授，考胡最良（1853—1923），近代针灸家，字大祥，江苏无锡人，家世业医，已历三代，均善针灸。胡最良行医50余年，精于子午流注，深究五门十类法，善于治疗时令病；对小儿病则结合推拿，以指代针，成效显著。胡氏重视温补，法宗李东垣、张景岳，传术于沈养卿、吴耀明。

吴耀明，无锡人，胡最良门人，擅长针灸，光绪二十六年（1900）十月设诊，无锡中医讲习所针灸教员。

唐石琴，无锡中医讲习所针灸教员。

二、版本说明

《无锡中医讲习所针科讲义》现存黑色油印本，为无锡中医讲习所办学时期的讲义。

三、内容与特色

该书从内容上看颇为简洁，以讲述十二经脉的循行及穴位为主，并附经穴图。该书从经脉循行、经穴歌、考正穴法、经穴分寸歌等方面对十二经脉进行了介绍。

该书继承前人经验，以经脉为主讲授针灸。书中介绍十二经脉的循行及穴位，内容多引自清以前针灸文献。书中编有针灸歌赋，如经穴歌、经穴分寸歌，方便读者学习、记忆。

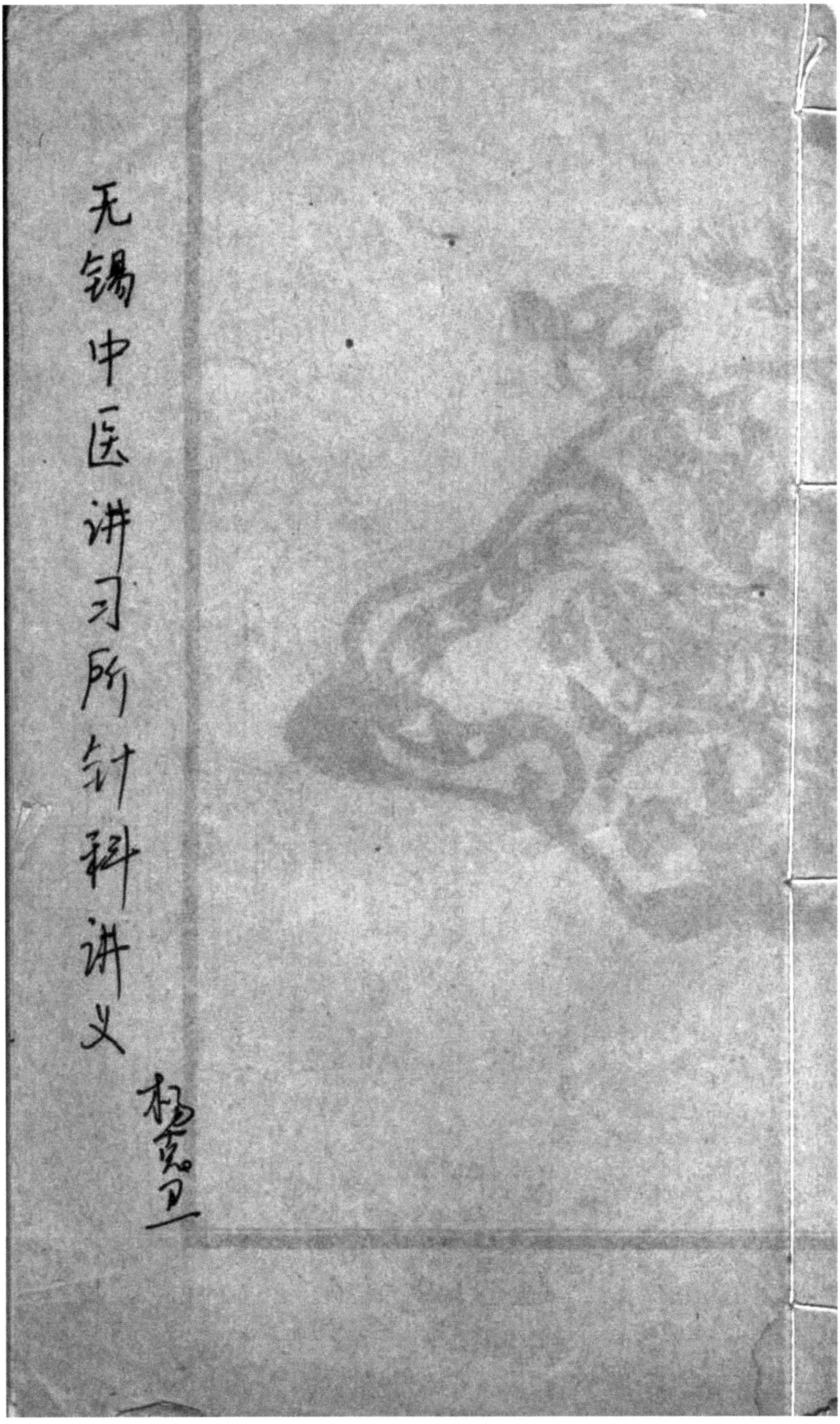
无锡中医讲习所针科讲义

無錫中醫講習所針科講義

肺經穴圖

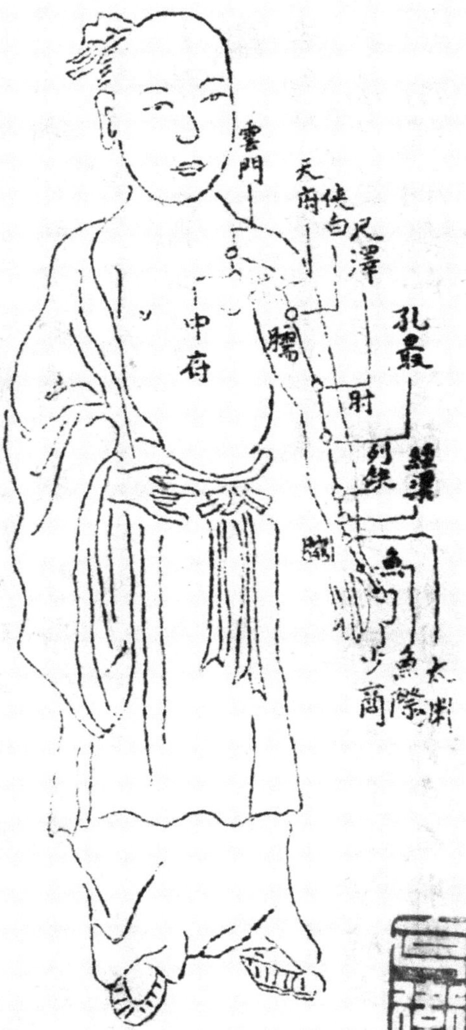

周蘭亭　沈養卿
吳耀明　唐石琴　編輯

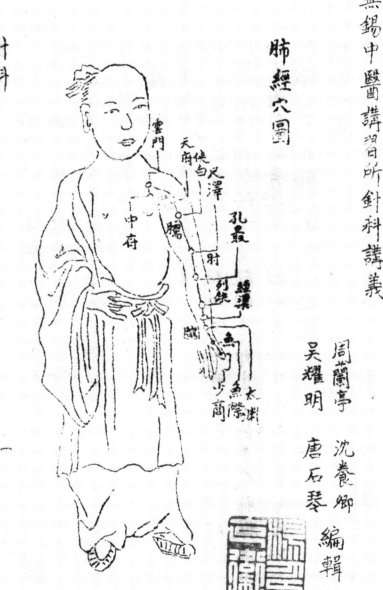

註 腋、腋者、肩之下、脇之上、俗名肐肢窩、臑、臑者、白髆下内側對腋高起處、肘、臑臂骨交接處名曰肘、腕、臂掌骨接交處、以其宛屈、故名曰腕、魚、魚者、在掌外側之上隴起處、

肺臟

經曰、肺者相傅之官、治節出焉、

肺居高位、近少陰君主、猶之宰輔、故稱相傅之官、肺主氣則營衛臟腑無所不治、故曰治節出焉、節制也、肺臟其形四垂、附著於脊之第三椎、中有二十四孔、行列分布、以行諸臟之氣、為臟之長、為心之蓋、

肺經穴歌

手太陰肺十一穴、中府雲門天府列、次則俠白下尺澤、又次孔

最與列缺。經渠太淵下魚際。抵指少商如韭葉。

此經起於中府、終於少商、從內走手、共十一穴、其脉起於中焦、下絡大腸、還循胃口、上膈屬肺、從肺系橫出腋下、至於中府雲門穴、下循於臑内天府俠白穴、從俠白行少陰心主經脉之前、下行肘中尺澤穴、循臂内上骨下廉孔最穴、入寸口列缺經渠太淵穴、從太淵上魚、入魚際穴、從魚際出大指之端少商穴而終焉、其支者、從腕後直出循行次指内廉出其端、以交於手陽明大腸經也、

考正穴法

中府　在任脉中、行華蓋穴旁、直開去六寸、乳上三肋間動脉、應手仰而取之、　按華蓋穴在臍上一尺四寸九分、

雲門　中府上一寸六分、在手陽明大腸經巨骨之下、俠足陽

明胃經氣戶穴旁二寸陷中動脉應手舉臂取之、

天府　從雲門穴下循臑內腋下三寸動脉陷中以鼻尖點墨取之、

俠白　從天府穴下行肘中約紋上五寸動脉中、

尺澤　從俠白穴下行肘中約紋上動脉中屈肘橫紋筋骨罅陷中、

孔最　從尺澤穴下行去腕前約紋上七寸上骨下骨間陷中側取之、

列缺　從孔最穴循外側行腕後側上一寸五分以兩手交叉當食指盡處筋骨罅中為手太陰之絡別走陽明、

經渠　從列缺穴循行寸口動脉陷中、

太淵　從經渠穴內循手掌後橫紋頭動脉中、

魚際　從太淵穴上魚出大指本節後內側白肉際陷中

少商　從魚際穴循行手大指內側之端去爪甲角如韭葉許

經穴分寸歌

太陰中府三肋間。上行雲門寸六許。雲在任璣旁六寸。大腸巨骨下二骨。天府腋三動脈求。俠白肘上五寸主。尺澤肘中約紋是。孔最腕上七寸擬。列缺腕上一寸半。經渠寸口陷中取。太淵掌後橫紋頭。魚際節後散脈裏。少商大指端內側。鼻衄刺之立時止

大腸經穴圖

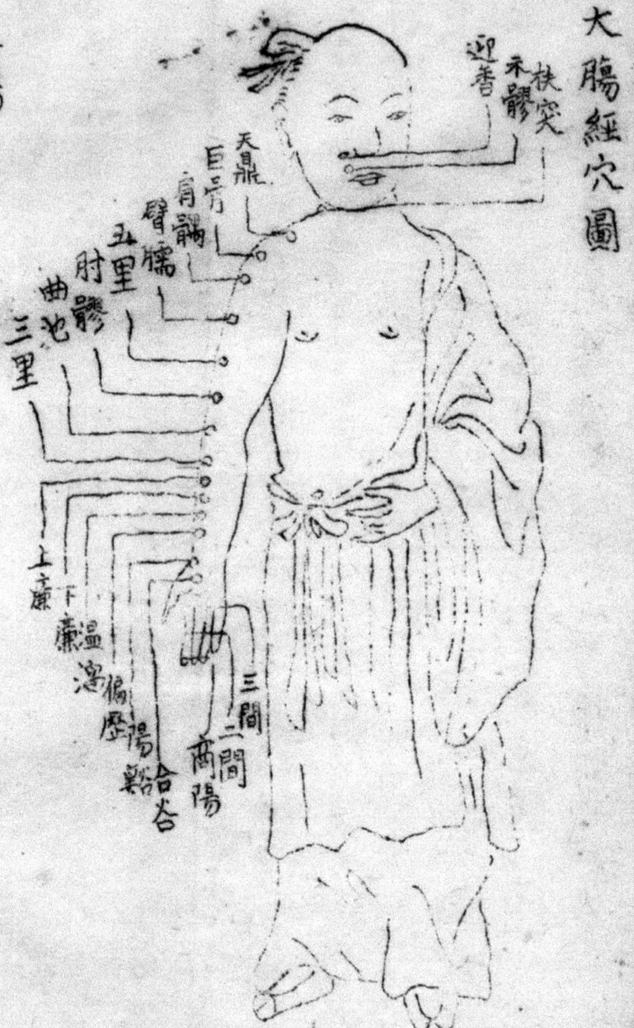

大腸

經曰。大腸者。傳道之官。變化出焉

大腸居小腸之下。主出糟粕。設為腸胃變化之傳道。大腸者。以其迴疊。故曰迴腸。迴腸之更大者。曰廣腸。廣腸之末節曰直腸。下連肛門也。

大腸經循行

大腸手陽明之脈。起於大指次指之端。循指上廉。出合谷兩骨之間。上入兩筋之中。循臂上廉。入肘外廉。上臑外前廉。上肩出髃骨之前廉。上出於柱骨之會上。下入缺盆。絡肺下膈屬大腸。其支者。從缺盆上頸貫頰。入下齒中。還出挾口。交人中。左之右。右之左。上挾鼻孔。

手陽明大腸之脈。起於大指次指內廉之端者。即食指之端商陽穴也。從商陽循食指上廉。二間三間也。從三間穴循出兩骨之間。合谷穴也。兩骨即大指次指後岐骨間也。從合谷

口

穴上入兩筋之中者，即腕中上側兩筋陷中，陽谿穴也。從陽谿穴循臂上廉，至偏歷、溫溜、下廉、上廉、三里穴也。從三里入肘外廉，曲池穴也。從曲池穴上臑外前廉，肘髎、五里、臂臑穴也。從臂臑穴上肩，肩髃穴也。從肩髃穴出髃骨之前廉，巨骨穴也。從巨骨穴上出於柱骨之會上，言肩背之上，頸項之根，為天柱骨，六陽皆會於督脈之大椎穴也。自督脈大椎穴入交足陽明胃經之缺盆穴，絡肺下膈，屬大腸者，謂其自大椎而前入足陽明之缺盆穴，絡於肺中，復下膈，當臍旁天樞穴之分，屬於大腸，與肺相為表裏也。其支者從缺盆上頸，復循本經之天鼎穴，貫頰，至扶突穴也。從扶突穴入下齒中，禾髎穴也。從禾髎穴還出挾口，交人中，即督脈之水溝穴，由入中而左右互交，上挾鼻孔，迎香穴，而終以交於足陽明胃經也。

大腸經穴歌

手陽明穴起商陽。二間三間合谷藏。陽谿偏歷歷溫溜。下廉上廉三里長。曲池肘髎近五里。臂臑肩髃巨骨當。天鼎扶突禾髎接。鼻旁五分號迎香。

考正穴法

商陽　在手食指内側去爪甲角如韭葉許。針一分。

二間　從商陽穴循食指上廉本節前内側陷中。針三分。

三間　從二間穴循食指本節後内側陷中。針三分。

合谷　從三間穴循行手大指次指岐骨間陷中。針三分。

陽谿　從合谷穴循行手腕中上側兩筋間陷中張大指次指取之。針三分。

偏歷　從陽谿穴上行手腕後上側三寸。手陽明絡別走太陰。

針三分、

溫溜　從偏歷穴上行三寸、針三分、

下廉　從溫溜穴上行二寸五分、去上廉一寸、輔銳肉分、針五分、

上廉　從下廉穴上行一寸、三里下一寸、針五分、

三里　從上廉穴上行一寸、曲池下二寸、銳肉之端、按之肉起、針五分、

曲池　從三里穴上二寸、以手拱胸、屈肘橫紋頭陷中取之針五分、

肘髎　從曲池穴上行大骨外廉陷中、針三分、

五里　從肘髎穴循行肘上三寸、向裏大脈中央禁針、

臂臑　從五里穴上行四寸、兩筋兩骨罅宛宛陷中、伸臂平手

取之、針三分、

肩髃　從臂臑穴上行髆骨頭肩端上兩骨罅陷處宛宛中舉臂取之有空、針一寸、

巨骨　從肩髃穴上行膺端兩叉骨間陷中、針一寸半、又云禁針、

天鼎　從巨骨穴循頸缺盆上直行扶突處下一寸、針四分、

扶突　從天鼎穴上直行曲頰下一寸、人迎後一寸五分、仰而取之、針三分、

禾髎　從扶突穴貫頰直鼻孔下水溝穴旁五分、

迎香　從禾髎穴上一寸、鼻孔旁五分、

大腸經分寸歌

商陽食指內側邊。二間來尋本節前。三間節後陷中取。合谷虎口岐骨間。陽谿上側腕中是。偏歷腕後三寸安。溫溜腕後去五

寸。池前五寸下廉看。池前三寸上廉中。池前二寸三里逢。曲池曲肘紋頭盡。肘髎上臑外廉近。大筋中央尋五里。肘上三寸行向裏。臂臑肘上七寸量。肩髃肩端舉臂取。巨骨肩尖端上行。天鼎喉旁四寸直。扶突天突旁三寸。禾髎水溝旁五分。迎香禾髎上一寸。大腸經穴自分明。

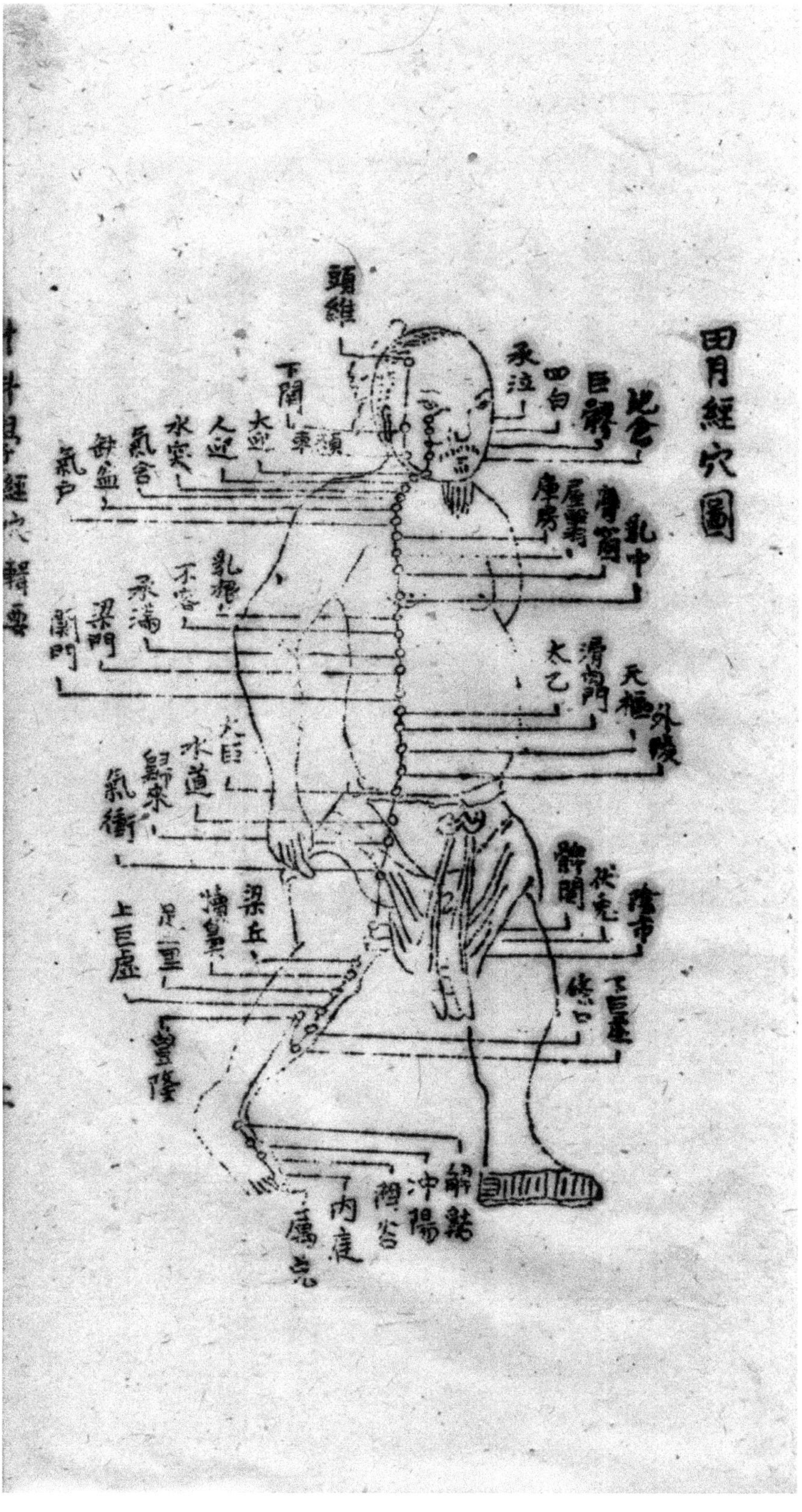
胃經穴圖
頭維
下關
頰車
大迎
人迎
水突
氣舍
缺盆
氣戶
承泣
四白
巨髎
地倉
庫房
屋翳
膺窗
乳中
乳根
不容
承滿
梁門
關門
太乙
滑肉門
天樞
外陵
大巨
水道
歸來
氣衝
髀關
伏兔
陰市
梁丘
犢鼻
足三里
上巨虛
條口
下巨虛
豐隆
解谿
衝陽
陷谷
內庭
厲兌

胃府

經云、脾胃者。倉稟之官。五味出焉。脾爲臟、胃爲腑、二者何以合稱一官、蓋胃司受納脾主運化、取相輔而行之義也、脾胃通主水穀、故皆爲倉廩之官、五穀五味具備、入胃由脾布散、故曰五味出焉、胃者水穀氣血之海也、其上口名曰賁門、下口即小腸上口曰幽門。

胃經循行

胃足陽明之脉。起於鼻之交頞中。旁約太陽之脉。下循鼻外。入上齒中。還出俠口環唇。下交唇漿、却循頤後下廉。出大迎、循頰車。上耳前、過客主人。循髮際至額顱、其支者。從大迎前下人迎。循喉嚨。入缺盆。下膈屬胃絡脾。其直者。從缺盆下乳內廉。下挾臍。入氣街中。其支者。起於胃下口。循腹裏。下至氣街中而合。以下髀關、抵伏兔。下膝臏中。下循脛外廉。下足跗入中指外間。其支者。下廉三寸而別。入中指外間。其支者。別跗上。入大指間、出其端。

按足陽明、是足大指之次指、茲稱中指、諒傳寫之誤。足陽明胃經之脈、起於鼻者、是謂由迎香穴上交頞中兩旁、約過足太陽脉之睛明穴分、下循鼻外、始交於足陽明之承泣、四白、巨髎穴也。從巨髎入上齒中、還出挾口之地倉穴、環繞唇下、交會任脉之承漿穴、卻循頤後下廉、復交本經之大迎穴、由大迎出循頰車穴、上行耳前、過客主人穴、合少陽經循髮際至額顱兩旁之懸顱穴、頷厭穴、復交足陽明之頭維穴、下關穴。其支者、行大迎穴、從大迎前循人迎、水突穴、氣舍穴、循喉嚨入缺盆穴、下膈屬胃絡脾、散布藏府、其直者、從缺盆穴直行氣户庫房屋翳膺窗乳中乳根等穴、下乳内廉不容穴者、從不容循承満梁門關門太乙滑肉門等穴、下俠臍天樞穴也、從天樞外陵大巨水道歸來等穴、入氣街中、氣衝穴也、其支者、起於胃口、是謂前之屬胃絡脾之支、下循腹裏、下至氣衝中而合氣衝穴、會衝脉上行者也、其下行本經者、髀關穴也、抵伏兔、至伏兔穴下、從伏兔行陰市穴梁丘穴、下膝臏中、犢鼻穴、循足三里上巨虚條口下巨虚等穴、下循胻外廉豐隆穴也、從豐隆循解谿穴、下足跗衝陽穴也、從衝陽行陷谷穴内庭穴、入次指外間也、其本支別者、一自下巨虚穴下入次指外間、一別循跗上入大指次指間厲兑穴出其端、交於足太陰脾經也、

胃經穴歌

四十五穴足陽明。承泣四白巨髎經地倉大迎登頰車。下關頭維對人迎。水突氣舍連缺盆。氣戶庫房屋翳尋。膺窗乳中下乳根。不容承滿出梁門。關門太乙滑肉起。天樞外陵大巨裡。水道歸來達氣衝。髀關伏兔走陰市。梁丘犢鼻足三里。上巨虛連條口底。下巨虛下有豐隆。解谿衝陽陷谷同。內庭厲兌陽明穴。大指次指之端終。

考正穴法

承泣 在目下七分目下胞陷中上直瞳子正視取之禁針

四白 從承泣直下三分顴骨空內亦直瞳子取之針三分凡用針穩當方用下針刺太深令人目烏色

巨髎 從四白下行挾鼻孔旁八分亦直瞳子取之針三分

地倉 從巨髎下行挾口吻旁四分外許近下微有動脈針三分

大迎　從地倉行顋頷下前一寸三分骨陷中動脉針三分

頰車　從大迎行耳下曲頰端近前八分陷中側臥開口取之針四分

下關　從頰車上行耳前動脉側臥合口有空取之針三分

頭維　從下關上行額角入髮際以督脉中行神庭穴旁開四寸五分針三分

人迎　從頭維下行頸下俠結喉旁一寸五分大動脉應手伸頭取之禁針

水突　從人迎下直行頸大筋前[illegible]氣喉針三分

氣舍　從水突下直行頸大筋前結喉下一寸許陷中貼骨尖上有缺盆針三分

缺盆　從氣舍下行肩上橫骨陷中針三分

氣戶　從缺盆下行巨骨下一寸旁開中行四寸陷中仰而取之針三分

庫房　從氣戶下行一寸六分亦旁開中行四寸陷中仰而取之針三分

屋翳　從庫房下行一寸六分亦旁開中行四寸陷中仰而取之針三分

膺窗　從屋翳下行一寸六分亦旁開中行四寸陷中仰而取之針四分

乳中　從膺窗下行當乳頭之中微刺三分

乳根　從乳子下行一寸六分亦旁開中行四寸陷中仰而取之針三分

不容　從乳根行在第四肋端旁開中行二寸針五分

承滿　從不容穴下一寸亦旁開中行二寸針三分

梁門　從承滿下一寸亦旁開中行二寸針三分

關門　從梁門穴下一寸亦旁開中行二寸針八分

太乙　從關門穴下一寸亦旁開中行二寸針八分

滑肉門　從太乙穴下一寸亦旁開中行二寸針八分

天樞　從滑肉門下一寸俠臍旁二寸許陷中針五分

外陵　從天樞穴下一寸亦旁開中行二寸針三分

大巨　從外陵穴下一寸亦旁開中行二寸針五分

水道　從大巨穴下三寸亦旁開中行二寸針三分半

歸來　從水道穴下二寸亦旁開中行二寸針五分

氣衝　從歸來穴下行在腿班中有肉核名曰鼠谿直上一寸動脉應手亦旁開中行二寸禁針

髀關　從氣衝下行膝上一尺二寸許中行左右各三指按捺上有肉起如伏兔之狀故名伏兔在此肉起後文紋中針六分

伏兔　從髀關下行膝上六寸起肉間正跪坐而取之針五分

陰市　從伏兔下行三寸在伏兔之下陷中拜揖而取之針三分

梁丘　從陰市下行一寸兩筋間針五分

犢鼻　從梁丘下行過膝蓋骨下胻骨上陷中俗名膝眼此穴陷中兩旁有空狀如牛鼻在外側者是穴針六分

三里　從犢鼻下行胻骨外側大筋內宛宛中舉足取之極重按之則跗上動脈止矣針八分

上廉　即上巨虛從足三里下行三寸兩筋間陷中舉足取之針八分

條口　從上廉下行二寸舉足取之針八分
下廉　從條口下行一寸兩筋骨罅中蹲地舉足取之針八分
豐隆　從下廉後斜向後上行在足外踝上八寸胻骨外廉陷
中針三分
解谿　從豐隆內循下足腕上中行陷中針五分
衝陽　從解谿下行足跗上高骨間動脉針三分
陷谷　從衝陽下行二寸至足大指之次指本節後陷中去內
庭穴二寸針三分
內庭　從陷谷下至足大指之次指本節前岐骨外間陷中針
三分
厲兌　從內庭下行足大指次指之端去爪甲角如韭葉針分一

胃經分寸歌

胃之經兮足陽明。承泣目下七分尋。再下三分名四白。巨髎鼻孔旁八分。地倉俠吻四分近。大迎頷下寸三中。頰車耳下八分陷。下關耳前動脈行。頭維神庭旁四五。人迎喉旁寸五真。水突筋前人迎下。氣舍（突）下一寸乘。缺盆舍下橫骨陷。氣戶下行一寸明。庫房下行一寸六。屋翳膺窗乳中根。不容巨闕旁二寸。一寸承滿與梁門。關門太乙滑肉門。天樞臍旁二寸尋。樞下一寸外陵穴。陵下一寸大巨陳。巨下三寸水道穴。水下二寸歸來存。氣衝歸來下一寸。共去中行二寸匀。髀關膝上尺二許。伏兔髀下六寸是。陰市伏兔下三寸。梁丘市下一寸記。犢鼻膝髕陷中取。膝眼三寸下三里。里下三寸上廉穴。廉下二寸條口舉。再下二寸下廉穴。復上外踝上八寸。卻是豐隆穴當記。解谿則從豐隆下。內循足腕上陷中。衝陽解下高骨動。陷谷衝下二寸名。內庭次指外岐骨。屬兌大次指端中。

註 頞 音遏鼻梁也亦曰山根手陽明經止手迎香乃自山根交承泣穴而接手足陽明經也

頤 口角後顋之下也頤俗呼為腮也

額顱 前髮際之下兩眉之上也

臏 膝蓋也 跗 足背也

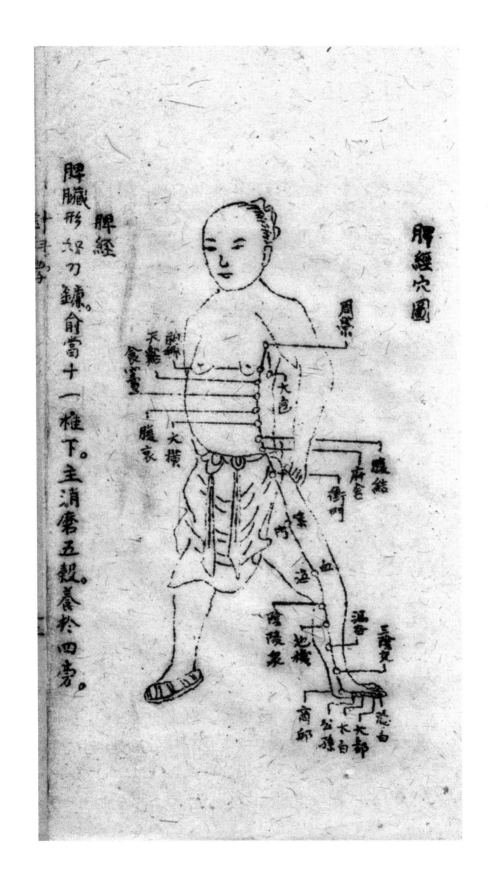

脾經穴圖

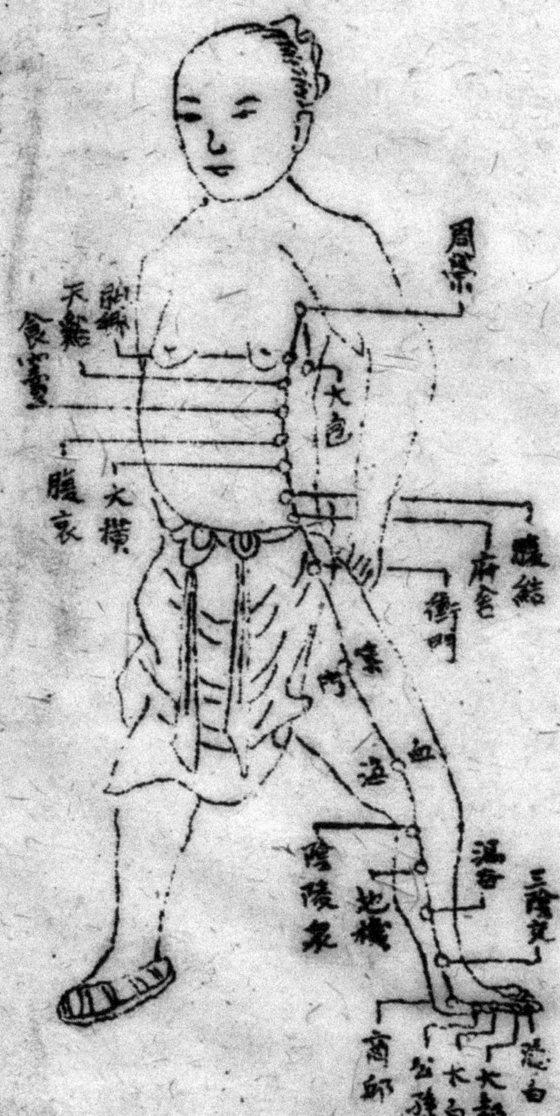

脾經

脾臟形如刀鐮。俞當十一椎下。主消磨五穀。養於四旁。

脾經循行

脾足太陰之脉。起於大指之端。循指内側白肉際。過核骨後。上内踝前廉。上腨内循脛骨後。交厥出陰之前。上膝股内前廉。入腹屬脾絡胃。上膈挾咽連舌本。散舌下。其支者復從胃别上膈注心中。

足太陰脾經之脉、起於大指之端、隱白穴也、從隱白循指内側、指内側白肉際、大都穴也、從大都過核骨後、太白穴也、從太白循公孫穴商邱穴、上内踝前廉、三陰交穴也、從三陰交上腨内循脛骨後、漏谷穴也、從漏谷交出厥陰之前、地機穴陰陵泉穴也、從陰陵泉上膝股内前廉血海穴箕門穴冲門穴也、入腹屬脾絡胃、循行府舍、腹結大横腹哀食竇天谿胸鄉周榮大包等穴、而上行咽喉、挾咽連舌本散舌下也、其支者、從胃之絡別上，行膈注心中，以交於手少陰心經也。

脾經穴歌

足太陰脾由足拇。隱白先從內側起。大都太白繼公孫。商邱直上三陰鳩。漏谷地機陰陵泉。血海箕門衝門前。府舍腹結大橫上。腹哀食竇天谿連。胸鄉周榮大包盡。二十一穴太陰全。

考正穴法

隱白 在足大指內側端後去爪甲角如韭葉許針一分

大都 從隱白行足大指內側次節末骨縫赤白肉際陷中針五分

太白 從大都行足大指後內側內踝前核骨下赤白肉際陷中針三分

公孫 從太白上行足大指本節後一寸內踝前陷中針四分

商邱　從公孫上行內踝下微前陷中前有中封後有照海其穴居中針三分

三陰交　從商邱上行內踝踝尖上三寸夾骨陷中針三分

漏谷　從三陰交上行三寸夾骨陷中針三分禁灸

地機　從漏谷上行五寸在膝下五寸內側夾骨陷中伸足取之針三分

陰陵泉　從地機上行膝下內側曲膝橫紋頭陷中與陽陵泉穴相對稍高一寸針五分

血海　從陰陵泉上行在膝髕上一寸內臁白肉際陷中針住

箕門　從血海上行在魚腹上越兩筋間陰股內𦚾動脉應手不禁重按

衝門　從箕門上行橫骨兩端約紋中動脉去腹中行傍開三寸

半針七分

府舍　從衝門上行七分去腹中行亦旁開三寸半針七分

腹結　從府舍上行三寸去腹中行亦旁開三寸半針七分

大橫　從腹結上行一寸三分去腹中行亦旁開三寸半針七分

腹哀　從大橫上行三寸半去腹中行亦旁開三寸半針三分

食竇　從腹哀上行三寸或從乳上三肋間動脈應手處往下六寸四分去胸中行旁開六寸舉臂取之針四分

天谿　從食竇上行一寸六分去胸中行旁開六寸仰而取之針四分

胸鄉　從天谿上行一寸六分去胸中行亦旁開六寸仰而取之針四分

周榮　從胸鄉上行一寸六分去胸中行亦旁開六寸仰而取

之針四分

大包　從周榮外斜下行過少陽胆經淵液穴下三寸至脇下六寸許出九肋間季肋端針三分

脚經分寸歌

大指端內側隱白。節後陷中求大都。太白內側核骨下。節後一寸公孫呼。商邱內踝微前陷。踝上三寸三陰交。再上三寸漏谷是。踝上五寸地機朝。膝下內側陰陵泉。血海膝臏上內廉。箕門穴在魚腹上、動脉應手越筋間。衝門橫骨兩端動。府舍上行七分看。腹結上行三寸八。大橫上行一寸三。腹哀上行三寸半。食竇上行三寸間。天谿上行一寸六。胸鄉周榮亦同然。外斜從下六寸許、大包九肋季脇端。

註　核骨　即大指本節後內側圓骨也

踝骨　踝者䯒骨之下足跗之上兩旁突出之高骨在外為外踝在內為內踝也

腨　腨者下腿肚也一名腓腸俗名小腿肚

股　股者兩大支之通稱也俗名大腿

季脇　季脇者脇之下小肋骨也俗名軟肋

心經穴圖

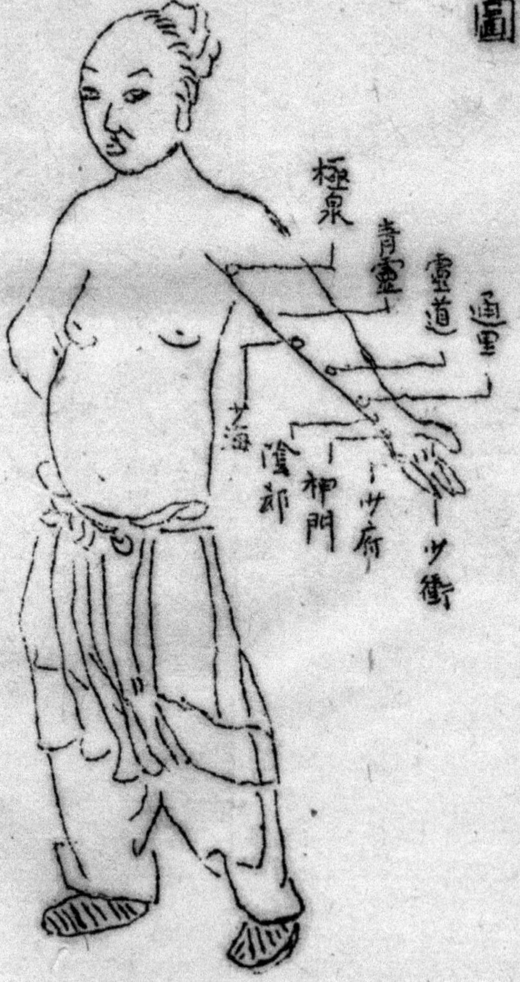

心藏

心者君主之官也。神明出焉。

人身知覺運動、無不本於心、故心為一身之君主、稟虛靈而含造化、具一理以應萬幾、藏府百骸、惟所是命、故曰神明出焉。心居肺管之下、膈膜之上、附着脊之第五椎。其象尖圓、形如蓮蕊、其中有竅、多寡不同、以導引天真之氣、下無透竅、上通於舌、其有四系、以通四藏、心外有赤、黄、諸裹、是為心胞絡、心下有膈膜、與脊脇周迴相着、遮蔽濁氣、使不得上熏心肺、所謂膻中也、

心經循行

心、手少陰之脉、起於心中、出屬心系、下膈絡小腸、其支者、從心系上侠咽、繫目系、其直者、從復心系却上肺、下出腋下、循臑內

後廉、行手太陰肺心主之後、下肘内、循臂内後廉、抵掌後銳骨之端、入掌内後廉、循小指之内、出其端、

手少陰心經之脉、起於心中、出屬心系、由心系下膈絡小腸、其經之支者、從心系上行俠咽、繫目之系、其經之直者、復從心系退上、通肺、行手太陰肺心主之後、下出行腋下極泉穴也、從極泉穴循臑内後廉、青靈穴也、從青靈穴、下肘内、循臂内後廉、少海穴也、從少海穴抵掌後銳骨之端、靈道通里陰郄、神門等穴也、從神門穴入掌後内廉、少府穴也、從少府穴循小指之内、出其端、少衝穴而終、以交於手太陽小腸經也、

心經穴歌

手少陰心起極泉。青靈少海靈道全。通里陰郄神門下。少府少衝小指邊。

考正穴法

極泉　在腋下臂內筋間動脉引胸中針三分

青靈　從極泉下行至肘在肘上三寸伸肘舉臂取之灸七壯

少海　從青靈下行肘內廉節後大骨外上去肘端五分肘內橫紋頭屈肘向頭取之針三分

靈道　從少海下行掌後寸一五分針三分

通里　從靈道下行五分循腕側外腕後一寸陷中針三分

陰郄　從通里內行五分掌後脉中腕後五分針三分

神門　從陰郄行掌後銳骨端陷中針三分

少府　從神門行手小指本節末外側骨縫陷中直勞宮針二分

少衝　從少府行小指內中行去爪甲角如韭葉許針一分

心經分寸歌

少陰心起極泉中。腋下筋間動引胸。青靈肘上三寸取。少海肘後端五分。靈道掌後一寸半。通里腕後一寸同。陰郄腕後內半寸。神門掌後銳骨隆。少府小指本節末。小指內側取少衝。

註　腕　腕者臂掌骨接交處以其宛曲故名

銳骨　手腕下踝為銳骨

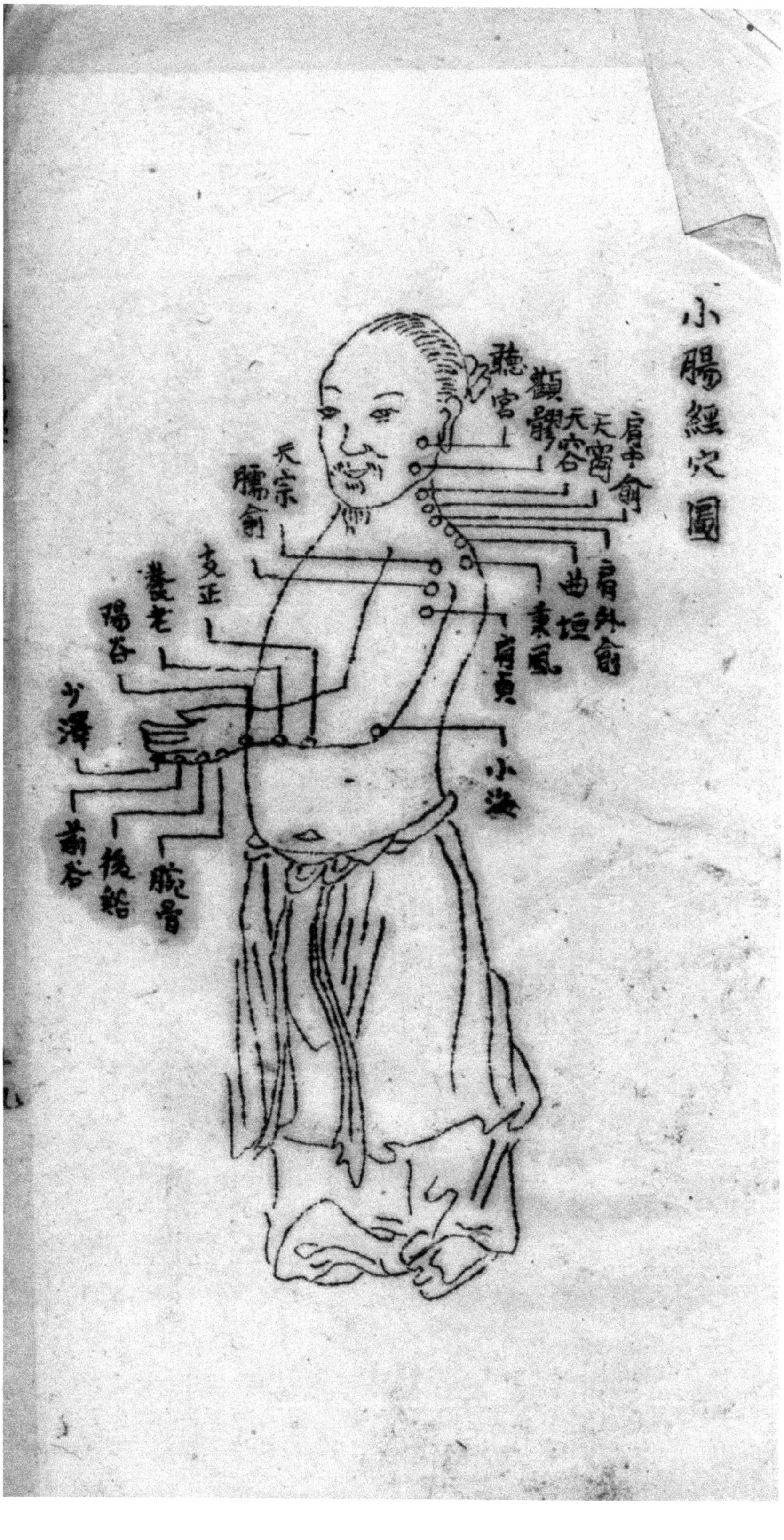
小腸經穴圖
聽宮
顴髎
天容
天窗
肩中俞
天宗
臑俞
曲垣
肩外俞
秉風
肩貞
支正
養老
陽谷
少澤
小海
前谷
後谿
腕骨

小腸

小腸者。受盛之官。化物出焉。

小腸上接於胃、容積食物之糟粕、傳入大腸、故曰受盛、食物在小腸、皆化為液、飲主化氣、食主化血、故曰化物、其府後附於脊前附於臍、上口在臍上二寸近脊、水穀由此而入、後下一寸外附於臍、為水分穴、當小腸下口、至是而泌別清濁、水液滲入膀胱、滓穢流入大腸、是經多血少氣、

小腸經循行

小腸手太陽之脉。起於小指之端。循手外側。上腕出踝中。直上循臂骨下廉。出肘內側兩骨之間。上循臑外後廉。出肩解。繞肩胛。交肩上。入缺盆。絡心循咽。下膈抵胃。屬小腸。其支者。從缺盆循頸上頰。至目銳眥。却入耳中。其支者。別頰。上䪼。抵鼻。至目內

皆。針絡於顴。

手太陽小腸之脈、從小指內側少陰之脈少衝穴、循小指之端少澤穴起、循手外側前谷後谿穴、從後谿上腕至腕骨穴、從腕骨出踝中入陽谷養老穴也、從養老直上循臂骨下廉支正穴也、從支正出肘內側兩筋間小海穴也、從小海上循臑外後廉出肩解肩貞穴、繞肩胛臑俞穴、上肩天宗穴也、從天宗循行秉風曲垣等穴、從肩中俞入缺盆穴散而內行絡心循咽、下膈抵胃、屬小腸之分、其支者、從缺盆循頸入天窗天容穴、上頰顴髎穴、至目銳眥、却入耳中、聚於聽宮穴也。其別支從頰上頗抵鼻、至目內眥、以交於足太陽膀胱經也、

小腸經穴歌

手太陽經小腸穴。少澤先於小指設。前谷後谿腕骨間。陽谷須

同養老列。支正小海上肩貞。臑俞天宗秉風台。曲垣肩外復肩中。天窗循次上天容。此經穴数一十九。還有顴髎入聽宮。

考正穴法

少澤　在手小指外側端、去爪甲角一分陷中、針一分、

前谷　從少澤上行手小指外側本節前陷中、針一分、

後谿　從前谷上行手小指本節後外側橫紋尖上陷中、仰手握拳取之、針一分、

腕骨　從後谿上行手掌外側、腕前起骨下罅縫陷中、針二分、

陽谷　從腕骨上行手掌外側腕下銳骨下陷中、針二分、

養老　從陽谷上行手下銳骨上一空腕後一寸許陷中針三分

支正　從養老上行外廉四寸、針三分

小海　從支正上行肘外大骨外去肘端五分陷中、屈肘向頭

取之針二分、

肩貞　從小海上行肩曲胛骨下大骨旁兩骨罅間肩髃後陷中針五分、

臑俞　從肩貞上行肩端臑上、肩骨下、胛骨上廉陷中舉臂取之針八分

天宗　從臑俞上行肩骨下陷中針五分、

秉風　從天宗上行肩上小髃骨舉臂取之有空針五分

曲垣　從秉風上行肩中央曲胛陷中按之應手痛針五分

肩外俞　從曲垣上行肩胛上廉去脊旁開三寸陷中針六分

肩中俞　從肩外俞上行肩胛內廉去脊督脉之大椎穴傍開二寸陷中針六分

天窗　從肩中俞上行頸大筋前曲頰下動脉應手陷中針三分

天容　從天窓上行耳下曲頰後針一寸

顴髎　從天容上行面頄骨下廉鋭骨端陷中針三分

聽宮　從顴髎上行耳中之珠大如赤小豆針一分

小腸經分寸歌

小指端外為少澤。前谷本節前外側。節後橫紋取後谿。腕骨腕前骨陷側。陽谷銳骨下陷肘。腕上一寸名養老。支正外側上四寸。小海肘端五分好。肩貞肩端後陷中。臑俞肩臑骨陷考。天宗肩骨下陷中。秉風肩上小髃空。曲垣肩中曲胛陷。外俞上胛一寸從。中俞大椎二寸旁。天窓曲頰動陷詳。天容耳下曲頰後。顴髎面頄銳骨量。聽宮耳中珠子正。此為小腸手太陽。

註　目內眥　目內眥者乃近鼻之内眼角以其大而圓故又名大眥也

目外眥　目外眥者乃近鬢前之眼角也以其小而尖
故稱目銳眥也
䪼　目之下眶骨顴骨内下連上牙牀者也
頄　䪼内鼻旁間近其門牙之骨也
顴　顴骨也面兩旁之高起大骨也
頰　耳前顴側面兩旁之稱也
肩解　肩端之骨節解處也
肩胛　即髃骨之末成片者也亦名肩髆骨俗名鍁板
子骨
髃骨　肩端之骨也即肩胛骨頭臼之上稜骨也其臼
接臑骨上端俗名肩頭其外曲卷翅骨肩後之稜骨也
其下稜骨在背肉也

曲頰　頰之骨也曲如環形受頰車骨尾之鉤者也

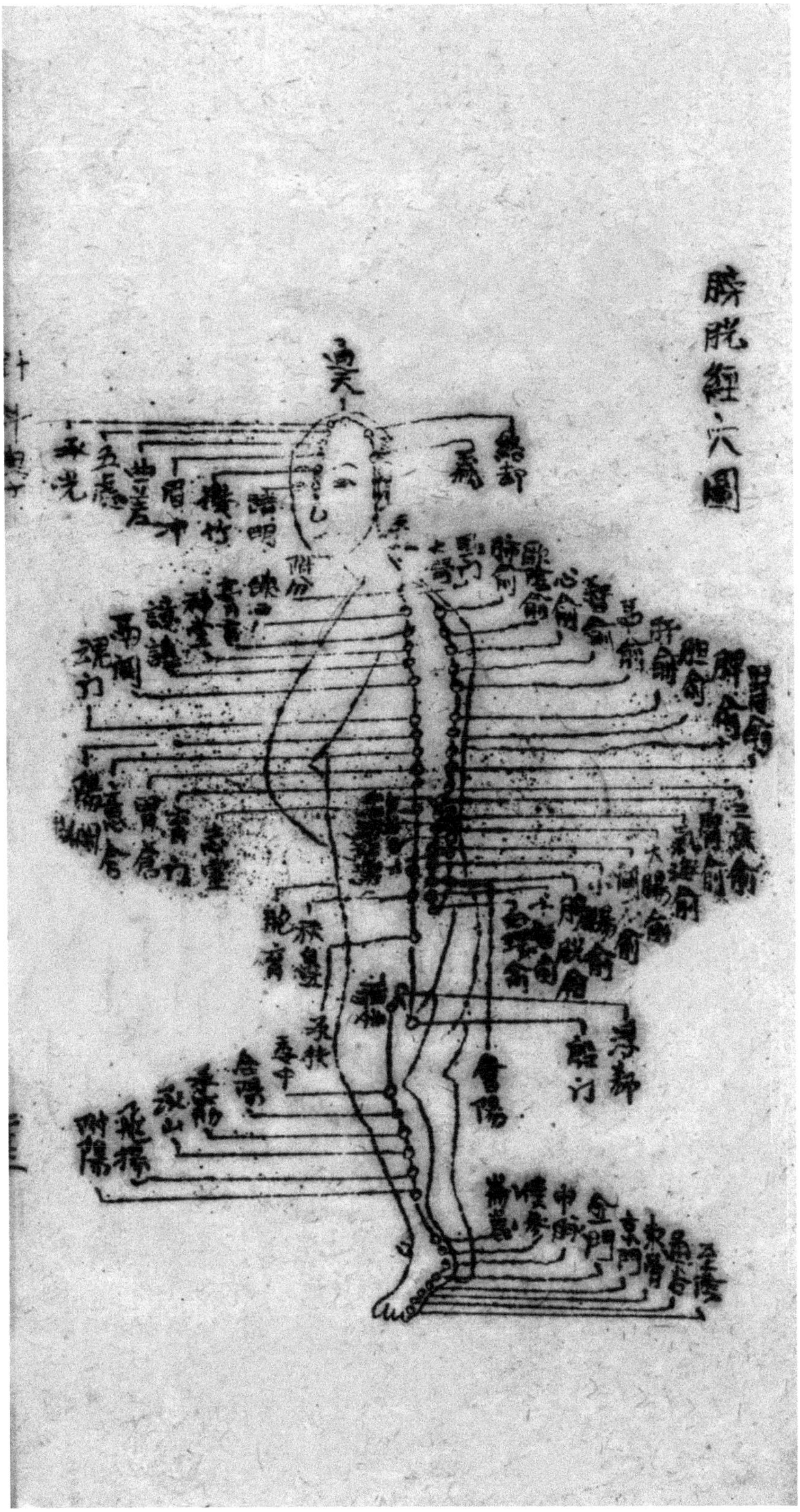
膀胱經穴圖
通天
絡却
承光
五處
曲差
眉冲
攢竹
睛明
附分
神堂
譩譆
膈關
陽綱
意舍
胃倉
志室
胞肓
承扶
委中
合陽
承筋
承山
飛揚
附陽
心俞
肝俞
胆俞
脾俞
胃俞
三焦俞
大腸俞
膀胱俞
會陽
殷门
浮郄
僕參
申脈
金門
束骨
至陰

膀胱

經曰、膀胱者。州都之官。津液藏焉。氣化則能出矣。膀胱為水府、乃水液都會之處。故曰州都之官。其腑當十九椎、居腎之下、大腸之前、有下口無上口、當臍上一寸水分穴處、為小腸下口、乃膀胱上際、水液由此別迴腸、隨氣泌滲而入、其出入皆由氣化、入氣不化則水歸大腸、而為泄瀉、出氣不化、則閉塞下竅、而為癃腫也、

膀胱循行

膀胱足太陽之脈。起於目內眥。上額交巔。其直者。從巔入絡腦。還出別下項。循肩髆內挾脊抵腰中。入循膂。絡腎屬膀胱。其直者。從腰中。下挾脊。貫臀入膕中。其支者。從髆內左右別下貫挾胛。挾脊內。過髀樞。循髀外。從後廉。下合膕中以下貫腨內。出外

踝之後。循京骨至小指外側。

足太陽之脈，起目內眥睛明穴，從睛明循行攢竹、曲差、五處，上額交巔，入承光穴，從承光循行通天穴。其支者，從巔至耳上角，交於足少陽之經。其直者，從通天入絡於大杼穴，從大杼循行肩髆內風門穴，從風門循行肺俞穴，挾脊抵腰中，致厥陰俞穴，從厥陰俞穴循行心俞、膈俞、肝俞、膽俞、脾俞、胃俞、三焦俞，入循俞背絡腎，從腎俞穴，循行氣海俞，從腰中下挾脊大腸俞穴，從大腸俞循行關元俞、膀胱俞、中膂俞、白環俞等穴，別行上髎、次髎、中髎、下髎等穴。其支者，又復上肩髆內，從附分穴循行貫胛魄戶穴，從魄戶循行挾脊內膏肓、神堂、譩譆、膈關、魂門、陽綱、意舍、胃倉、肓門、志室、胞肓等穴，過髀樞秩邊穴，從秩邊穴循髀外，從後廉承扶、浮陽、委陽穴，下合膕中委中穴，從委中循行合陽穴

從合陽下貫腨內承筋穴，從承筋循行承山、飛陽、附陽等穴，
附陽穴循行出外踝之後崑崙穴，從崑崙穴循行僕參、申脈
門等穴，循金門即本經之京骨穴也，從京骨循行束骨、通谷
至小指外側至陰穴而終，以交於足之少陰經也。

膀胱經日歌

足太陽經六十三，睛明攢竹曲差參，五處承光接通天，絡却
枕天柱边，大杼風門引肺俞，厥陰心膈肝膽居，脾胃三焦腎
次，大腸小腸膀胱如，中膂白環皆二行，去脊中間二寸許，上
次髎中復下，會陽須下尻旁取，還有附分至三行，二椎三寸
相當，魄戶膏肓與神堂，譩譆膈關魂門旁，陽綱意舍及胃倉
門志室連胞肓，秩边承扶殷門穴，浮郄相鄰是委陽，委中再
合陽去，承筋承山相次長，飛陽附陽達崑崙，僕參申脈過金門

京骨束骨近通谷。小指外側尋至陰。

考正穴法

睛明　在目内眥外一分宛宛中針一分

攢竹　從睛明上行眉頭陷中針二分

眉冲　從攢竹上行直眉頭上神庭曲差之間針三分

曲差　從眉冲上行髮際間俠督脉之神庭穴旁開一寸五分正頭取之針二分

五處　從曲差後行五分俠督脉之上星穴旁開一寸五分針三分

承光　從五處後行一寸五分針三分

通天　從承光後行一寸五分俠督脉之百會穴旁開一寸五分針三分

絡却　從通天後行一寸五分針三分

玉枕　從絡却後行一寸五分俠腦戶穴旁一寸三分起肉枕骨上入髮際二寸針三分

天柱　從玉枕俠項後大筋外廉下行髮際陷中

大杼　從天柱下行以項後第一椎下兩旁相去脊中各二寸陷中正坐取之難經曰骨會大杼以肩能負重針五分

風門　從大杼下行二椎下兩旁各去脊中二寸正坐取之針五分

肺俞　從風門行三椎下去脊中各二寸又以手搭背左取右右取左當中指末是穴之處正坐取之針三分

厥陰俞　從肺俞行四椎下去脊中二寸正坐取之針三分

心俞　從厥陰俞行五椎下去脊中二寸正坐取之針三分

督俞　從心俞行六椎下去脊中二寸正坐取之針五分

膈俞　從督俞行七椎下去脊中二寸正坐取之難經曰血會

膈俞蓋上則心俞心生血下則肝俞肝藏血故膈俞為血會針三分

肝俞 從膈俞行九椎下去脊中二寸正坐取之針三分

膽俞 從肝俞行十椎下去脊中二寸正坐取之針五分

脾俞 從胆俞行十一椎下去脊中二寸正坐取之針三分

胃俞 從脾俞行十二椎下去脊中二寸正坐取之針三分

三焦俞 從胃俞行十三椎下去脊中二寸正坐取之針五分

腎俞 從三焦俞行十四椎下與臍平去脊中二寸正坐取之針三分

氣海俞 從腎俞行十五椎下去脊中二寸正坐取之針三分

大腸俞 從氣海俞行十六椎下去脊中二寸伏而取之針三分

關元俞 從大腸俞行十七椎下去脊中二寸伏而取之針三分

小腸俞　從關元俞行十八椎下去脊中二寸伏而取之針三分

膀胱俞　從小腸俞行十九椎下去脊中二寸伏而取之針三分

中膂俞　從膀胱俞行二十椎下去脊中二寸俠脊胂起肉間伏
而取之針三分

白環俞　從中膂俞行二十一椎下去脊中二寸伏而取之針五分

上髎　從白環俞行腰髁骨下一寸俠脊兩旁第一空陷中針
三分

次髎　從上髎行俠脊旁第二空陷中針三分

中髎　從次髎行俠脊旁第三空陷中針三分

下髎　從中髎行俠脊旁第四空陷中針三分

會陽　從下髎行陰尾尻骨兩旁五分許針八分

附分　自大杼別脉其支者從肩髆內循行第二椎下附項內

魄戶　廉兩旁相去脊中各三寸半正坐取之針三分

從附分下行第三椎下去脊中各三寸半正坐取之針五分

膏肓　從魄戶下行第四椎下五椎上此穴居中去脊中各三寸半正坐曲脊取之灸百壯多至五百壯

神堂　從膏肓下行第五椎下去脊中各三寸半陷中正坐取之針三分

譩譆　從神堂下行第六椎下去脊中各三寸半正坐取之針七分

膈關　從譩譆下行第七椎下去脊中各三寸半陷中正坐開肩取之針五分

魂門　從膈關下行第九椎下相去脊中各三寸半陷中正坐

取之針五分、

陽綱　從魂門下行第十椎下相去脊中各三寸半陷中正坐取之針五分

意舍　從陽綱下行第十一椎下相去脊中各三寸半正坐取之針五分

胃倉　從意舍下行第十二椎下去脊中各三寸半正坐取之針五分

肓門　從胃倉下行第十三椎下去脊中各三寸半正坐取之針五分

志室　從肓門下行第十四椎下去脊中各三寸半陷中正坐取之針九分

胞肓　從志室下行第十九椎下去脊中各三寸半伏而取之

针五分

秩邊　從胞肓下行第二十一椎下去脊中各三寸半陷中伏而取之針五分

承扶　從秩邊下行在尻骨下陰股上約紋中針七分

殷門　從承扶下行六寸針七分

浮郄　從殷門外循斜上一寸屈膝得之針五分

委陽　從浮郄下行一寸仍在承扶穴下六寸屈伸取之針七分

委中　從委陽下行膕中央約紋動脉陷中令人仰類至地伏臥取之針五分禁灸

合陽　從委中下行膝膕約紋下三寸針六分

承筋　從合陽下行腨腸中央陷中脚根上七寸禁針

承山　從承筋下行腿肚下尖分肉間陷中針八分

飛揚　從承山斜行足外踝後上七寸陷中針三分
附陽　從飛揚下行足外踝下三寸筋骨之間針五分
崑崙　從附陽下行足外踝後五分跟骨上陷中細動脈應手
針五分
僕參　從崑崙下行足跟骨下陷中拱足取之針三分
申脉　從僕參行足外踝下五分陷中容爪甲許白肉際針三分
金門　從申脉下行一寸針三分
京骨　從金門行足外側大骨下赤白肉際陷中針三分
東骨　從京骨行足小指外側本節後陷中赤白肉際針三分
通谷　從東骨行足小指外側本節前陷中針三分
至陰　從通谷行足小指外側去爪甲角如韭葉針二分
註　目内眥　即目之内角睛明穴也為手足太陽少陽陽

明五脉之會　巔　頭頂也　項　腦後為項　膊
上股也近肩之部為上膊近手之部為下膊俗統謂之
臂膊　挾脊　脊背脊也脊骨共二十四節挾脊者言
經穴行脊骨兩旁也　腰　胯之上脇之下為腰
膂　挾脊肉為膂　臀　人身兩股上端與腎相連之
部位也　膕　膝後曲節處也俗稱腿灣　胛　在肩
解下　髀樞　髀股也髀樞在人體骨盤之下與下肢
相連處凹陷如臼以受髀骨之端者亦名髀臼若股外
側名為髀樞　腨　音善足肚也　踝　足踝也脛兩
旁內外高骨曰踝　顖　頂門也　尻　音敲脊骨盡
處也

膀胱經分寸歌

足太陽兮膀胱經。目内眥角始睛明。眉頭陷中攢竹取。曲差神庭旁寸五。五處直行後五分。承通絡郤玉枕穴。後循俱是寸五行。天柱項後髮際内。大筋外廉之陷中。自此脊中開二寸。第一大杼二風門。三椎肺俞厥陰四。心五督六膈七論。肝九胆十脾十一。胃俞十二椎下尋。十三三焦十四腎。氣海俞在十五椎。大腸十六小十八。膀胱俞穴十九椎。中膂内俞二十下。白環俞穴念一椎。小腸俞至白環内。腰空上次中下髎。會陽陰尾尻骨旁。背開二寸二行了。別後脊中三寸半。第二椎下為附分。三椎魄户四膏肓。第五椎下神堂尊。第六譩譆膈關七。第九魂門陽綱十。十一意舍之穴存。十二會倉穴已分。十三肓門端正在。十四志室不須論。十九胞肓廿秩邊。背部三行下行循。承扶臀下股上約。下行六寸是殷門。從殷外斜上一寸。曲膝得之浮郄尋。委陽承扶下六寸。從郄內並殷門。委中膝膕約紋裏。此下三寸尋合陽。承筋腨踝上七寸。穴在腨腸之中央。承山腿肚分肉間。外踝七寸上飛陽。附陽外踝上七寸。崑崙外跟陷中央。僕參亦在踝骨下。申脈踝下五分張。金門申脈下一寸。京骨外側大骨當。束骨本節後陷中。通谷節前限中量。至陰小指外側端。去爪甲之韭葉方。

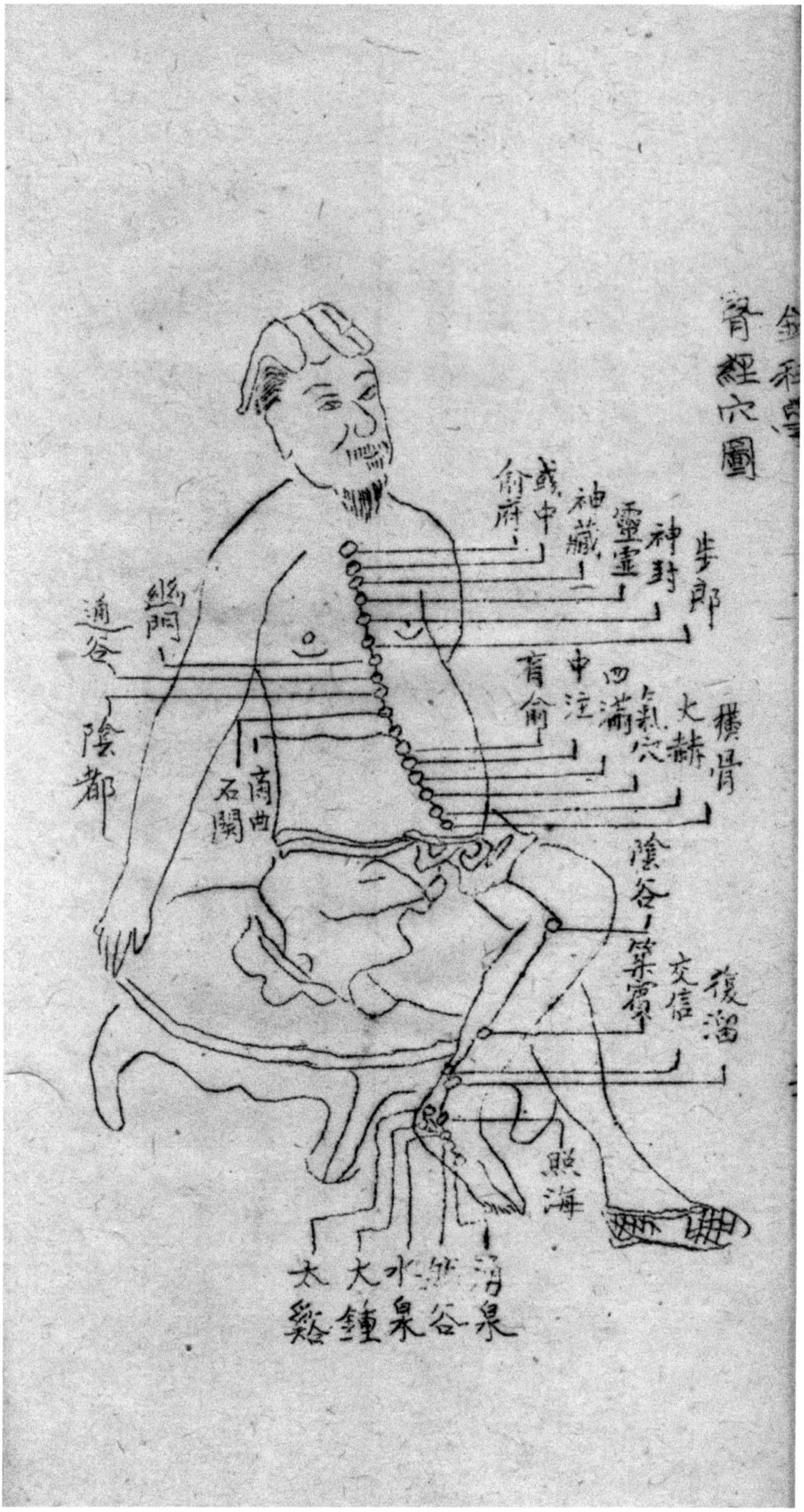
腎經穴圖
俞府
彧中
神藏
靈墟
神封
步郎
幽門
通谷
陰都
商曲
石關
肓俞
中注
四滿
氣穴
大赫
横骨
陰谷
築賓
交信
復溜
照海
太谿
大鍾
水泉
然谷
湧泉

腎藏

經曰。腎者作強之官。伎巧出焉。

腎藏精。精生髓。髓主骨內。髓足則骨強。故能作強。精足則神強。故多伎巧。腎有兩枚。形如豇豆。相並而曲。附於脊之十四椎下。兩旁相去各一寸五分。外有黃脂包裹。各有帶二條。上條繫於心。下條趨脊下大骨。在脊骨之端。如半手許。中有兩穴。是腎帶經過處。上行脊髓。至腦中。連於髓海。

腎藏循行

腎足少陰之脈。起于小指之下。斜趨足心之湧泉穴。出於然谷之下。循內踝之後廉。貫脊附腎絡膀胱。其直者。從腎上貫肝膈、入肺中。循喉嚨。俠舌本。其支者。從肺出、絡心、注胸中。

足少陰腎經之脈。起自足太陽小指之下至陰穴。斜趨足心湧泉穴。出然谷穴之下。循内踝後太谿穴。從太谿别入跟中大鍾穴。從大鍾循行水泉照海復溜交信穴。上腓内築賓穴也。從築賓出膕内廉陰谷穴。從陰谷上股内後廉橫骨穴。從橫骨内貫行脊。屬腎絡膀胱也。其直者。從腎外行大赫氣穴四滿中注肓俞商曲石關陰都通谷等穴。入内貫肝與膈。外循幽門步廊神封靈墟神藏彧中俞府等穴。入肺中。循喉嚨。俠舌本而絡。其支者。從肺出。絡心注胸中。以交於手厥陰經也。

腎經穴歌

足少陰腎二十七。湧泉然谷照海出。太谿水泉連大鍾。復溜交信築賓立。陰谷橫骨趨大赫。氣穴四滿中注得。肓俞商曲石關蹲。陰都通谷幽門值。步廊神封出靈墟。神藏彧中俞府畢。

考正穴法

湧泉　在足心陷中屈足卷指宛宛中白肉際跪取之針五分無令出血

然谷　從湧泉上行足內踝前起大骨下陷中針三分不宜見血

太谿　從然谷上行足內踝後五分跟骨上動脈陷中針三分

大鍾　從太谿行足跟後踵中大骨上兩筋間針二分

水泉　從大鍾行太谿下一寸內踝下針四分

照海　從水泉行足內踝下四分前後有筋上有踝骨下有軟骨其穴居中針四分

復溜　從照海行足內踝後除踝上二寸筋骨陷中前傍骨是復溜後傍筋是交信二穴止隔一筋針三分

交信　在復溜穴之後足內踝上二寸少陰前太陰後筋骨間針四分

築賓　從交信斜外上行過三陰交穴上腨分中針三分

陰谷　從築賓上行膝下內輔骨後大筋下小筋上按之應手屈膝得之針四分

橫骨　從陰谷上行入腹陰上橫骨中宛如仰月中央去任脈之中行旁開五分針五分大成作禁針（自幽門至橫骨十一穴按金鑑類經俱依甲乙經千金方去中行半寸惟大成作肓俞至橫骨去中行一寸幽門至肓俞去中行一寸半錄之以備參考）

大赫　從橫骨上行一寸亦去中行五分針三分

氣穴　從大赫上行一寸亦去中行五分針三分

四滿　從氣穴上行一寸亦去中行五分針三分

中注　從四滿上行一寸亦去中行五分針一寸

肓俞　從中注上行一寸直臍旁去臍中五分針一寸

商曲　從肓俞上行二寸亦去中行五分針一寸

石關　從商曲上行一寸亦去中行五分針一寸

陰都　從石關上行一寸亦去中行五分針三分

通谷　從陰都上行一寸陷中亦去中行五分針五分

幽門　從通谷上行一寸陷中亦去中行五分針五分

步廊　從幽門上行一寸陷中去中行旁開二寸仰而取之針三分

神封　從步廊上行一寸六分亦去中行二寸仰而取之針三分

靈墟　從神封上行一寸六分亦去中行二寸陷中仰而取之針三分

神藏　從靈墟上行一寸六分亦去中行二寸陷中仰而取之針三分

彧中　從神藏上行一寸六分亦去中行二寸陷中仰而取之針四分

俞府　從彧中上行在巨骨下夾璇璣旁二寸陷中仰而取之針三分

腎經分寸歌

足掌心中是湧泉。然谷內踝一寸前。太谿踝後跟骨上。大鍾跟後踵中邊。水泉谿下一寸覓。照海踝下四分真。復溜踝後上二寸。交信後上二寸聯。二穴只隔筋前後。太陰之後少陰前。築賓內踝上腨分。陰谷膝下曲膝間。橫骨大赫並氣穴。四滿中注亦相連。五穴上行皆一寸。中行旁開五分邊。肓俞上行亦一寸。但在臍旁半寸間。商曲石關陰都穴。通谷幽門去穴聯。五穴上下一寸取。各開中行五分前。步廊神封靈墟穴。神藏彧中俞府安。上行寸六旁二寸。俞府璇璣二寸觀。

註　髓海　腦也　腓　脛腨也俗稱肚腿　踵　足底

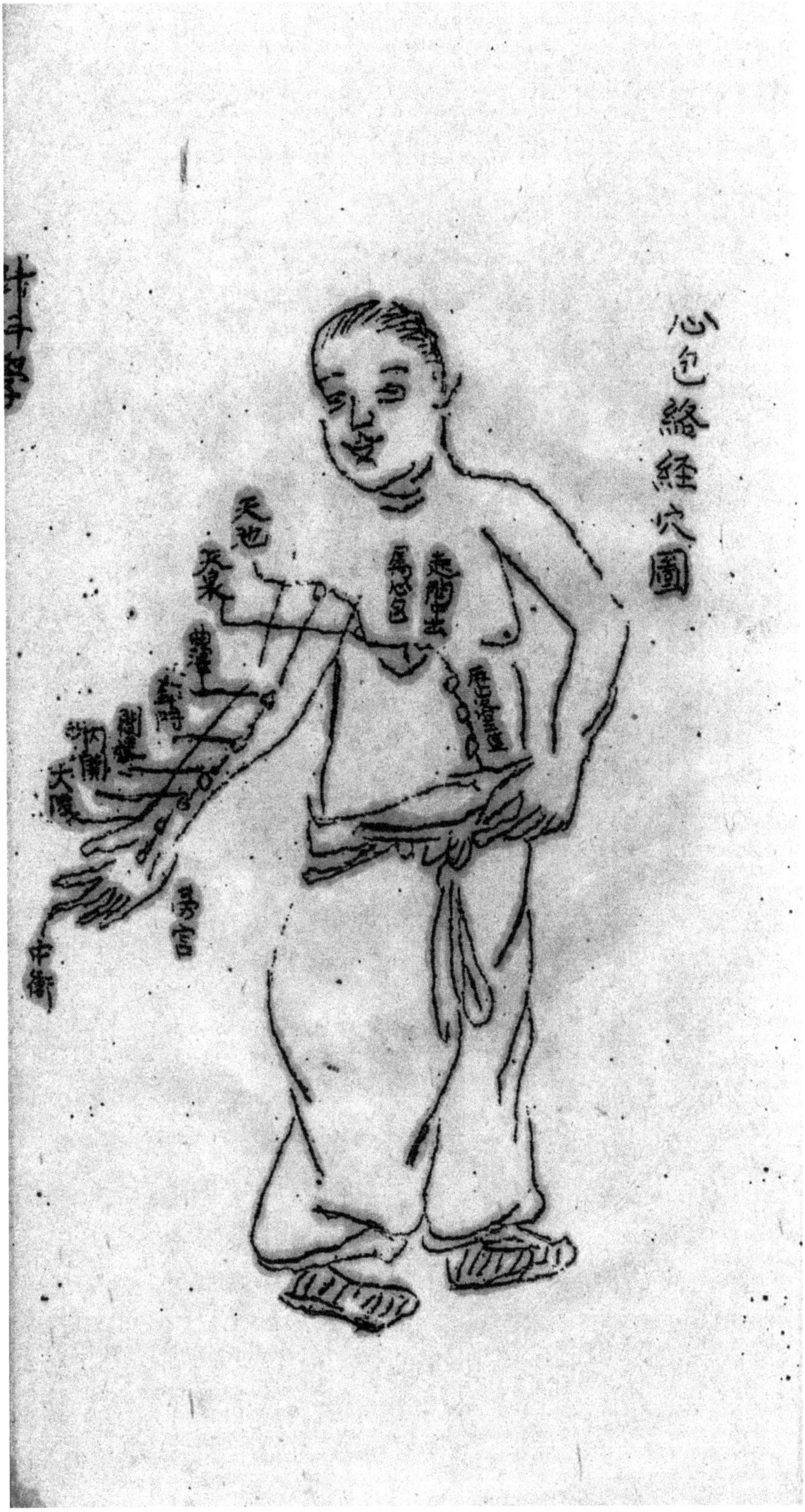
心包絡經穴圖
天池
天泉
曲澤
郄門
間使
内關
大陵
勞宮
中衝

心包絡

心包一臟。難経言其無形。滑伯仁曰。心包一名手心主。以臟象校之。在心下横膜之上。竪膜之下。其與横膜相粘而脂裹者心也。脂漫之外有細筋膜如絲。與心相連者心包也。此説為是。凡言無形者非。又按十二使令臟内。有膻中而無包絡。十二經内。有包絡而無膻中。乃知膻中即包絡也。又脹論云。膻中者。心主之宮城也。貼近君主。故稱臣使。臟腑之官。莫非王臣。何膻中獨泛言臣使。因代君行令故也。

心包絡經循行

手厥陰心主包絡之脉。起於胸中。出屬心包絡。下膈。歷絡三焦。其支者。循胸中出脇。下腋三寸。上抵腋下。循臑内行太陰少陰之間。入肘中。下臂。行兩筋之間。入掌中。循中指出其端。

盂

其支者別掌中。循小指次指出其端。

手厥陰手包絡之脉。起于胸中。出而外行天池穴。屬心包絡之經也。內行下膈。歷絡三焦者。散布于腹之上中下也。其支者。循胸中。出脇下三寸。即天池穴處也。從天池循臑內。至天泉。從天泉穴行手太陰手少陰兩脉之間。入肘內曲澤穴。下臂行兩筋之間。郄門間使內關太陵四穴。入掌中勞宮穴。從勞宮循中指出其端。中衝穴也。其本支之別支。別行掌中。循小指次指之端。以交于少陽三焦經也。

心包絡經穴歌

心包九穴天池近。天泉曲澤郄門認。間使內關踰大陵。勞宮中衝中指盡。

考正穴法

針科學

天池 在乳旁一二寸許直腋下行三寸脇之橛起筋骨間針二分

天泉 從天池斜上繞腋循臂內廉下行二寸舉臂取之針六分

曲澤 從天泉下行肘內廉大筋內側橫紋陷中動脈是針三分

郄門 從曲澤下行掌後去腕五寸針三分

間使 從郄門下行掌後去腕三寸兩筋間陷中針三分

內關 從間使下行掌後去腕二寸兩間針五分

大陵 從內關下行掌後骨下橫紋中兩筋間陷中針五分

勞宮 從大陵下行掌中央動脈屈無名指取之針三分

中衝 從勞宮下行中指之端去爪甲角如韭葉許陷中針

一分

心包絡經分寸歌

心絡起自天池間。乳後傍一腋下三。天泉繞腋下二寸。曲澤屈肘陷中參。郄門去腕後五寸。間使腕後三寸然。內關去腕後二寸。大陵掌後橫紋間。勞宮屈拳名指取。中指之末中衝端。

三焦經穴圖
絲竹空
和髎
耳門
角孫
顱息
瘈脈
翳風
天牖
天髎
肩髎
臑會
消濼
天井
四瀆
三陽絡
會宗
支溝
外關
陽池
中渚
液門
關衝

三焦

三焦者。決瀆之官。水道出焉。

上焦如霧、中焦如漚、下焦如瀆、三焦氣治、則水道疏通、故名決瀆之官。中藏經云、三焦者、人之三元之氣也、號曰中清之府、總領五藏六府、營衛經絡內外左右上下之氣也、三焦通、則內外左右上下皆通也、其於周身灌體、和內調外、榮左養右、導上宣下、莫大於此也、

三焦循行

三焦手少陽之脈。起於小指次指之端。上出兩指之間。循手表腕。出臂外兩骨之間。上貫肘。循臑外上肩。而交出足少陽之後。入缺盆布膻中。散絡心包。下膈循屬三焦。其支者。從膻中上出缺盆。上項繫耳後。直上出耳上角。以屈下頰至䪼。其、

針科學

支者。從耳後入耳中。出走耳前。過客主人。前交頰。至目銳眥。

手少陽三焦之脉。起於手小指次指外側之端關衝穴。從關衝上出兩指之間。液門中渚穴。循手腕表陽池穴也。從陽池出臂外兩骨之間。外關支溝會宗三陽絡四瀆天井等穴。上貫肘。清冷淵穴也。從清冷淵穴。循臂臑外上肩。循消濼臑會肩髎天髎穴。從天髎穴而交出足少陽經之後。入缺盆。布膻中。散絡心包。下膈內。而循行之分。皆屬三焦。經也。其支者。從膻中上。外出缺盆。上項天牖穴。循繫耳後。翳風瘈脈顱息穴。從顱息直上出耳上角。角孫穴。絲竹空穴也。由角孫絲竹空穴。繞耳以屈下至頰。和髎耳門穴也。其本支之別支者。從耳後出走耳前。過足少陽經客主人穴之前。交頰至目銳之外眥。以交足少陽膽經也。

三十七

三焦經穴歌

手少三焦所從經。二十三穴起關衝。液門中渚陽池歷。外關支溝會宗逢。三陽絡入四瀆内。注於天井清冷中。消濼臑會肩髎穴。天髎天牖經翳風。瘈脉顱息角耳門。和髎上行絲竹空。

考正穴法

關衝　在手四指外側端去爪甲角如韭葉許是其穴也針一分

液門　從關衝上行手小指次指岐骨間陷中握拳取之針二分

中渚　從液門上行一寸陷中針二分

陽池　從中渚由四指本節直上行手表腕上陷中直對腕

針科學

中針二分

外關　從陽池上行手腕後二寸兩骨間陷中針三分

支溝　從外關上行一寸兩骨間陷中針二分

會宗　從支溝外關一寸以支溝會宗二穴相平並直空中相離一寸也針三分一曰禁針

三陽絡　從會宗內斜上行一寸臂上大交脈即支溝上一寸禁針

四瀆　從三陽絡上行肘前五寸外廉陷中針六分一曰針三分

天井　從四瀆斜外上行肘外大骨尖後肘上一寸兩筋叉骨罅中屈肘拱胸取之針三分甲乙經云針一分

清泠淵　從天井上行一寸伸肘舉臂取之針三分

消濼　從清冷淵上行肩下臂外肘上分肉間針五分一曰針一分

臑會　從消濼上行臑外去肩端三寸宛宛中針五分

肩髎　從臑會上行肩端臑上陷中斜舉臂取之針七分

天髎　從肩髎上行肩缺盆中直足少陽經之肩井穴後一寸針八分

天牖　從天髎上行頸大筋外缺盆上手太陽經天容穴後足太陽經天柱穴前足少陽經完骨穴下髮際中上斜俠耳後一寸針八分

翳風　從天牖上行耳後尖角陷中按之引耳中痛針三分

瘈脉　從翳風上行耳後中間鳴中青絡脉中針一分

顱息　從瘈脉行耳後上間青絡脉中針一分一曰禁針

角孫　從顱息上行耳上髮際下在耳廓中間開口有空針
三分
絲竹空　從角孫繞行耳前在眉後陷中針三分
和髎　在耳前兑髮下橫動脈中針三分
耳門　在耳前起肉當耳缺處陷中針三分

註　腕　臂骨盡處也　臑　肘下對腋處也
附　臑盡處手臂中節也　䪼　目下為䪼
兑髮下　即鬢角也

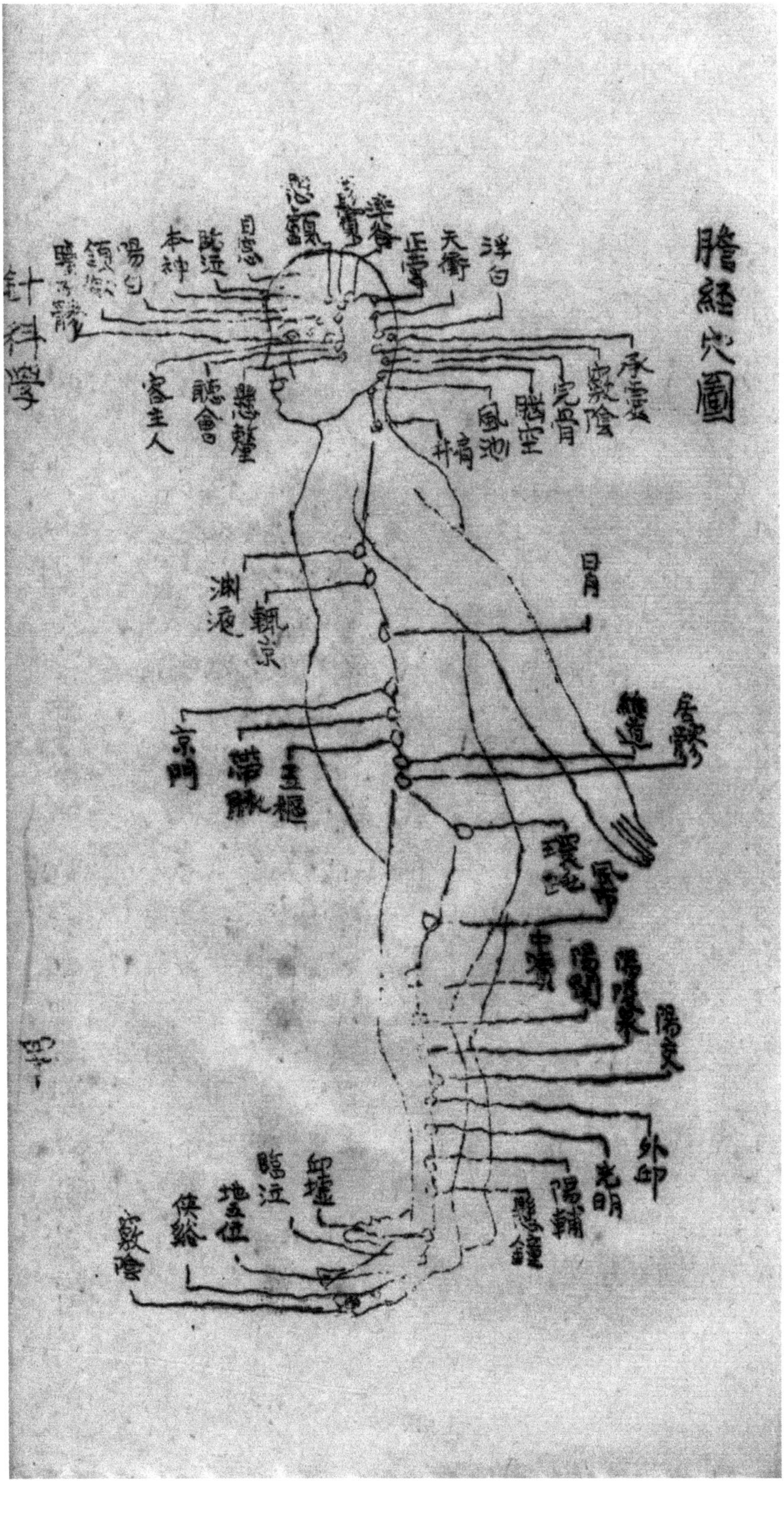
膽經穴圖
針科學
浮白
天衝
正營
承靈
竅陰
完骨
腦空
風池
肩井
目窗
臨泣
本神
陽白
頷厭
瞳子髎
懸釐
聽會
客主人
淵液
輒筋
日月
京門
帶脈
五樞
維道
居髎
環跳
風市
中瀆
陽關
陽陵泉
陽交
外丘
光明
陽輔
懸鐘
丘墟
臨泣
地五會
俠谿
竅陰

膽府

經云膽者中正之官決斷出焉

膽在肝之短葉間。重三兩三銖。長三寸。盛精汁三合。膽秉剛果之氣。故為中正之官。剛果者。善決斷。肝雖勇急。非膽不斷也。

膽經循行

膽足少陽之脈。起於目銳眥。上抵頭角。下耳後。循頸行手少陽之前。至肩上。却交出手少陽之後。入缺盆。其支者。從耳後入耳中。出走耳前。至目銳眥後。其支者。別銳眥。下大迎。合手少陽。抵於䪼下。加頰車。下頸。合缺盆。以下胸中。貫膈。絡肝屬膽。循脇裏。出氣街。繞毛際。橫入髀厭中。其直者。從缺盆下腋。循胸。過季脇。下合髀厭中。以下循髀陽。出膝外廉。下外輔骨之前。直下抵絕骨之端下出外踝之前。循足跗上。入小指次指之間。其支者。別跗上。入大指之間。循大指岐骨內出其端。還貫爪甲。出三毛。

足少陽膽經之脈。起於目之銳眥瞳子髎穴。循聽會客主人穴。上抵頭角頷厭穴也。從頷厭循懸顱懸釐曲鬢率谷折而下行於耳後之天衝浮白竅陰完骨等穴。折外上行至眉頭之本神陽白臨泣目窗正營承靈腦空等穴。循頸至風池穴。過手少陽天牖穴之前。至肩上本經之肩井穴從肩井穴。卻交出於手少陽之後。入缺盆處也。其支者。從耳後入耳中。出走耳前。至目銳眥。從此一小支之脈。行於顴之無處穴也。又其支者。別銳眥。下手陽明之大迎穴。合手少陽抵於頔下。加頰車。下頸。合缺盆穴。以下入胸中。貫膈絡肝屬胆。循脇裏出氣街叢布藏府。外繞毛際橫入髀厭中環跳穴也。其支者。從缺盆下腋淵液穴。從淵液穴循胸輒京穴也。從輒京日月穴。過季脇。至京門穴。從京門循行帶脉五樞維道居髎。下合髀厭中環跳穴也。從環跳穴。以下循髀陽風市穴。從風市循行中瀆陽關。出膝外廉陽陵泉穴也。從陽陵泉穴。循行陽交外邱光明等穴。下外輔骨之前。陽輔穴也。從陽輔穴直下。抵絶骨之端。懸鍾穴。從懸鍾下出外踝之前。邱墟穴。從邱墟穴循足跗上臨泣穴也。從臨泣入小指次指之間。俠谿竅陰穴也。其支者。別跗上。入大指之間。循大指岐骨內。其出端。還貫爪甲。出三毛。以交於足厥陰肝經也。

膽經穴歌

足少陽經童子髎。四十三穴行迢迢。聽會客主頷厭集。懸顱懸釐曲鬢翹。率谷天衝浮白次。竅陰完骨本神至。陽白臨泣開目窗正營承靈腦空是。風池肩井淵液長。輒筋日月京門鄉。帶脈五樞維道續。居髎環跳市中瀆。陽關陽陵復陽交。外丘光明陽輔高。懸鐘丘墟足臨泣。地五俠谿竅陰畢。

考正穴法

童子髎　在目銳眥外去眥五分針三分

聽會　從童子髎下外斜行耳前起前上關下一寸耳珠下動脈宛宛中開口有空側張口取之針三分

客主人（一名上關）　從聽會上直行一寸開口有空側臥張口次之針一分一日禁針

頷厭　從客主人上內斜行兩太陽曲角上廉針三分

懸顱　從頷厭後行耳前曲角上兩太陽之中針三分

懸釐　從懸顱後行耳前曲角上兩太陽下廉針三分

曲鬢　從懸釐後行耳前入髮際曲隅陷中鼓頷有空針三分

率谷　從曲鬢後行耳上入髮際寸半陷者宛宛中嚼而取之針三分

天衝　從率谷後行耳後三分許入髮際二寸針三分

浮白　從天衝下行耳後入髮際一寸針三分

竅陰　從浮白下行耳後高上枕骨下搖動有空針三分

完骨　從竅陰行耳後入髮際四分針三分

本神　從完骨折上行神庭旁三寸直上入髮際四分針三分

陽白　從本神行眉上一寸直瞳子針三分

臨泣　從陽白上直行入髮際五分陷中正睛取之針三分

目窗　從臨泣後行一寸針三分

正營　從目窗後行一寸針三分

承靈　從正營後行一寸五分針三分

腦空　從承靈後行一寸五分針四分

風池　從腦空下行耳後下髮際陷中大筋外廉按之引於耳中針四分

肩井　從風池下行肩上會其支者合缺盆上大骨前一寸半以三指按取當中指下陷中針五分

淵液　從肩井下行腋下三寸宛宛中舉臂取之針三分

輒筋　從淵腋下行腹前一寸三肋端横直蔽骨旁七寸五

分半直兩乳側臥屈上足取之針六分

日月　從輒筋行乳下二肋端縫下五分針七分

京門　從日月行監骨腰中季肋本夾脊髎上五分旁開九寸半側臥屈上足伸下足舉臂取之針七分

帶脈　從京門下行季肋下一寸八分陷中臍上二分旁開八寸半肥人九寸瘦人八寸針六分

五樞　從帶脈下三寸針一寸

維道　從五樞下行過所經章門穴下五寸三分針八分

居髎　從維道下行三寸監骨上陷中針八分

環跳　從居髎下行髀樞中側臥伸下足屈上足取之針一寸

風市　從環跳下行膝上外廉兩筋中以手著腿中指盡處

是針五分

中瀆　從風市下髀骨外膝上外廉五寸分肉間陷中針

分

陽關　從中瀆下行膝上二寸犢鼻外陷中針五分

陽陵泉　從陽關下行膝下一寸外廉陷中尖骨前筋骨間

蹲坐取之針六分

陽交　從陽陵泉下行足外踝上七寸內斜三陽分肉間針

六分

外卯　從陽交行外踝上七寸外斜針三分

光明　從外卯下行外踝上五寸針六分

陽輔　從光明下行一寸輔骨前絕骨端內斜三分針五分

懸鍾　從陽輔下行一寸外踝上三寸尋摸尖骨者按之陽

四四

明脉絶乃取之針六分

邱墟　從懸鍾行外踝下斜前陷中針五分

臨泣　從邱墟下行三寸在足小指次指本節後足跗間陷中針二分

地五會　從臨泣下行五分足小指次指本節後陷中針一分

俠谿　從地五會下行一寸足小指次指本節前岐骨間陷中針三分

竅陰　從俠谿下行足小指次指外側端去爪甲角如韭葉針一分

膽經分寸歌

足少陽兮四十三。頭上念穴分三折。起自童子至風池。積数

陳之依次第。外眥五分瞳子髎。耳前陷中尋聽會。上行一寸
客主人。內斜曲角上頷厭。後行顱中釐下穴。曲鬢耳前上髮
際。率谷入髮寸半安。天衝耳後斜二寸。浮白下行一寸竅
陰穴在枕骨下。完骨耳後入髮際。[illegible]四分須用記。本神神
庭旁三寸。入髮四分耳上係。陽白眉上一寸許。上行五分是
臨泣。臨後寸半目窗穴。正營承靈及腦空。後行相去一寸五。
風池耳後髮陷中。肩井肩上陷中取。大骨之前寸半明。淵液
腋下行三寸。輒筋復前一寸行。日月乳下二肋縫。下行五分
是穴名。臍上五分傍九五。季肋俠脊是京門。季下寸八尋帶
脈。帶下三寸穴五樞。維道章下五三定。維下三寸居髎名。環
跳髀樞宛中陷。風市垂手中指終。膝上五寸中瀆穴。膝上二
寸陽關尋。陽陵膝下一寸住。陽交外踝上七寸。外卯外踝七

針科學

四十五

寸間。此係斜屬三陽分。踝上五寸定光明。踝上四寸陽輔穴

踝上三寸是懸鍾。即墟踝前陷中取。即下三寸臨泣存。臨下

五分地五會。會下一寸俠谿輸。欲覓竅陰穴何在。小指次指

外側尋。

註 目銳眥 目外角也 頄 音拙，目下為頄

毛際 曲骨兩旁為毛際，其動脉即是陽明之氣衝

也。髀厭 捷骨之下為髀厭，即髀樞也

跗 足面也

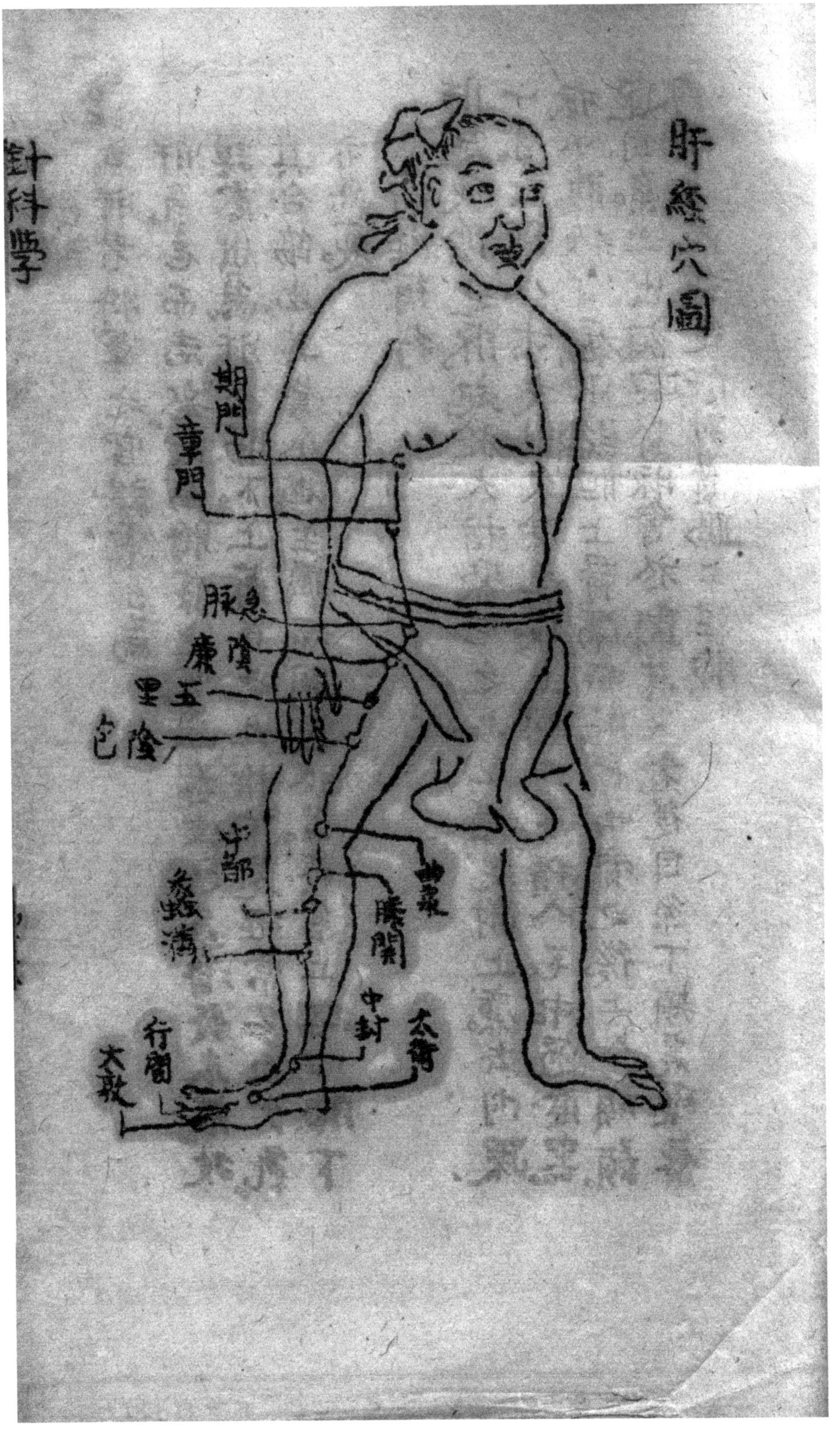
針科學
肝經穴圖
期門
章門
急脉
陰廉
五里
陰包
中都
蠡溝
曲泉
膝關
中封
太衝
行間
大敦

肝臟

經云肝者將軍之官謀慮出焉

肝氣急而志怒。故為將軍之官。主春生之氣。潛發未萌。故謀慮出焉。肝居膈下。上著脊之九椎下。是經常多血少氣。其合筋也。其營爪也。主藏魂。開竅於目。其系上絡心肺。下亦無竅。

肝經循行

肝足厥陰之脈。起於大指聚毛之上。上循足跗上廉。去內踝一寸。上踝八寸。交出太陰之後。上膕內廉。循入毛中。過陰器。抵小腹。挾胃屬肝絡胆。上貫膈布脇肋。循喉嚨之後。上入頏顙。連目系。上出額。與督脈會於巔。其支者從目系下頰裏。環唇內。其支者。復從肝別貫膈上注肺。